Thomas Lakeman

DE SCHADUWVANGERS

De Fontein

Oorspronkelijke titel: *The Shadow Catchers*
Oorspronkelijke uitgever: St. Martin's Minotaur, New York
Copyright © 2006 Thomas Lakeman
Copyright © 2007 voor deze uitgave:
Uitgeverij De Fontein, Postbus 1, 3740 AA Baarn
Uit het Engels vertaald door: Peter Barnaart
Omslagontwerp: Hesseling Design, Ede
Zetwerk: Text & Image, Almere
ISBN 978 90 261 1000 9
NUR 332

www.uitgeverijdefontein.nl
www.thomaslakeman.com

De inhoud van dit boek is fictie. Alle personages, gebeurtenissen en dialogen zijn voortgekomen uit de fantasie van de auteur. Iedere gelijkenis met levende of dode personen of gebeurtenissen is onbedoeld en berust op toeval.

Voor Mouse

...Zag ik aan de voet van het altaar de zielen van al degenen
Die geslacht waren omdat ze over God hadden gesproken
En vanwege hun getuigenis.
Ze riepen luid: 'O heilige en betrouwbare Heer,
Wanneer zult U de mensen die op aarde leven
Eindelijk straffen en ons bloed op hen wreken?'
Openbaringen 6:9-10

Hier, kinderen, dit is alleen bedoeld om lekker te gaan slapen.
Jim Jones

EEN

'Oké, nou ik,' zei de serveerster van het Silver Star Café. 'Vertel maar wat je ziet.'

Het Silver Star Café, drie uur buiten Las Vegas en zo'n tien kilometer van de bewoonde wereld, was volgens zeggen de oudste eetgelegenheid van Zuid-Nevada. De muren hingen er vol met op van die antieke blikken borden afgedrukte foto's: cowboys die in de rij staan voor een glaasje Nockum Stiff-whiskey, vlotte meiden met gestreepte kousen aan en een dode stroper met een bord om zijn nek waarop stond: DIT GEBEURT ER IN DYER COUNTY MET VEEDEIVEN. Ik weet niet wat me het meest stoorde: de voldane grijnzen bij de meute die hem had gelyncht, of het feit dat ze het woord 'dieven' fout hadden gespeld.

'Treuzel nou niet zo, lekker ding.' De serveerster haalde speels naar me uit met een stofdoek. 'Je hebt Luther en Bill hun hele levensverhaal al verteld, alleen maar door naar ze te kijken.'

Ik haalde mijn schouders op. 'Die lui waren gemakkelijk. Zij hebben tatoeages.'

'Ik heb ook tatoeages,' zei ze pruilend. 'Ik ben ook gemakkelijk.'

We waren met ons vijven in de *diner*. De twee oude stamgasten, die samen over veertien tanden beschikten, iemand die in de ruimte ernaast videospelletjes speelde, de serveerster – Meghan heette ze – en ik. Het was vrijdagmiddag, vier uur: Halloween.

'Hoe zei je ook weer dat je heette?' Ze boog zich naar me toe, waarmee ze me brutaal een hint gaf over de locatie waar zo'n tatoeage zich zou kunnen bevinden.

'Mike.'

'Ik zal je een stuk zelfgemaakte kersentaart geven, Mike. Schiet op, doe een meisje nou een lol.'

Ik bekeek haar eens goed. Eind dertig, sexy – als je erg omhoogzat – en boven haar spijkerbroek uit piepte het litteken van een keizersnee. Er was ook een voortand waarvan recentelijk een stukje was afgebroken en ze had een slecht gecamoufleerde bloeduitstorting in haar hals. Ze had een lieve glimlach. Maar telkens wanneer ze wegkeek, week het leven uit haar ogen.

Bij de oude mannen was het voornamelijk een spelletje. Bij Meghan moest ik oppassen. Als ik het allemaal recht voor zijn raap zou vertellen, kon ik wel vergeten dat ik de inhoud van haar wonderbra te zien zou krijgen. Ik kon haar natuurlijk ook een lol doen. Een nacht op de matras in het woonwagenkamp, en daarna zwijgend boven de cornflakes terwijl haar koters nukkig de andere kant opkeken. Meghans vluchtige blik vol wanhoop waarmee ze vervolgens zou proberen me de voordeur uit te glimlachen. Wie weet? Uiteindelijk zou ik ook nog eens slaags kunnen raken met de zakkenwasser aan wie ze die bloeduitstorting te danken had.

Maar wat kon het schelen?

'Je bent fotomodel.' Ik gaf haar een knipoog. 'Zevenentwintig?'

Meghan glimlachte. 'Eén punt taart, komt eraan.'

Hier is het dus allemaal goed voor geweest, dacht ik. Een snoeiharde training van tien jaar op kosten van de belastingbetalers, louter en alleen om gedachtenlezertje te kunnen spelen in Nergenshuizen in Nevada. Ik Stel Profielen Samen In Ruil Voor Voedsel.

Ze pakte mijn lege bord en duwde met haar kont de keukendeur open. 'Zeg, hoe komt het dat je zo goed mensen kunt doorzien, trou–' Toen week alle kleur uit haar gezicht.

Iedereen keek door het raam naar buiten.

Motorfietsen flankeerden een grijze lijkwagen die over Highway 313 hobbelde, gevolgd door een oude groene Cherokee en een lange stoet rouwenden: Dodges en kleine Japanners met een slechtwerkende knalpot en kaduke koplampen. De gezichten van de bestuurders – voor zover ik ze kon zien – stonden ernstig en verward.

'Krijg nou wat,' fluisterde iemand.

'Wie zijn ze aan het begraven?' vroeg ik.

Meghan wierp me een benauwde blik toe, om me een seintje te geven dat ik een onzichtbare grens had overschreden.

'Een Mexicaans jongetje,' fluisterde ze. 'Van zes jaar.'

'God, wat treurig.'

Een van de oude mannen haalde luidruchtig zijn neus op. 'Het is ronduit misdadig. Lui die hun kinderen de weg op laten rennen...'

Meghan vertrok haar gezicht. 'Schaam je, Luther.'

'Dat soort lui moest zich schamen.' Met een klap liet hij zijn vuist neerkomen. 'Die ouders zouden dood moeten gaan, in plaats van dat kind. Als er al enige rechtvaardigheid mocht bestaan.'

Ik keek hem aan. 'Ik ben ervan overtuigd dat in die stoet een paar mensen het met u eens zouden zijn.'

Hij lachte schamper. 'O ja? Wie dan wel?'

'De ouders.'

Luther wendde eerder zijn blik af dan ik.

'Wat is er precies met hem gebeurd?' hoorde ik mezelf vragen.

Niemand gaf antwoord. Dat waren lokale kwesties, privékwesties, en op mijn auto zat een kenteken uit Pennsylvania. De laatste rouwenden waren gepasseerd, en nu was het blikkerige muziekje uit het vertrek ernaast het enige geluid.

'Heb je die kist gezien?' Bill schudde zijn hoofd. 'Het beste meubelstuk dat die illegalen bezitten, en dat gaat regelrecht de grond in.'

'Nou moet je je mond houden.' Meghan liep rood aan. 'Het zijn trouwens geen illegalen.' Haar stem stierf weg toen een rode Ford pick-uptruck over de snelweg scheurde, waarvan het rechter voorwiel een gierend geluid maakte. Eén seconde dacht ik dat het om een late begrafenisganger ging. Het volgende moment remde de bestuurder van de truck zo krachtig af op de parkeerplaats dat er een grijze stofwolk achter hem opstoof.

Luther krabde over zijn kin. 'Jezus, dat is Dale.'

De plankenvloer kraakte toen Dale de *diner* binnenkwam. Hij was ruim één meter tachtig lang en woog grof geschat honderdvijftig kilo. Zijn mond, die bijna schuilging in een steenrode baard, was verbazend kinderlijk. Dale droeg puntlaarzen en een geel windjack met een vignet van de Brand- en Rampenbestrijding van Dyer County. Hij maakte niet de indruk dat hij hier was om de brandblussers te controleren. Zijn rechterhand was bleek en vlekkerig – een en al kippenvel. Waarschijnlijk net uit het gips. Om de paar tellen spande en ontspande de hand zich, alsof hij er opnieuw leven in wilde opwekken.

'Hallo, Dale.' De serveerster deed haar best om te glimlachen.

'Is Rob hier?' Zijn stem klonk zwaar en slepend. Toen hij een tik tegen zijn pet gaf, zag ik een diepe geul in zijn linkerslaap. Een litteken, slecht geheeld. De woorden SEMPER FI waren in de gouden ring om zijn pink gestempeld.

Meghan wrong zich in haar handen. 'Robbie is hiernaast in de speelkamer. Hij is er misschien al – wat denk jij, Luther: een uur?'

'Zo ongeveer.' Luther knikte. 'Elke dag om drie uur, dan is-ie present.'

Dale zag me amper toen hij langs sjokte: ik was zomaar een vent aan het middagmaal. Terwijl hij de speelkamer binnenging, haalde de hele *diner* weer adem.

'O, o.' Meghan wreef met haar hand over haar voorhoofd. 'Je denkt toch niet...'

'Hou mij erbuiten.' Luther liet zijn blik naar zijn appeltaart afdalen. 'Dat is niet mijn probleem.'

Als Robbie een regelrechte gokverslaafde was geweest, of een of andere boerenpummel die met zijn stijve achter Dales liefje aan rende, was ik het daar misschien mee eens geweest. Maar iets wat die oude man had gezegd, zat me dwars. *Elke dag om drie uur, dan is-ie present.* Dat is de tijd dat de school uitgaat.

Ik ging verzitten om een beter zicht op de speelkamer te krijgen.

Robbie was klein voor zijn leeftijd – zeven of acht – en hij woog pakweg twintig kilo. Hij moest op een kistje staan om bij de speelknoppen te kunnen. Zijn magere beentjes staken in ijzeren beugels. Naast het apparaat stond een fonkelnieuw looprek. Toen Dales schaduw eroverheen viel, zei de jongen iets wat te zacht was om te kunnen verstaan. Dale schoof zijn hand onder de oksel van de jongen door en tilde hem als een lappenpop op.

Robbie gilde het uit. 'Ik moet mijn looprek hebben.'

Dale pakte het looprek, klemde het onder zijn rechterarm en beende op de deur af. Ik hield mijn ogen op Dale gericht. Opnieuw liep hij vlak langs me heen zonder naar me te kijken. Even later was Robbie op een armlengte van me af, en één afschuwelijk moment boorden zijn bruine ogen zich in de mijne.

Mijn hand klemde zich om de koperen reling.

'Neem me niet kwalijk.' Maar Dale bleef niet staan. Ik wendde me tot de serveerster.

'Bel de politie,' zei ik. 'Nu meteen.'

'Doe niet zo idioot.' Ze greep mijn pols beet.

'Doe het nou maar.'

Toen ik de parkeerplaats op kwam, viste Dale, met Robbie onder zijn linkerarm geklemd, net zijn sleutels uit zijn zak. Wat hij ook met de jongen van plan was, hij was vastbesloten dat in alle beslotenheid te doen. Ik was ruim tien meter van hen af, maar ik liep rustig door. Het zweet stond in mijn handen.

Dale slingerde het looprek in de achterbak van de pick-up, waar het met een doffe klap neerkwam.

'Laat los!' Robbie trappelde met zijn benen en rukte aan Dales overhemd. 'Laat me met rust! Ik haat je!'

Zijn nagels krasten over Dales linkeroog. De sleutels schoten uit Dales hand en verdwenen onder het voorwiel.

'Godverdómme!' Dale sloot zijn enorme hand over het gezicht van de jongen. 'Hou op met dat gezeik! Vertel me verdomme wat ze zei!'

Robbie beet op zijn lip.

'Kijk me aan wanneer ik tegen je praat, Robbie.'

'Laat me los! Je bent mijn vader niet!'

'Dale.' Ik was nu nog een paar meter van hen af.

Hij draaide zich om. 'Wie ben jij nou weer?'

'Ik heet Mike.' Ik zei het zo zacht dat hij zich naar me toe moest buigen. 'Alles goed?'

'Wat kan jou dat verdomme schelen?' Zijn ademhaling werd wat rustiger.

'Ik maak me een beetje zorgen om Robbie.' Ik voelde het bloed in mijn slapen bonken. Waarom deed ik dit? Ik had hier geen enkele jurisprudentie – niet meer. En ik was er zeker niet op uit om klappen op te lopen. Maar Robbie stond te kijken.

Dales hand gleed van Robbies gezicht, waar hij een felrode plek op de wang van de jongen achterliet. 'Maak je over Robbie maar geen zorgen. Er is niets met hem aan de hand.'

Dale bond ietwat in omdat hij wist dat hij buiten zijn boekje ging.

'Kalm aan dan maar,' zei ik. 'En laten we geen rare dingen doen.'

Even leek het of hij zou loslaten. Ik bedacht dat ik geen stap zou verzetten voor hij minstens op twee passen afstand van het joch was. Toen hoorden we het allebei: een klaaglijk gejank, gedragen op de wind. Politiesirenes. Dale trok wit weg.

'Klootzak die je bent.' Hij gaf de jongen een harde duw, waarmee hij probeerde hem de auto in te krijgen. Robbie gleed uit en viel op het asfalt. Ik stak mijn arm uit om zijn val te breken, en daarmee brak de hel los. Het volgende moment stormde Dale op me af.

Hij deelde de eerste vuistslag uit – en niet zo zachtjes ook, regelrecht op mijn solar plexus. Ik wankelde opzij, waarna zijn vuist op mijn ribbenkast in beukte en er een dolk van pijn door mijn longen schoot. Vervolgens verkocht hij me een linkse op mijn kaak. Mijn hoofd klapte achterover en de wereld draaide om me heen. Ik dreigde neer te gaan. Ik maakte een schijnbeweging met mijn linkerhand, haakte mijn wreef achter zijn been en beukte zijn kin naar achteren. We maakten allebei een behoorlijke smak, maar ik was erop voorbereid. Hij niet. Intuïtief stak hij zijn hand uit om zijn val te breken: de verkeerde hand.

'Godskolere!' brulde Dale, toen hij met zijn volle honderdvijftig kilo tegen de bestrating knalde.

Intuïtief graaide ik naar mijn platte holster... maar die was er niet, natuurlijk. Dale had een moordlustige blik in zijn ogen, en de patrouillewagen was nog een heel eind weg. Ik moest zien dat ik toesloeg voor hij weer overeind was. Met mijn hele gewicht sprong ik op en plantte de neus van mijn schoen zo hard ik kon in de gleuf in zijn schedel.

De dreun was tot in mijn heup voelbaar. Ik was op iets harders gestuit dan bot. Dales hoofd draaide weg en zijn ogen rolden heen en weer alsof hij door de bliksem was getroffen. Toen smakte hij met zijn wang op het asfalt. Bloed sijpelde uit zijn oor.

'Oké, zo is het genoeg.' Ik bukte me, buiten adem. 'Robbie, blijf waar je bent. Het... komt allemaal in orde.'

Dale hing tegen de zijkant van de pick-up, waar hij zachtjes een geluid voortbracht, als een koerende duif.

'Dat was mijn bedoeling niet,' zei ik. 'Jij raakte over je toeren. Ik moest je tegenhouden.'

Hij keek me alleen lodderig aan, alsof hij zich afvroeg wie ik in godsnaam was en wat hij daar op de grond deed. Toen begon hij te praten, met een heldere, zachte stem.

'Hoorde je dat?'

'Hoorde ik wat?'

'Zonet.' Zijn ogen draaiden omhoog. 'Hoorde jíj een baby huilen?'

Op dat moment hoorde ik alleen de sirenes van een zandkleurige Crown Victoria, die stopte. Op het vignet aan de zijkant stond: DYER COUNTY SHERIFF'S DEPARTMENT.

'Is het niet een dag te vroeg voor de worstelwedstrijd van zaterdag, jongens?'

De woordvoerder, klein en compact, droeg woestijnkleurige burgerkleding. Een gouden rechercheursbadge bungelde aan zijn versleten leren riem. Hij ging een eindje van het voertuig af staan, terwijl zijn samengeknepen gele ogen naar onraad spiedden. Zijn assistent was een fluttig ogende slungel met verse acnelittekens. Ze hadden allebei een zwarte band om hun arm en een 0.12 geweer in hun hand.

De lippen van de rechercheur plooiden zich tot een geamuseerde glimlach. 'Waar vind jij dit op lijken, Clyde?'

'Lijkt mij verstoring van de openbare orde, Tippet.' Clyde floot tussen zijn tanden. 'Verrek, Dale. Je hebt toch niet je hand opnieuw laten breken door dat onderkruipsel?'

Dale keek omhoog. 'Ik moet nu naar huis.'

'Inspecteur.' Ik keek Tippet recht in de ogen. 'Mijn naam is Mike Yeager. Ik...'

'Ik vraag je naam wel wanneer ik dat wil,' zei Tippet snerend. 'En hou die handen van je lichaam af. Ik ben net weggeroepen van een begrafenis, en ik ben niet in de stemming voor geintjes.'

Ik stak mijn handen omhoog. 'Luister, ik ben degene die tegen de serveerster zei dat ze jullie moest opbellen. Ik zag dat deze man dat jongetje daar beetpakte en...'

'Jongetje?' Hij keek om zich heen. 'Geen jongetje te zien.'

Ik keek achterom naar de laadbak. Robbie was verdwenen. Evenals het stalen looprek.

'Clyde, heb jij hier een jongetje gezien?'

'Hij zal wel weggerend zijn.' Clyde knikte naar me. 'Oké, sir. Ik wil dat u zich langzaam omdraait, met uw gezicht naar het voertuig. Hou uw benen gespreid en sla uw handen achter uw rug in elkaar.'

'Jij ook, Dale.' Tippet bleef tactisch op een afstand, een boswachter die een gewonde grizzlybeer in de gaten houdt.

'Cassie is weg,' zei Dale met doffe zekerheid.

Tippet wierp zijn partner een vermoeide blik toe. 'We maken dit tweemaal per week mee, Dale. Je dochter is nergens naartoe.'

'Ze was niet op school toen ik haar kwam ophalen.' Dale fronste zijn voorhoofd. 'Iemand zei dat ze haar met Robbie hadden zien praten. Dus ik dacht...' Zijn stem stierf weg.

'Wou je mij vertellen dat dat Robbie McIntosh was, die je zonet bij zijn kladden had?' Tippet draaide met zijn ogen. 'Dale, in jezusnaam.'

Clyde schraapte zijn keel. 'Tip, misschien moeten we dit gaan melden.'

Tippet knikte nauwelijks merkbaar. 'Dale, als ik ga kijken waar je dochter is, ga je het ons niet lastig maken. Afgesproken?'

Dale krabbelde overeind. 'Ik moet kijken waar mijn dochter is. Misschien is ze nu al thuis.'

'Je had aan je dochter moeten denken vóór je ging vechten.'

'We zullen de Maidstones voor je bellen.' Clyde liep om Dale heen. 'Dan zullen zij wel naar Cassie uitkijken.'

De boeien trilden in de handen van de agent toen hij ze onhandig om de enorme polsen van Dale schoof. Ik stond zwijgend mijn beurt af te wachten, ervan overtuigd dat Clyde bij god niet wist wat hij deed. Met zijn rug naar me toe zou het een peulenschil zijn om hem in z'n nek te springen. Ik zou zelfs kunnen proberen hem dat geweer afhandig te maken als ik dat in mijn gekke kop zou halen. Dat was nou net wat me dwarszat. Dat iemand zomaar kan doodgaan door toedoen van een domme dorpsdiender.

Maar Tippet was er ook nog, die zijn partner met een vuurwapen nauwlettend dekking gaf. Zo te zien zou hij maar al te graag willen dat ik me tegen arrestatie zou verzetten.

'Oké. Wat was de naam ook alweer?' De boeien sneden in mijn polsen toen Clyde ze op hun plaats wrong.

'Yeager. Michael Francis Yeager.'

'Onderweg naar Las Vegas, Mr. Yeager?'

'Ik kwam alleen maar foto's maken van de bergen.'

Tippet trok een wenkbrauw op. 'Wat doet u precies voor de kost?'

'Op dit moment, om precies te zijn: niets.' Ik wierp een blik op mijn auto. 'Mijn camera's liggen in die oude Nash die daar staat.'

Er lichtte iets op in Tippets ogen wat me aan een ratelslang deed denken. 'Pak zijn portefeuille.'

Clyde wilde in mijn broekzak graaien. 'In mijn jack,' zei ik. De diender haalde er behoedzaam mijn portemonnee uit tevoorschijn.

'Wat hebben we daar, Clyde?'

'Een rijbewijs van een andere staat.' Hij stak het naar zijn partner omhoog. 'Phila-delph-ia, Pennsylvania. Betrokkene is één meter eenenzeventig, tachtig kilo. Leeftijd: tweeënveertig. Zwart haar, blauwe ogen. Orgaandonor. Volgens mij had hij vandaag bijna een paar organen gedoneerd.'

Tippet fronste zijn wenkbrauwen. 'Zoek verder.'

Clyde rommelde verder in mijn portefeuille. 'Jezuschristus. Moet je hier eens kijken, Tip.'

'Wat heb je daar?'

'Jezuschristus op een dolgedraaide pony.' Clyde hield de geplastificeerde identiteitskaart omhoog. 'Dit ventje is van de FBI.'

'FBI, mijn reet.' Tippet boog zich over Clydes schouder. Toen bracht hij een laag gefluit ten gehore. 'Krijg nou toch de pest. Klopt dat, Mr. Yeager? Bent u van de FBI?'

Ik zuchtte. 'Dat was ik ooit, in een ver verleden.'

TWEE

Ik had de hele dag doorgereden, in de hoop de bergen bij zonsondergang te kunnen fotograferen, en daar had je ze dan: een grillige keten van geel zandsteen die rood kleurde in het wegstervende licht. Zelfs door de vuile ramen van de patrouillewagen was gemakkelijk te zien hoe de bergen aan hun naam kwamen: Sangre de los Niños. Bloed van de kinderen.

'Het wordt al gauw donker,' zei Dale. 'We moeten Cassie zien te vinden.'

Dat had hij, sinds ze ons in de boeien hadden geslagen, keer op keer herhaald en hij scheen niet in de gaten te hebben dat er niemand op reageerde. Zijn opgezwollen pols was achter zijn rug gepind en hij zweette als een os. Dale stonk naar machineolie en rook van een houtvuur, en iets nog ergers: donker bloed, dat op zijn gezicht en zijn oren zat gekoekt.

'Mijn Cassandra heeft me nodig.' Zijn adem kwam in horten. 'Waarom willen ze niet dat ik haar ga zoeken?'

Tippet had heel wat langer in de *diner* vertoefd dan nodig zou zijn geweest om mijn verhaal bevestigd te krijgen. Een paar keer was hij vlak voor het raam komen staan. Ik zag hem in een walkietalkie praten, waarbij zijn mond afgemeten zinnen vormde. Uiteindelijk was hij naar buiten gekomen. Hij keek speurend in het rond, waarna hij met veel omhaal zijn politiezender in de holster stopte en een mobieltje uit zijn jaszak haalde. Op dat moment had ik Tippets spelletje door. Dat geklets door de radio diende om iedereen duidelijk te maken dat hij hier de leiding had – bij het opsporen van Dales dochter, het natrekken van mijn kentekenplaten, noem maar op. Het tweede gesprek was vertrouwelijk. En ditmaal luisterde hij voornamelijk.

'Ze zeiden dat je bij de FBI bent.' Dale had het tegen mij.

'Dat schijnt zo.'

'Waarom heb je je dan door die klojo's laten boeien? Waarom heb je niemand opgebeld om te zorgen dat ze je lieten gaan?'

Ik keek hem aan. 'Ik sta niet boven de wet.'

Hij snoof verachtelijk. 'Of misschien heb je niemand meer die je kunt bellen.'

Ik gaf geen antwoord. Tippet had zijn mobieltje in zijn zak gestopt en wenkte dat Clyde moest komen om te overleggen.

'Ik heb je helemaal niks gedaan,' zei Dale. 'Waarom gaf je me dan een trap?'

'Waarom heb je een hulpeloos kind pijn gedaan?'

Dale liet zijn hoofd zakken. 'Zo hulpeloos is hij niet.'

'Dat is geen antwoord.'

Zijn lippen zwoegden om woorden te vormen. 'Het maakt je niets uit of ik het je zou vertellen of niet. Dus waarom zou ik?'

'Laat maar zitten, Dale. Ik weet het al.'

'O ja?'

'Natuurlijk. Je wilt mij wijsmaken dat je je neefje nooit echt kwaad zou willen doen, maar dat dat joch zo verdomd koppig is. Dat je alleen maar zou willen dat hij respect voor je kreeg, zoals een jongen zijn oom hoort te respecteren.' Ik keek hem aan. 'Dat is toch wat je me wilde vertellen?'

Hij was onaangenaam dichtbij, en ik vermoedde dat hij me zelfs met de boeien om doormidden kon knakken. Maar hij glimlachte. Het was voor het eerst dat ik Dale zag glimlachen en dat beviel me niks. Zijn ogen glimlachten niet mee.

'Dus met andere woorden...' Hij wachtte even. 'De reden waarom je me een trap gaf, was om mij respect voor jóú bij te brengen.'

Ik moest bekennen dat zijn reactie me overrompelde.

'Ik deed het om je tegen te houden, Dale. Meer niet.'

Hij hield zijn hoofd schuin om me aan te kijken. 'Ben je trots op jezelf, omdat je bij de FBI bent?'

'Soms.'

'Trots.' Hij knikte. 'Zo voelde ik me ook toen ik bij de marine was. Omdat ik mensen beschermde. Omdat ik wist dat ik op een rotplek zou doodgaan, moest dat wel met een reden gebeuren. En nu is dat allemaal weg.' Zijn glimlach verdween. 'Daarnet probeerde ik iets te doen. En nu kan ik me niet herinneren wat dat was.'

'Je probeerde je neefje in je truck te duwen.'

'O.' Hij knikte. 'Vertel eens, als je iemand tegenkwam die groter en gevaarlijker was dan ik... als je zag dat hij een kind lastigviel. Zou je dan proberen hem tegen te houden, zelfs als je dan zou sterven?'

Ik knikte.

'Jij bent niet zo groot.' Hij bekeek me aandachtig. 'Maar je wist al wat ik met Robbie van plan was voor ik het zelf in de gaten had. Maar één andere vent die ik ooit ben tegengekomen was zo slim. Hij is nu dood.'

'Het spijt me dat te horen.'

'Mij niet,' zei Dale. 'Geen sikkepit.'

Nu had Tippet de walkietalkie aan zijn oor, maar zodanig dat Clyde kon meeluisteren. Zo te zien beviel het Tippet niet wat hij hoorde.

'Dale,' zei ik. 'Toen je viel... Je vroeg of ik een baby hoorde huilen. Waarom vroeg je dat?'

'Dat weet ik niet meer. Maar soms hoor ik het.' Dale ademde moeizaam in. 'Het werkt bij mij allemaal niet zo goed vanbinnen. Ik kan niet slapen. Ik voel niets. Weet je wat er met mensen gebeurt als ze te gestoord zijn om iets te voelen? Die maken het niet lang, dat geef ik je op een briefje.' Hij keek me weer aan. 'Hoe zei je ook alweer dat je heette?'

'Mike.'

'Je hebt er goed aan gedaan om me een trap te verkopen, Mike.'

Tippet had zo hard in de walkietalkie gebruld dat ik een paar willekeurige zinnen had kunnen opvangen. *Onder controle* hoorde ik erg vaak. Evenals *FBI-gezeik*. Er viel een lange stilte – Tippet draaide met zijn ogen – waarna hij uiteindelijk zei: 'Nee, sir, er is niets aan de hand met haar. Ik heb het onder controle.' Er volgde nog een paar keer *No sir*. Toen drukte hij Clyde de walkietalkie in handen.

Ik wendde me tot Dale. 'Het ziet ernaar uit dat je vanavond je dochter toch nog te zien zult krijgen.'

'Dat hoop ik dan maar.' Dale ging verzitten. 'Dit is een heel lastig parket, waarin je bent beland, Mike. Erger dan ik hoop dat je ooit zult meemaken.'

'Hoezo?'

'Je zult me niet geloven,' zei hij. 'Maar weet je, die vent? Over wie ik je vertelde en van wie ik zei dat hij dood was?'

'Ja?'

'Misschien is-ie helemaal niet dood.'

Toen kwam Tippet terug naar de patrouillewagen.

'Jongens, aangezien het bijna *trick or treat* is, hebben we besloten dat jullie er met een waarschuwing vanaf komen.' Tippet maakte Dales boeien los en nam alle tijd om de mijne af te doen. 'Denken jullie dat je elkaar met rust kunnen laten?'

'Ik moet Cassie zien te vinden.' Dale hield zijn gewonde pols vast. De handboei had een gemene rode striem in zijn vlees gekerfd. Mijn eigen handen waren gevoelloos en hadden alle kracht verloren, alsof ze in ijswater waren geweekt.

'Met die kleine meid van je is niets aan de hand,' zei Tippet. 'Ik heb met Mary Frances gesproken. Volgens haar was het haar dag om Cassie van de huiswerkklas af te halen, en ze zei dat je vast in de war was.'

Dale knipperde met zijn ogen. 'Mary en ik zijn gescheiden. Ze woont niet meer bij ons.'

'Dat weet ik, Dale. Maar ze heeft nog wel de gedeelde voogdij over jullie dochter. Ga nu maar naar huis en heb geduld, dan komt Cassie vast ook wel gauw naar huis. Hoor je me? De sheriff zei dat ik je moest vastzetten, mocht ik je vanavond nog eens betrappen.'

Dale knikte, gekalmeerd, zij het niet geheel gerustgesteld, waarna hij zich omdraaide en me lang aanstaarde. Het leek wel of hij de moed bijeenschraapte om iets te zeggen. Ten slotte keek hij van mij naar Tippet en zuchtte alleen maar.

'Je hebt er goed aan gedaan, Mike.' Toen waggelde hij naar zijn truck.

'Waar ging dat in godsnaam over?' vroeg Tippet, terwijl Dales achterlichten over de snelweg uit het zicht verdwenen. 'Waar heb je goed aan gedaan?'

'Kaartjes voor de barbecue van de brandweer.' Ik masseerde mijn polsen, waarin ik het bloed voelde tintelen. 'Ik heb gezegd dat hij er een stuk of tien voor me apart moest leggen.'

'Dat is pas in april,' zei Clyde. Tippet zond Clyde een duistere blik toe en begon in zijn notitieboekje te schrijven.

'En?' zei ik. 'Krijg ik nu mijn autosleutels?'

Tippet knikte naar Clyde.

'Het spijt me dat ik het u moet zeggen, agent Yeager,' zei Clyde, 'maar we zullen beslag moeten leggen op dat voertuig van u.'

'Wat is de aanklacht?'

'Standaardprocedure, sir.' Clyde wisselde een schichtige blik met zijn partner. 'Aangezien er sprake is van verstoring van de openbare orde en u van buiten deze staat komt, moeten we nakijken –'

'Dat is gelul.'

Tippet trok een wenkbrauw op. 'Let op uw taal, sir.' Hij scheurde een roze kopie uit zijn boekje en wierp me die toe. 'U kunt uw auto maandag ophalen, aangenomen dat er geen sprake is van een opsporings- of aanhoudingsbevel.'

Ik griste het briefje uit de lucht. 'Misschien moet ik dit met jullie sheriff opnemen.'

Tippets ogen glimlachten. 'Zijn orders, Mr. Yeager. U kunt een afspraak maken om sheriff Archer maandag te spreken.'

Clyde schraapte zijn keel. 'De sheriff zei dat we u naar een motel moesten brengen, agent Yeager. Omdat het bijzondere omstandigheden betreft. Onder andere omdat u van de FBI bent.'

'Waarom hebt u zonet gelogen?' vroeg Tippet vanaf de bestuurdersstoel, waarmee hij de stilte op Highway 313 verpestte. 'Ik bedoel, als u van de FBI bent, waarom zegt u dat dan niet gewoon, in plaats van die "niets bijzonders"-onzin?'

'Misschien gaat het niemand wat aan,' zei ik.

Hij haalde zijn schouders op. 'Iedereen heeft het recht om foto's van rotsen en struikgewas te nemen als dat in zijn hoofd opkomt. Het leek gewoon of u zich een beetje schaamde voor uw federale connecties. Of andersom.'

'Dat zou u bij de sectie moeten informeren.'

Tippet wierp me een blik toe. 'Denk maar niet dat ik dat zal nalaten.'

'Toch moet ik het u nageven, agent Yeager.' Clyde boog zich achter het traliewerk voorover. 'Ik heb nog nooit gezien dat iemand Dale op zo'n manier tegen de grond werkte.'

'Is Dale dan zo'n vechtersbaas?'

'Jazeker. Een oorlogsheld. In 1991 diende hij tijdens Operatie Desert Storm. Maar die vent heeft een zwaar leven gehad. Toen hij –'

'Hoe wist u dat hij Robbie zo te grazen zou nemen?' Tippet stak een Chesterfield op. 'Vier mensen in die *diner* zagen het helemaal niet aankomen.'

'Ze zagen het allemaal aankomen,' zei ik. 'Alleen deden ze er niets tegen.'

'De mensen hier bemoeien zich nergens mee.' Hij blies rook in mijn richting. 'Als iemand als u dan ergens zijn neus in steekt, door bijvoorbeeld te vragen hoe een jongen hier uit de buurt is doodgegaan, raken de mensen helemaal van slag.'

Ik draaide nonchalant het raampje naar beneden. 'Hoe is hij trouwens doodgegaan?'

'Doodgereden.' De punt van zijn sigaret gloeide op.

'En wat is er aan de hand met Dales dochter?'

'Niks. Telkens wanneer Cassie ergens blijft logeren of laat uit school komt, denkt Dale dat ze is weggelopen. Hij vergeet gewoon van alles. Zoals Clyde al zei: hij heeft het zwaar gehad.'

Clyde floot. 'Dat was echt te gek, zoals u hem neerhaalde. Misschien zou u ons wat tactische kneepjes kunnen leren. We zouden u met open armen ontvangen.'

'Hoorde je niet wat hij zei?' vroeg Tippet. 'Hij zei dat-ie op non-actief stond. Hij is naar het Westen gekomen om foto's te nemen van de Sangre de los Niños.' Hij verslikte zich bijna in de rook. 'Al durf ik te wedden dat dat bij lange na niet het eind van het verhaal is.'

'Ik dacht dat u had gezegd dat de mensen hier zich nergens mee bemoeiden.'

'Dat is ook zo – ik niet, in elk geval. Volgens mij zijn er maar twee redenen waarom een agent als u van het geijkte patroon afwijkt. Of de federale politie heeft u erop uitgestuurd om hier rond te neuzen...'

'Of?'

'Of ze weten niet dat u hier bent. En misschien kan het ze weinig schelen.'

Ik glimlachte. 'Laten we het er maar op houden dat ik een rotdag op kantoor heb gehad, brigadier.'

'Sir,' zei Clyde. 'U hebt van uw leven nog nooit een rotdag gehad. Wacht maar tot u ziet waar we u naartoe brengen.'

DRIE

De plek waar ze me naartoe brachten, was het Lucky Strike Motel aan Highway 313, een krot aan een binnenplaats, waar op de luifel stond:

G D ZEGEN AMER KA
p rnofilms
KINDEREN SL PEN GRATIS

'Mocht dit niet naar uw zin zijn,' zei Tippet, 'dan kunnen we een plaatsje voor u vrijmaken in de cel. Speciaal tarief voor de FBI.'

Ik kwam overeind uit het voertuig. 'Ik zou graag nu mijn identiteitsbewijs terug willen hebben.'

'Uw identiteitsbewijs.' Zijn mond krulde zich tot een glimlach. 'Waar is dat verrekte ding? Heb jij het, Clyde?'

'Niet bij de hand.'

Tippet klopte op zijn borstzak. 'Kijk nou. Hier heeft het de hele tijd gezeten.' Hij tikte er met zijn duimnagel tegen. 'Dat is belangrijk voor je, hè?'

'Kom de auto maar uit, dan zal ik het je eens laten zien.'

Tippet grijnsde boosaardig. Toen liet hij de kaart op het trottoir neerdwarrelen.

'Tot maandag.' Hij zette de motor aan. 'Ga nou maar lekker slapen. Niet opendoen voor vreemden.'

Ik wachtte tot ze helemaal uit het zicht waren voor ik me bukte om het op te rapen.

Mijn kamer stonk naar paardenmest, maar ik had er tenminste uitzicht op de enorme neon cowboy van Wild Petes Hotel en het Casino. De lichtjes van Langhorne, de provinciehoofdstad, fonkelden rusteloos in de verte. Er werd die avond niet aan *trick or treat* gedaan. Het was eigenaardig stil voor Halloween.

Ik haalde mijn leren jack leeg en legde de geplastificeerde kaart naast de hotelbijbel. FEDERAL BUREAU OF INVESTIGATION glansde me in donkere, goudkleurige letters tegemoet. SPECIAL AGENT MICHAEL F. YEAGER.

Mijn naam was het enige wat ik op weg naar buiten niet had afgegeven.
Pas toen ik een douche nam onder lauw, bruin water, begon ik de pijn in mijn gewrichten te voelen. Mijn kaak was opgezwollen op de plaats waar Dale me met zijn zegelring van de marine had geraakt, en ik had een blauwe plek onder mijn ribben. En ook nog een verstuikte teen van die trap tegen de ijzeren plaat in zijn hoofd.

Toen ik de kranen dichtdraaide, rinkelde de telefoon.

'En, wie heeft er gewonnen, jij of de windmolens?' vroeg een bekende vrouwenstem.

'Undercoveragent Weaver.' Ik glimlachte. 'Ik dacht wel dat jij degene zou zijn die ze zouden bellen.'

'Alleen maar omdat ik je ex-sectiehoofd ben. Ze weten niet dat ik ook de ex aanstaande mevrouw Yeager ben. Lieve schat, wat is er gebeurd? Ze zeiden dat je in een gevecht gewikkeld raakte met een ex-marinier in – waar ben je ook alweer? Nevada?'

'Dyer County. Het is een lang verhaal, Peggy. Ik moest hoognodig de stad uit. Ik zou willen dat ze je niet hadden lastiggevallen.'

'Zou je dat willen? Mike, het is weken geleden dat iemand iets van je heeft vernomen. Ik dacht echt dat ik je tandartsgegevens zou moeten vergelijken. Je hoort niet te verdwijnen als je met betaald verlof bent.'

'Vreemd. Ik dacht dat het juist de bedoeling was om me te laten verdwijnen.'

'Het onderzoek is nog steeds in volle gang, Yeager. Het is een achterlijke zet, en dat weet je.'

Ik ademde moeizaam in. 'Hoor eens, het was absoluut een luizenstreek van me om niet te bellen. Ik geef me over, oké?'

Stilte. 'Hoe raakte je trouwens met die vent in gevecht?'

'Hebben ze het niet over het jongetje gehad?'

'Nee. Welk jongetje?'

'Ik ben in de fout gegaan. Ik zag hem een gehandicapte jongen door elkaar rammelen en...'

'...jij kwam tussenbeide en zette de situatie naar je hand.'

'Ik heb geboft. Misschien heb ik hem een lesje geleerd.'

'Natuurlijk. Jij hebt hem geleerd om het niet in het openbaar te doen.' Haar toon werd milder. 'Jij bent ook onverbeterlijk, hè? Je hoort gegil en je bestormt het kasteel.'

'Dat was nou juist de fout. Die marinier, die keek angstig. Misschien had ik meer mijn best moeten doen om hem te kalmeren.'

'Wie weet? Maar dat is achteraf gepraat.'

'Mijn specialiteit.' Ik lachte. 'Wie heeft je eigenlijk gebeld? De sheriff?'

'Inderdaad. Ik zou maar uitkijken voor die vent. Hij is iets aan het bekokstoven. Niet dat je de laatste tijd naar me luistert, maar ik denk dat je moet maken dat je uit Dodge wegkomt.'

'Ze hebben mijn auto,' zei ik. 'Wat heb je hem over me verteld?'

'De waarheid. Mike Yeager is een uitstekend agent en we missen allemaal de samenwerking met hem. Vooral ik.'

'Hij stelde geen vragen over mijn verlof?'

'Jawel, maar dat was alles.'

'Nou, bedankt dat je me hebt gedekt. Ik ga maar eens kijken of de verwarming het doet. Je hebt geen idee hoe koud het 's nachts in de woestijn kan worden.'

'Ik heb nog altijd een warm bed in Hunting Park.'

'O ja?' Ik lachte. 'Ik hoorde laatst anders dat de een of andere lefgozer, genaamd Tyrone, dat bed warm hield.'

'Tyler,' zei ze. 'Die informatie van jou zit er ver naast. Tyler is een vriend. Iemand met wie ik train, meer niet.'

'Dus hij is een soort personal trainer?'

'Hij is... Weet je wat? Het gaat je geen snars aan. Hij is niet jij.' Ze lachte zwakjes. 'Dat is het probleem met mij. Niemand is jij.'

'Ik ben niet eens mezelf,' zei ik.

'Heb je de laatste tijd wel geslapen?'

'Ongeveer net zo veel als anders.'

'Neem dan zo'n pil nadat we de telefoon hebben neergelegd.'

'Ja, ma.'

'Hou op met je ge-"ja ma". Dit komt allemaal doordat je niet voor jezelf hebt gezorgd. Wat voer je daar trouwens uit?'

'Misschien wil ik gewoon kijken of ik zonder jou kan leven.'

Ze leek te aarzelen. 'Je zou niet dat soort dingen moeten zeggen. Ik ben geneigd om je te geloven.'

'Laat ik het dan zo stellen,' zei ik. 'Die ex-marinier vroeg me waarom ik niet een paar namen van het bureau had laten vallen. Ik realiseerde me dat jouw naam de enige was die er nog toe deed.'

'Waarom heb je me dan niet gebeld?'

'Omdat je me dan zou gaan zoeken,' zei ik.

Ze zweeg even. 'Hoelang ben je nog van plan dit vol te houden?'

'Tja, eerst moet ik mijn auto terug hebben. Daarna zullen we wel zien.'

'Nee, Mike. Hoelang duurt het voordat je het jezelf vergeeft van Tonio Madrigal?'

Ik haalde diep adem. 'Peggy, ik heb gedaan wat ik moest doen.'

'Yeager, hou alsjeblieft op met kaartjes te verkopen voor je eigen executie. Je had niet mogen weglopen. Niet terwijl anderen hun nek uitstaken. De beroepscommissie heeft geprobeerd om je naam te zuiveren. Dat waren ze ook van plan. Als jij niet twee dagen voor het laatste verhoor was verdwenen.'

'Dat is nou juist waarom ik verdween,' zei ik. 'Omdat ze van plan waren mijn naam te zuiveren.'

VIER

Ik ging op het bed zitten en schudde twee pillen uit mijn toilettas. TER VERLICHTING VAN BENAUWDHEID. NIET INNEMEN IN COMBINATIE MET ANDERE MEDICIJNEN. Het nummer van mijn psychiater stond op het etiket. Ik dacht er nog even over om hem op te bellen en te vragen of Thunderbird als medicijn gold. Toen slikte ik ze zonder water door en wachtte op de onvermijdelijke neveligheid. Het was bijna halftien. Ik kleedde me zo warm mogelijk aan, waarna ik eropuit ging om te kijken of ze in Wild Petes Casino ook steak hadden. Na één stap buiten de deur waren mijn ballen al verschrompeld. Het was min tien graden, en dat was nog maar het begin.

Als Peggy al niet begreep waarom ik Philadelphia had moeten verlaten, was ik ervan overtuigd dat niemand het zou snappen. En er was geen enkele manier waarop ik haar dat duidelijk kon maken. Peggy's brein werkte in rechte lijnen en via een goed verlicht gangenstelsel. Dat was het eerste wat ik aan haar opmerkte zodra ik mijn ogen had weten los te rukken van haar kastanjebruine haar en hazelnootbruine ogen, en de oogstrelende manier waarop ze haar voorgeschreven zwarte tenue vulde. Voor agent Weaver bestond alleen goed en kwaad. Je deed wat goed was en je was niet bang, en als puntje bij paaltje kwam, telden alleen je daden. Dat waardeerde ik in haar. Ooit waardeerde ik dat in mezelf.

Wild Petes was, ondanks dat ze er een helverlichte cowboy hadden, in duister gehuld en lag er verlaten bij. GESLOTEN OP LAST VAN GGD DYER COUNTY. Daar ging mijn steak. Ik was in recordtijd terug bij het motel. De baas, een Mexicaan op leeftijd met een bril met dikke glazen, staarde me van achter de balie in de lobby aan.

'Waarom ging je daar nou naartoe?' vroeg hij. 'Er is niks in dat casino.'

Ik legde een dollar neer. 'Ik moet kleingeld voor de automaat hebben.'

Zijn koffiekleurige ogen sperden zich wijd open. 'Honger, zeker?'

'Dat kun je wel zeggen.'

Hij schuifelde terug naar zijn kantoortje. Even later was hij terug met een bruine papieren zak.

'Burrito,' zei hij. '*Mi esposa* maakt ze. Twee dollar.'

Uit de zak steeg een walm van oeroud vlees op. Ik wimpelde het ding af. 'Doe nou maar alleen die verdomde kwartjes.'

Met een zuur gezicht ramde hij de kassa open. Ik kocht een muffe cho-coladereep en een blikje fris en ging terug om weer te gaan liggen. De te-lefoon maakte me met een schok wakker.

'Mike?' zei een zware stem. 'O, goddank.'

'Mmm?'

'Man, het spijt me dat ik je zo laat stoor. Ik bedacht net namelijk dat je waarschijnlijk in de Lucky Strike zou zitten en –'

'Met wie spreek ik?'

'Met Dale.' Plotseling werd hij verlegen. 'Van... je weet wel. Vandaag. Dat herinner je je toch nog wel?'

Mijn kaak herinnert zich jou maar al te goed.' Ik hoorde muziek aan zijn kant van de lijn – het een of andere gospelprogramma, waarvan het geluid keihard stond.

'O,' zei hij. 'Je bent waarschijnlijk nog woedend. Het is dat ik me op dit moment zo rot voel, en...'

'Dale?' zei ik. 'Ik wil niet onbeleefd zijn, maar –'

'Ze is weg, Mike.'

'Hè?'

'Cassie.' Hij liet de naam vibreren als een pianosnaar. 'Ze zeiden dat ze thuis zou zijn wanneer ik terugkwam. Heb jij ze dat niet horen zeggen?'

'Ik dacht dat ze bij je ex-vrouw was.'

'Ze zijn hier zonet geweest. Mijn buurvrouw zei dat ze binnen zijn ge-weest, maar dat klopt niet. Er is hier niemand. Zelfs die verrekte hond niet.'

Aan zijn kant van de lijn klonk een luid geklop.

'Het is hier een gekkenhuis.' Hij begon te hyperventileren.

'Kalm nou maar,' zei ik. 'Heb je het nagevraagd bij de buren? Bel an-ders de sheriff.'

'Nee. Nee. Dan gaan ze zeggen dat ik gek ben en al die shit niet meer aankan.' Weer dat geklop. 'Misschien is er niks met haar aan de hand. Misschien is ze gewoon de deuren langs voor *trick or treat*... Zou toch kunnen? Wat denk jij?'

Het was twee minuten over tien. Onwaarschijnlijk laat voor *trick or tre-at*. 'Oké, Dale. Dus toen je thuiskwam was er niemand. Stond de deur open of was-ie dicht?'

'Dicht.' Hij aarzelde. 'Meestal doe ik hem op slot, maar soms vergeet ik het.'

'En heeft je ex nog altijd een sleutel?'

'Nee,' zei hij vol overtuiging. 'Het was niet Mary Frances' dag om Cas-sie op te halen. Tip lulde uit z'n nek. Cassie zou trouwens helemaal niet gaan *trick or treaten*, vanwege Oogstfeest.'

'Oogstfeest?'

'In de kerk,' zei hij. 'Mike?'

'Ik ben er nog, Dale.'

'Als ik weg moet,' zei hij. 'Wil jij dan op mijn Cassie passen?'

'Waar ga je heen?'

'Beloof het, oké?'

'Dale, vertel me nou –'

Het geklop begon opnieuw, aanhoudend. 'Ik moet even kijken wie dat is. Bel me terug.'

'Dale.'

Maar hij had de hoorn al neergelegd.

Ik wilde net ophangen, toen het tot me doordrong dat bij Dale de hoorn nog naast de telefoon lag. Ik hoorde muziek en gebeden op de televisie, Dales zware laarzen op het linoleum en een deur die op zware veren openzwaaide.

'Wat moet dat in godsnaam voorstellen?' vroeg Dale. 'Het lijkt wel of je hier verdomme met een bazooka komt aanzetten.'

De stem van een man reageerde, maar die werd overstemd.

'Jezus, wat ben ik blij dat ik je zie,' zei Dale. 'Ik verga van de pijn.'

Toen werd met een klik de verbinding verbroken.

Ik lag, nog steeds met de telefoon op mijn borst te luisteren naar mijn snelle hartslag en ik dacht: Dit is nou precies waarom je moet zorgen dat je er niet bij betrokken raakt. Dat dacht ik de hele weg naar de lobby. Ik vroeg de eigenaar om een telefoonboek, maar hij scheen ineens al zijn Engels kwijt te zijn. Uiteindelijk wees hij naar de telefooncel buiten.

In Nevada naar een vent zoeken die Dale heet, bleek veel weg te hebben van zoeken naar een Turk die Ali heet. In het telefoonboek van Dyer County stonden zeventien Dales, afgezien van de talloze andere namen die met een D begonnen. Toen schoot me te binnen wat brigadier Clyde had gezegd over 'de Maidstones bellen'. Dat moesten buren zijn. En jawel, er stond een vermelding van Delbert en Evelyn Maidstone op Angel Hair Road 714 in Caritas, Nevada. En zes bladzijden eerder, op Angel Hair Road 712, had je Dale A. Dupree.

Ditmaal was er geen reactie ten huize van Dupree. Met mijn laatste restje kleingeld belde ik het enige andere nummer waarover ik op Angel Hair Road beschikte. Tegen die tijd was mijn kont al lang en breed bevroren.

'Hallo?' klonk een van whisky doortrokken kraakstem.

'Mr. Maidstone?'

Er volgde een verbolgen stilte. 'Mrs. Maidstone,' antwoordde ze. 'Ik heb met mijn advocaat gesproken. Die zei dat ik nog negentig dagen heb om die betaling te voldoen.'

'Ik ben geen deurwaarder, ma'am. Ik ben een... vriend van Dale Dupree. Ik vroeg me af –'

'Vrienden!' kakelde ze. 'Dale heeft geen vrienden. Ik durf te wedden dat je van de politie bent. Dit gaat toch niet over die onderkruiper die hij bij de Silver Star in elkaar heeft geslagen?'

'Ik dacht niet dat dat... We waren in gesprek en we werden verbroken. Zou u Dale misschien willen vragen of hij aan de telefoon wil komen?'

'Jezus, ik word zo koud als een nonnenonderbroek van dat hele eind lopen. Trouwens, het is al over tienen en ik moet nog wat drinken.'

'Ik begrijp het, Mrs. Maidstone. Maar hij schijnt bang te zijn dat zijn dochter wordt vermist.'

'Ik zweer op alles wat heilig is,' viel ze uit. 'Cassie is al sinds vóór het avondeten thuis. Dat hoerenwijf van hem heeft haar nota bene via de voordeur binnengelaten.'

'Hij is er vrij zeker van dat ze niet in het huis is.'

'Die gozer is zo gek als een deur. Nog geen tien seconden geleden heb ik hem nog tegen Cassie horen schreeuwen.'

Ik gaf het op. 'Dat weet u zeker?'

'Je kunt hem waarschijnlijk horen als ik de telefoon in de lucht hou.' Ze zweeg even. 'Zo te horen heeft hij op de tv een worstelwedstrijd op staan. Ik zie lichtflitsen binnen.'

'Wat zei Dale precies tegen zijn dochter?'

Mijn enige antwoord was een dode lijn.

Inmiddels worstelde ik met de vraag of ik me zorgen moest maken of me een sukkel moest voelen. Het enige wat ik wilde toen ik naar Dyer County ging, was de plaatselijke specialiteiten proeven en foto's van die verrekte bergen maken. En nu stond ik in de kou, hard op weg om onderkoeld te raken. Peggy had gelijk. Ik moest op mezelf gaan passen. Terwijl ik naar mijn kamer terugliep, bad ik in stilte om één nachtje lekker slapen en één rottig weekend in dat luizige motel. En daarna wegwezen naar Dyer County.

De volgende morgen zou ik nog even naar Caritas liften om poolshoogte te nemen, maar naar alle waarschijnlijkheid zou er niets aan de hand zijn.

Maar het bleek dat ik het weekend niet in dat luizige motel zou doorbrengen, want de volgende morgen bonsden Tippet en Clyde in alle vroegte op de deur. Eén wazige seconde dacht ik dat ze me mijn autosleutels kwamen brengen. Maar ze waren gekomen om me in hechtenis te nemen voor de moord op Dale Alexander Dupree.

VIJF

Het eerste wat ik opmerkte, was geronnen bloed op hun laarzen. Er zat nog meer bloed op Clydes ellebogen en knieën, waarschijnlijk van het verzamelen van bewijsmateriaal. Ook al was ik de man die in zijn boxershort stond, zij waren degenen met de billen bloot.

'Worden mij mijn rechten niet voorgelezen?' vroeg ik.

'Je wordt niet verhoord,' zei Tippet mat.

'Jullie horen me te instrueren dat ik niets mag aanraken.' Ik graaide naar mijn broek. 'Verstoring van bewijsvoering, weet je nog?'

'Trek verdomme je kleren aan.'

Toen we mijn kamer uit kwamen, stonden de andere motelgasten, merendeels hoeren en zwervers, in de rij om te zien hoe de FBI-man werd ingerekend. De eigenaar keek met een eigenaardig glimlachje naar me, alsof hij wilde zeggen: had je mijn burrito maar moeten aannemen.

We kwamen op de lange rit noordwaarts naar Langhorne niets van enige schoonheid tegen, alleen maar kilometerslange omheiningen waar jutezakken aan prikkeldraad overheen waren gehangen. Magere koeien met roze ogen snuffelden in het gras bij de kadavers van hun gestorven kalveren. Woonwagens stonden op krakkemikkige onderstellen naast roestige klimrekken waar geen kind op speelde. Dode hagedissen lagen in de berm van de weg. De lucht was lijkwit, de Sangre de los Niños lagen er onherbergzaam en grauw bij. Dit was Dyer County zonder make-up.

Daarna bereikten we het einde van de weg.

Het Dyer County Sheriff's Department bestond uit drie uit witte betonblokken en getraliede ramen opgetrokken verdiepingen, omgeven door gele natriumlampen. De Amerikaanse vlag wapperde naast die van Nevada op een binnenplaats met gras een stadion waardig. Zelfs het provinciale gerechthof was vergeleken met dat politiebureau een schuur. We reden over de haaientanden heen en langs twee controleposten naar de bajes. De hele weg ernaartoe besnuffelden agenten me als straathonden.

Zodra we de stalen deuren door waren, verwijderde adjudant Clyde de handboeien en namen ze alles in beslag wat ik verder nog bezat: mijn horloge, mijn jack en riem, mijn schoenen en kleingeld, en als laatste ook de penning van de heilige Christoffel die Peggy me voor mijn veertigste verjaardag had gegeven.

'We zullen er goed op passen voor u.' Een aantrekkelijke jonge brigadier, Ada Rosario, nam de hanger in ontvangst met de plechtige compassie van een zuster in een brandwondencentrum. Ze had donkere kringen onder haar vermoeide ogen, maar haar haar was fris kortgeknipt. 'Gaat u maar op de gele streep staan, zodat we een foto van u kunnen nemen.'

Ik staarde omhoog in de camera, en de flitslamp lichtte blauw op.

'Het was een gospelprogramma,' mompelde ik.

'Wat zegt u?' vroeg ze.

Mrs. Maidstone had het over flikkerend licht in Dales huis. Ze zei dat hij zo te horen een worstelwedstrijd op tv had opstaan. Maar ik was er bijna zeker van dat ik een religieus programma had gehoord. Dat worstelprogramma was vast het geluid geweest van Dale die werd vermoord.

'Ik sprak even in mezelf.' Ik glimlachte verontschuldigend.

'We hebben geen tv,' zei ze. 'Ik kan u wel wat religieuze cassettebandjes laten bezorgen, als u dat wilt.'

De dronkenlappen van vrijdagavond lagen nog te slapen in hun cellen, als lijken in hun witte dekens gewikkeld. Dale had hier waarschijnlijk menige nacht doorgebracht. Inmiddels lag hij vast al in het streekmortuarium. Met die opgezwollen pols, die onder een laag plastic uit hing en nooit zou helen.

Ik kreeg een cel voor mezelf; dat was een hele luxe. De stalen deur viel dicht; voor het eerst van mijn leven stond ik aan de andere kant van een deur zonder deurknop toen de grendels op hun plaats gleden.

Uren later bracht rechercheur Tippet me eindelijk naar de verhoorkamer.

'Mike, we weten dat je gisteravond met Dale hebt gesproken.'

Opeens noemden we elkaar blijkbaar bij de voornaam.

'Jazeker, we hebben de lijst van het motel nagetrokken. Je was bijna' – hij keek in zijn aantekeningen – 'drie minuten aan de telefoon. Daarna ben je volgens de eigenaar van de Lucky Strike linea recta de voordeur uit gelopen, en dat is het laatste wat hij tot vanmorgen van je heeft gezien.'

Ik haalde mijn schouders op. 'Als je weet dat ik vanuit de Lucky Strike met Dale heb gesproken, dan weet je ook dat ik om tien uur, toen hij overleed, een heel eind bij hem uit de buurt was.'

Hij gaf geen krimp. 'En hoe kun jij dan zo zeker zijn van het tijdstip van overlijden?'

'Doordat dat mijn vak is, rechercheur. Wat vraag je nou eigenlijk?'

'Ik vraag niets, Mike.' Hij leunde achterover. 'Hoe dan ook, ik denk dat jij me gaat vertellen waar jij en Dale over hebben gesproken. Afgezien daarvan: wat zou jij in mijn plaats doen?'

'Me mijn rechten voorlezen,' zei ik. 'Me aanklagen wegens moord, als je denkt dat je de zaak rond kunt krijgen. Ik denk niet dat je al te veel keus hebt.'

Tippet leek net op het punt te staan een zuur commentaar te geven, toen er op de deur werd geklopt. Hij knikte in de richting van het raam, waarna enkele seconden later een man van eind dertig binnenkwam.

Hij was lang en mager en hij had kalme bruine ogen en donkerblond haar. Te oordelen aan zijn tenue, Reeboks en een kaki broek, schatte ik hem in als iemand van de universiteit. Hij scheen niet te weten waar hij moest gaan zitten; Tippet dirigeerde hem naar de andere kant van het vertrek. In zijn handen hield hij een kartonnen doos met mijn naam op het deksel.

'Probeer het van mijn kant te bekijken, Mike.' Tippet tikte met zijn pen. 'Ik zit enorm in de problemen sinds jij de stad bent komen binnen-waaien: ik zit met een dode man in een district met een nulpercentage aan moorden. En nog erger.'

'Met "erger" doel je op het feit dat Cassandra Dupree deze keer echt wordt vermist?'

Tippet en zijn maat wisselden een blik.

'Evelyn Maidstone vertelde me dat ze zag dat iemand samen met Cas-sie het tuinpad op liep,' zei ik. 'Nog geen minuut later werd Dale ver-moord. Ik zou denken dat er een verband bestaat. Jij niet?'

Hij kneep zijn ogen samen. 'Wind je niet op, Mr. Yeager. Cassie is jouw zaak niet.'

'Is ze wel jóuw zaak?' vroeg ik. 'Omdat je gisteren je sheriff opbelde en vertelde dat Cassie Dupree in veiligheid was en je de situatie onder con-trole had.'

Hij keek me aan met een blik die me zowat doorboorde.

'Bij god,' zei ik, 'ga me niet vertellen dat jij je tijd verdoet met mij door de mangel halen terwijl er een kind wordt vermist.'

Tippet sprong zowat uit zijn vel. Vervolgens verried hij zich: een on-willekeurige blik omhoog naar de verborgen camera in het plafond. Uit mijn ooghoek zag ik dat de vreemdeling me observeerde.

Tippet schraapte zijn keel. 'Als je die informatie had –'

'Hoe laat is het?' vroeg ik.

'Wát zeg je?'

'Tijd. Horloge. Wanneer?' Ik greep Tippet bij zijn pols en draaide die naar me toe. Hij rukte zich los.

'Als je dat nog eens probeert,' zei hij, 'spuug je tanden.'

'De tijd is vierentwintig over één 's nachts,' zei ik. 'Zondag, 2 november. Sinds mijn arrestatie om acht uur gisterochtend ben ik nog voor geen enkel vergrijp aangeklaagd. Zo mag je me exact vierentwintig uur vasthouden. Daarna dien je óf een aanklacht in, óf verander ik in een pompoen.'

Eindelijk snapte hij waar ik daarmee heen wilde. 'Stuk stront dat je bent.'

'Nu we het toch over stront hebben,' zei ik, 'zeg maar tegen die sheriff van je dat ik niet onder de indruk ben van zijn procedures. Want tot nu toe springt hij met deze zaak om als een gorilla met een autoband. En als ik straks om acht uur niet op straat sta, met mijn autosleutels en al mijn bezittingen in de achterbak, berg je dan maar, want dan zal ik jou en al die ingebeelde collega's van je met huid en haar opvreten en daarna blikken sterretjes uitschijten over deze gifbelt die jullie een politiebureau noemen. Heb je dat allemaal begrepen? Of zal ik het langzaam herhalen?'

'Ik heb je uitstekend verstaan.' Hij zag eruit alsof hij zou gaan bijten – waarna hij een blik met zijn maat wisselde. Er scheen een stilzwijgende verstandhouding tussen die twee te bestaan.

'Je mag hem helemaal hebben.' Tippet schoof zijn stoel een eind van de tafel. De vreemdeling wachtte tot de deur dichtviel voor hij mijn kant weer op keek. Hij glimlachte – vriendelijk en enigszins op zijn hoede – alsof ik een dier was dat ze net hadden gevangen. Nu krijgen we de goede smeris, dacht ik.

'Wat is er eigenlijk aan de hand?' Zijn tongval was vrij beschaafd, zonder een spoor van dat lijzige Nevada-spraakje.

Ik haalde mijn schouders op. 'Het ziet ernaar uit dat ik in de bajes zit.'

Hij keek om zich heen, alsof hij het allemaal voor het eerst zag. 'Dat lijkt er wel op.'

'Dan zijn we het dus eens. Mag ik vragen wie u bent?'

'Ik heet Connor Blackwell.' Hij stak niet zijn hand uit: geen lichamelijk contact in het cellenblok. Deze man kende de regels. 'Ik ben klinisch psycholoog. Ik heb een privépraktijk in de buurt, en soms werk ik voor het district.'

'U bent hier om te bepalen of ik voldoe aan het profiel van een op moord uitgelopen ruzie,' zei ik. 'Agressieve neigingen, impulsief gedrag... mogelijk amfetaminegebruik?'

'Vergeet niet: conflict met autoriteiten.' Hij grinnikte. 'De sheriff heeft me van uw achtergronden bij de politie verteld. Wellicht maakt dat het werk voor ons allebei eenvoudiger.'

'Het is míjn taak om hier heelhuids weg te komen,' zei ik. 'Ik neem aan dat het uw taak is om mij een test te laten ondergaan met die toverdoos van u. Werkt u met het nieuwe Minnesota Multifase-type? Of gewoon met schedelmeting en kippeningewanden?'

'Een beetje van alles,' zei hij. 'Ik neem aan dat u al eerder met de leugendetector te maken hebt gehad?'

'Die bediende ik vroeger om verdachten te arresteren,' zei ik. 'Voor alle volledigheid: ik hoor geen stemmen, ik denk niet dat de regering mijn dromen op video vastlegt en gewoonlijk voel ik me niet aangetrokken tot brandjes. Maakt dat uw werk eenvoudiger, dokter Blackwell?'

'Connor.' Hij boog zich naar me toe, onverstoorbaar. 'Hoe voel je je, Mike? Wees eerlijk.'

'Wil je een eerlijk antwoord?' Ik lachte schamper. 'Ik heb honger, ik ben moe, ik ben pisnijdig. En ik raak er steeds meer van overtuigd dat er heel weinig wordt ondernomen om een vermist kind te vinden. Wat denk jij?'

Hij fronste zijn wenkbrauwen. 'Ik weet zeker dat ze doen wat ze kunnen.'

'O ja?' zei ik. 'Heeft iemand een opsporingsbevel voor de moeder uitgevaardigd?'

'Geen idee. Ik neem aan van wel.'

'Beschikken alle landelijke autoriteiten over het signalement van Cassie? Staat ze als vermist persoon geregistreerd bij het National Crime Information Center? Met de hoogste prioriteit?'

'Als ik heel openhartig ben, Mike: ik weet bijna niets over jouw zaak. Ik kreeg een oproep om met je te komen praten, en dat is het zo ongeveer.'

'Mijn zaak?' zei ik. 'Je bedoelt niet de zaak-Dupree?'

'Dales zaak,' zei hij. 'Excuus.'

'Kende je Dale?'

'Jawel.'

'Persoonlijk of beroepshalve?'

'Dat is toch niet relevant voor de reden dat wij hier bij elkaar zijn?'

'Dat zou zeer relevant kunnen zijn,' zei ik. 'Misschien heeft Dale je tijdens therapie iets verteld wat zijn gedrag op vrijdagmiddag zou verklaren. Waarom hij probeerde zijn neefje met geweld een truck in te krijgen met de woorden: "Vertel me verdomme wat ze zei?"'

'Heb je hem dat horen zeggen?'

Ik knikte. 'Weet je, het is heel goed mogelijk dat jullie met twéé vermiste kinderen zitten. Robbie verdween vlak na dat incident. Een gehandicapt kind met een looprek.'

Connor glimlachte. 'Wat dat betreft kan ik je in elk geval geruststellen. Robbie is veilig thuis bij zijn familie.'

'En dat weet je zeker?'

'Ja.' Hij trok een wenkbrauw op. 'Wat denk je dat Dale bedoelde met wat hij tegen Robbie zei?'

'Als "zij" Cassie is... dan is het mogelijk dat ze haar neefje vlak voor haar verdwijning ergens voor heeft gewaarschuwd.'

Hij knikte. 'Wat zou inhouden dat ze wist dat ze elk moment ontvoerd zou worden.'

'En dat ze haar ontvoerder kende. Net zoals Dale de identiteit van zijn moordenaar kende toen hij vrijdagavond de deur voor hem opendeed.'

'Aha.' Connor knikte. 'En dit is de reden waarom je wilde dat Tippet de kamer verliet? Zodat je me dit kon vertellen?'

'Zodat ik het aan de sheriff kon vertellen.' Ik wees naar de verborgen camera.

'Oké,' zei hij. 'Je denkt niet dat ik iets kan doen waarmee ik je kan helpen.'

'Is dat waar je eigenlijk voor kwam?' Ik glimlachte vermoeid. 'Luister, zo te zien deug je wel. Maar ik geloof niet dat je me een bekentenis kunt ontfutselen, alleen omdat jij een geschikte vent bent en Tippet een klootzak is.'

Connor schudde zijn hoofd, alsof ik een onhandelbaar kind was dat de babyoppas voor de gek probeerde te houden. 'Dan vermoed ik dat je weer terug zult moeten naar schedels en kippen.'

Hij haalde een notitieboekje uit zijn borstzak. 'Mag ik even een paar feiten checken?'

'Het is jouw feestje.'

'Michael Francis Yeager,' las hij op. 'Geboren op 1 juni 1964 in Lancaster, Pennsylvania. Luthers opgevoed.'

'De synode van Missouri,' zei ik.

Hij maakte een aantekening. 'Hier staat dat je predikant wilde worden, in een ver verleden. Semifinalist jeugdkampioenschappen worstelen... Verkenners... Uitblinker in spreekbeurten en debatteren. Beide ouders overleden. Kun je me iets over je ouders vertellen?'

Ik deed hard mijn best om mijn verbijstering te verbergen. Hij was in zeventieneneenhalf uur heel wat te weten gekomen. 'Mijn vader had een appelboomgaard,' zei ik. 'Samen met zijn andere baan werkte hij tachtig uur per week. Hij viel dood neer toen ik eenentwintig was.'

'En je moeder?'

Ik hield mijn mond. Hij stak zijn hand op, ten teken hij de vraag nietig verklaarde. 'Eens kijken. Bachelor exacte wetenschappen aan het Lancaster Community College met een eervolle vermelding in forensische psychologie aan de universiteit van Pennsylvania. Je hebt drie jaar moeten wachten op een plaats op de FBI-academie. Heb ik iets belangrijks gemist?'

'Ik heb een prachtige zangstem.'

Hij klapte het notitieboekje dicht. 'Het valt niet mee, dat weet ik. Maar ik moet een volledig verslag uitbrengen.'

'Zo te horen heb je genoeg voor meerdere volledige verslagen.'

Hij nam het compliment met een glimlach in ontvangst. 'Laten we nog even iets terugdraaien. Een paar minuten geleden vroeg ik hoe je je voelde, en op een of andere manier wist je van onderwerp te veranderen.'

'Ik heb de vraag beantwoord.'

'Ik wil nog wat meer,' zei hij. 'Vertel me eens waarom je je persoonlijk verantwoordelijk voelt voor het welzijn van Cassie.'

'Nou, om te beginnen is dat mijn werk.'

'Ja, maar... ben je op dit moment niet op non-actief bij de FBI?'

'Ik zei niets over de FBI. Ik zei dat het mijn werk was.'

'Dus als ik het goed begrijp, belde Dale je vrijdagavond. Hij was overstuur en hij vertelde dat zijn dochter werd vermist. Wat deed je toen?'

'Ik belde de buurvrouw om te vragen of ze even bij hem wilde gaan kijken.'

'En toen?'

Ik trapte op de rem, omdat ik de val te laat in de gaten had. 'Ik ging terug naar mijn motelkamer en viel in slaap. Dat was stom van me, oké? De buurvrouw zei dat de dochter veilig thuiszat. Daar voel ik me rot over, als je dat bedoelt.'

'Ik vraag niet van je dat je je rot voelt,' zei hij. 'De buurvrouw zei dat alles in orde was. Jij nam aan dat de situatie vanzelf was opgelost. Dat is toch redelijk?'

'Regel één in mijn beroep is om nooit zomaar iets aan te nemen.'

'En wat is regel nummer twee?'

'Dat situaties nooit vanzelf oplossen.'

'Zoals met Dale en Robbie in de Silver Star?' vroeg hij. 'Toen vertrouwde je op je intuïtie. Waarom daarna niet?'

'Vertrouwen staat gelijk met de gave om te voorspellen,' zei ik. 'De laatste tijd heeft het er veel van weg dat mijn gave om te voorspellen... niet meer is wat-ie is geweest. Zoals je al zei: het is niet relevant.' Ik wendde mijn blik af. 'Nu ben ik van mening dat ik de situatie op de parkeerplaats verkeerd heb beoordeeld. Ik denk niet dat Dale kwaad in de zin had met Robbie. Ik denk dat hij alleen maar in de war was, en bang. En misschien was Robbie de truck in zien te krijgen zijn geschifte manier om... hem in bescherming te nemen.'

Mijn antwoord scheen Connor uit zijn evenwicht te brengen. 'Tegen wie? Hem hoe in bescherming nemen?'

'Geen idee,' zei ik. 'Ik heb hem nooit de kans gegeven om dat te vertellen. Net zoals toen ik Dales hand molde; ik heb hem waarschijnlijk zijn enige kans ontnomen om zich te verdedigen.'

'Dan ben jij schuldig aan Dales dood.'

Ik gaf geen antwoord. Wie was deze man, deze therapeut? 'Als ik het je vertel,' zei ik, 'ben je dan van plan die informatie te gebruiken om het leven van een kind te redden?'

'Mijn taak is om te rapporteren wat ik zie, Mike, en de beslissing aan anderen over te laten. Als je iets belangrijks te vertellen hebt, zal ik ervoor zorgen dat je gehoor vindt.'

'Bij de sheriff.'

Connor knikte.

'Dale vroeg of ik op Cassie wilde passen als hij wegging,' zei ik. 'Ik ben van mening dat dat enige verantwoordelijkheid schept.'

'Heb je tegen hem gezegd dat je het zou doen?'

'Als ik dat had gedaan, zou ik zeer zeker gefaald hebben.'

'Niet per se,' zei hij. 'Als je iets weet wat dit onderzoek op weg zou kunnen helpen... zou je je belofte dan niet inlossen? Door te helpen bij het in de kraag vatten van Dales moordenaar zou je Dales dochter helpen. Toch?'

Daar had je een goede vraag. Mocht Connor een lijntje met de sheriff hebben, dan bood hij me een eerlijke kans. Aan de andere kant zou zijn impulsieve voorstel net zo goed een met zorg uitgezette val kunnen zijn. In mijn tijd had ik talloze verdachten verhoord die aanboden om 'behulpzaam te zijn' bij een verhoor in verband met kindermisbruik door me op het spoor te zetten van de 'ware schuldigen' – satanssekten en internationale pedosekscircuits. De tips waren zonder uitzondering waardeloos, maar soms waren ze nuttig om de verdachte zo ver te krijgen dat hij zich vastkletste. Hij was goed, die Connor Blackwell.

'Dat zou best kunnen,' zei ik uiteindelijk.

'Zou je verwachten om in ruil in vrijheid gesteld te worden?'

'Ik verwacht in vrijheid gesteld te worden omdat ik niets heb misdaan. Ik vraag niet om een deal.'

'En als je in vrijheid wordt gesteld? Zou je dan blijven om assistentie te verlenen, of... waar zou je dan naartoe gaan?'

'Ik heb nog niet zo ver vooruit gedacht. Ik ben absoluut niet van plan om hier mijn kamp op te slaan.'

'In aanmerking genomen wat voor een ontvangst je hebt gehad, kan ik het je niet kwalijk nemen.' Connor keek op zijn horloge. 'Ik ga maar even contact opnemen met de sheriff. Deze zaak heeft voor hem de hoogste prioriteit.'

'Waarom is dat?'

'Vraag het hem zelf maar.' Hij stond op en gaf een roffel op de deur.

'Connor,' zei ik. 'Je mag sheriff Archer nog iets van me vertellen.'

Hij wachtte. Er ratelden sleutels in het slot.

'Gisteravond was er iemand foto's aan het maken op de plaats delict,' zei ik.

Hij trok zijn wenkbrauwen op. 'Hoe kon jij dat nou weten?'

'Ik weet het gewoon.' Ik wees. 'Je bent je toverdoos vergeten.'

Hij glimlachte. 'Helemaal niet.'

Ik wachtte tot de deur dichtviel voor ik mijn hand uitstak naar de toverdoos. De onderkant was warm en ietwat vochtig. Een bekende geur van eieren met spek.

Ontbijt.

ZES

De gelambriseerde gang die naar sheriff Archers kantoor voerde, hing vol met krantenfoto's, voornamelijk van de sheriff zelf. ARCHER ROLT MAF- FIAPRAKTIJKEN OP, meldde een kop uit begin jaren zestig. Op de foto was een groep dikke mannen te zien die met geboeide handen hun gezicht afdekten. De sheriff zat hen op de hielen – een man met vierkante schou- ders en zware wenkbrauwen, die precies op Randolph Scott leek.

'Dus uw baas heeft de maffia uit Dyer County verjaagd,' zei ik.

'Integendeel, sir,' zei Clyde, mijn escorte naar de bovenste verdieping. 'Hij heeft ze nooit binnengelaten.'

'Misschien waren ze niet zo happig om binnen te komen.'

Terwijl in de gang de jaren voorbijvlogen, werd Archer alsmaar ouder en werden de koppen schreeuwender. ARCHER MET VERPLETTERENDE MEER- DERHEID HERKOZEN en ARCHER BLIJ MET THE GIPPER. Hij had president Reagan inderdaad de hand geschud. Ook Barry Goldwater, 'Duke' John Wayne en iemand die ofwel Elvis Presley was, of een verdomd goede El- vis-imitator. En op elke gekoesterde foto had Archer een revolver omge- gespt. Het was een Colt .45 Buntline Special met een loop van vijfentwin- tig centimeter en een kolf van walnotenhout. Of hij nou weesjes kuste of een smoking droeg, altijd had hij dat wapen aan zijn heup bungelen.

'Bevalt het je om voor de sheriff te werken?' vroeg ik.

'Ik word vaak overgeplaatst,' verzuchtte Clyde.

Ik merkte dat Clyde, hoe dichter we bij het kantoor van de sheriff kwa- men, steeds meer het lood in zijn schoenen leek te krijgen. Toen we ein- delijk op de zware eiken deur klopten, króóp hij praktisch.

'Binnen,' sprak een stem als een pistoolschot aan de andere kant van de deur. Ik stond in het privékantoor van sheriff Rafe W. Archer.

Het vertrek was een studie in mahoniehout en bloedrood leer. Kope- ren miniatuurcowboys te paard bevolkten de solide tafels. Een schilderij van Russell, getiteld 'De laatste buffeljacht', besloeg bijna de gehele ach- terwand. Daarnaast wees de staande klok tien minuten voor acht aan. Koffie en Bill Durham bepaalden er de sfeer. Als er geen telefoon met toetsen had gestaan, had je er een fluwelen koord kunnen spannen en het een museum kunnen noemen.

En jawel, boven het bureau van de sheriff hing, in een ebbenhouten lijst, de Buntline Special. De man zelf was in geen velden of wegen te bekennen, maar ik hoorde zijn stem door de half openstaande deur van de wc.

'...twintig agenten en tweemaal zoveel vrijwilligers,' zei hij – tegen iemand aan de telefoon, veronderstelde ik. 'Die met z'n allen als stomme mieren rondkrioelen, terwijl ik hier met jou zit te lullen.'

Met veel lawaai werd het toilet doorgetrokken. Clyde beet op zijn lip en staarde strak voor zich uit.

'Jezus, ik hoor die aankondigingen om met pensioen te gaan al sinds de tijd dat Pike's Peak nog een pukkel was. Buford Warburton heeft zijn hoerengeld, en ik heb 'm bij z'n pik. Op wie zet je liever je geld?'

Op Archers bureau lag een enorme plattegrond van geologisch onderzoek in de vs. Zo te zien had hij daarvoor heel wat ravijnen en uithoeken uitgespit. Een vel papier met het briefhoofd 'Sheriff's Department' stond vol aantekeningen: *witte Silverado* was zo ongeveer het enige wat ik op z'n kop kon lezen.

'Sorry als ik een aanslag doe op uw maagdelijke oren, dominee,' sprak de sheriff verder. 'Maar op dit moment zit ik dieper in de nesten dan Judas op de Dag des Oordeels, en die verrekte verkiezingen zijn geen prioriteit. Ga nou maar aan het werk, dan praten we na de kerk verder... Omdat die ook onder plaats delict valt. Geef de kinderen maar ergens anders hun appelsap. En in godsnaam, zeg tegen Martha dat ze ophoudt met dat gebrul tot mijn mannen er zijn. Ik heb genoeg aan mijn kop zonder dat zij me de hele tijd wakker maakt.'

Hij hing op. Er klonk een straal water. 'Ben je daar nog, Clyde?'

'Sir.' Clyde slikte. 'Ik heb... eh... Mister Yeager bij m–'

'Ik weet wie dat is,' zei Archer vanachter de deur. 'Heb je die bewaker bij het huis van de predikant geïnstrueerd, zoals ik je heb gezegd?'

Shit, vormden Clydes lippen. 'Eh... *yessir*. Zo veilig als Fort Knox.'

'Clyde, ik heb de man net gesproken. Ga het onmiddellijk regelen voor ik je vil.'

Clyde maakte dat hij de kamer uit kwam. De deur van de wc zwaaide wijd open.

De grijze ogen van de sheriff glansden onder zijn zware wenkbrauwen als zilver in een verlaten mijn. Dat was alles wat er over was van de jonge revolverheld op die krantenfoto's. Het leek wel of hij niet zozeer was verouderd als wel geërodeerd, net zolang tot alleen wat het hardste en taaiste aan hem was, was beklijfd. Onder zijn sneeuwwitte snor hadden zijn tanden de kleur van antiek ivoor. Met twee knoestige handen hield hij met gekromde vingers een dossier vast. Ondanks zijn leeftijd was hij in het vertrek aanwezig als een aan lager wal geraakte vorst – maar nog altijd een vorst.

'Dat joch is geen knip voor z'n neus waard.' Archer keek mijn kant niet op toen hij achter zijn zware bureau ging zitten. 'Wat heb je op je hart, jongen?'

Ik wees naar de Buntline. 'Ik vroeg me af wat zo'n schitterend wapen achter een glasruit doet.'

'Hij is antiek,' zei hij. 'Er zijn lui die mij ook zo achter glas willen zetten, als ze hun zin zouden krijgen.'

'Ik durf te wedden dat dat ding nog altijd een gaatje in iemand kan schieten.'

'Reken maar,' zei hij. 'Ga zitten. Ik word zenuwachtig van je.'

Hij maakte anders geen zenuwachtige indruk, maar ik ging toch maar zitten. Hij taxeerde me met twee snelle blikken. De ene op mijn handpalmen – waarschijnlijk om te kijken of ze zweetten – en de andere recht in mijn ogen.

'Je bent me ook een kunstwerk, hè?' Hij schonk me een plichtmatige glimlach, alsof hij mijn troefkaart had gezien en mijn inzet maar niks vond.

'Ik geloof dat ik weinig beter ruik dan de cel waar ik in heb geslapen.'

'Je mag niet klagen, voor een kerel die twee ronden met Dale Dupree heeft overleefd.'

'Eén ronde, sheriff,' zei ik. 'Ik heb één ronde met Dupree geknokt. Iemand anders heeft het genoegen van de laatste gehad.'

Hij pakte een oude percolator die achter hem stond. 'Koffie, Mike?'

'Graag, Rafe.'

Hij schonk twee bekers vol en goot een scheut bourbon in de zijne. 'Die Colt was een cadeautje van mijn voorganger, de oude sheriff Fox. Dat hij na de oorlog had geërfd – enzovoorts, terug tot het jaar waarin dat model voor het eerst werd gemaakt.'

'1877,' zei ik. 'Dat was nogal een cadeau.'

'Ja, ja,' zei hij. 'Ik zal nooit vergeten wat hij zei. "Rafe, met een Buntline zal het je nooit lukken om als eerste je revolver te trekken. Omdat de loop te lang is, voelt dat alsof je prikkeldraad door de modder trekt. Maar hij mist nooit en hij ligt vast in de hand. Dus richt dat wapen alleen als je de intentie hebt om te doden. Want het richt verschrikkelijke dingen bij iemand aan."'

'En heb jij het ooit gericht?'

'Ik heb gehoord dat je niet veel ophebt met onze manier van werken.' Zijn ogen glansden ijskoud. 'Weet je, toen ik hoorde wat je met Dale had uitgehaald, was ik bijna onder de indruk van je. Ik dacht: Daar heb je nou een vent die de filosofie van de Buntline doorheeft. Ik bedacht dat ik je hoe dan ook moest leren kennen.'

'Ik heb een uitnodiging voor een etentje aangenomen. Je had mijn auto niet in beslag hoeven nemen.'

'Die Tippet toch,' Hij schudde zijn hoofd. 'Het is een ambitieus mannetje, en hij kan een vogel uit de lucht schieten. Maar tussen ons gezegd en gezwegen: ik denk niet dat hij die Colt ooit zal erven. Volgens mij is hij gewoon een gorilla die met autobanden speelt.'

'Reservebanden,' zei ik. 'Je zei: "bijna onder de indruk".'

'Jij wilde een kans, en die geef ik je nu.' Hij trommelde met zijn vingers op het bureaublad. 'Maar ik kan van hieruit zien, agent Yeager, dat je wat krap in je ammunitie zit.'

'Ik zal je tijd niet verdoen,' zei ik. 'Ik ben niet degene die je moet hebben.'

Hij trok een wenkbrauw op. 'Zei het hert tegen de jager.'

'Ik vermoed dat je met Connor Blackwell hebt gesproken en dat dat de reden is waarom ik hier ben.'

'Connor is een slimme jongeman,' zei hij. 'Ik laat de afdeling "vijf dollar per woord" aan hem over. En van wat ik heb begrepen, heeft hij een hoge dunk van je. Aan de andere kant... Mijn rechercheur, Jackson Tippet, is van mening dat je bij mijn onderzoek bewijslast saboteert. En ik denk niet dat je enig idee hebt hoe woedend ik daarvan word.'

'Sheriff, ik ben me er heel goed van bewust hoe belangrijk deze zaak voor je is.'

'Werkelijk?' Hij ging onderuit zitten. 'Is dat zo?'

'Ik heb Connor alles verteld wat ik weet. Als jij me niet gelooft, laat Mrs. Maidstone het dan maar bevestigen.'

'Eve Maidstone weet niet altijd op welke planeet ze zich bevindt.'

'Maar je bent ervan op de hoogte dat ik haar heb gesproken.'

'Ik ben ervan op de hoogte dat iemand haar heeft opgebeld vanuit de Lucky Strike. Die wilde zijn naam niet zeggen. Hij beweerde dat hij een vriend van Dale was. Ben jij dat tegenwoordig? Zijn vriend?'

'Volgens mij vond hij van wel.'

'Ondanks het feit dat jullie elkaar die middag wilden afmaken?'

'Ik deed wat naar mijn gevoel noodzakelijk was om de angel uit de situatie te halen.'

Hij gnuifde. 'Volgens mij ben je er uitstekend in geslaagd de angel uit hém te halen, en heb je Robbie iets gegeven voor een toekomstige nachtmerrie.'

'Dat betreur ik,' zei ik. 'Heeft iemand met Robbie gepraat over wat er is gebeurd?'

Hij nam even de tijd voor een slok van zijn koffie. 'Wat kan u een jongen als Robbie jou nou schelen?'

'Hij zou iets kunnen weten over de verdwijning van zijn nichtje,' zei ik. 'En, zoals je al zei, straks houdt hij er nog een trauma aan over. Iemand moet Robbie vertellen dat wat er is gebeurd zijn schuld niet is. En dat volwassenen hem niet in de steek zullen laten en voor zijn veiligheid zullen zorgen.'

'Denk je niet dat hij dat al weet?'

'Kinderen geloven wat ze dagelijks te zien krijgen,' zei ik. 'Wat rechtvaardigheid betreft heb ik in Dyer County niet veel gezien.'

Een halve minuut lang knipperde hij niet één keer met zijn ogen.

'Jij bent de man van de afdeling rechtvaardigheid,' zei hij uiteindelijk. 'Het is mijn taak om de vrede te bewaren. Als er iemand als jij op het toneel verschijnt, weet ik dat er moeilijkheden van komen. In mijn lange ervaring komen er namelijk maar twee soorten vreemdelingen naar Dyer County. Degenen die geloven dat ze de verloren gegane goudmijn van de Dutchman zullen vinden... en degenen die op zoek gaan naar het enige wat deze woestijn in overvloed heeft.'

Ik haalde mijn schouders op. 'Lege bierblikjes?'

'De dood,' zei de sheriff. 'Jij ziet er niet naar uit dat je verwacht een goudmijn te zullen vinden.'

'Je weet al dat ik Dale niet heb vermoord,' zei ik. 'Juist omdat ik een vreemdeling ben. Als je de bewijslast hebt bekeken, zul je hebben gezien dat Dale is vermoord door iemand uit zijn directe omgeving, misschien zelfs iemand die hij al zijn hele leven kende.'

Voor het eerst zag ik een glimp van verbazing. 'Is dat zo?'

'Dale heeft de deur voor de moordenaar opengedaan. En hij overleed relatief snel, wat inhoudt dat de overvaller dichtbij heeft kunnen komen zonder argwaan te wekken. Ik wed op een bliksemsnelle aanval in de rug, op uiterst kleine afstand.'

Hij aarzelde bedachtzaam. 'Hoe weet je dat hij snel overleed?'

'Nog geen twee minuten nadat ik een eind had gemaakt aan het telefoontje met Dale was de moordenaar foto's aan het nemen van het slachtoffer.'

Archer haalde onverschillig zijn schouders op. 'Connor heeft inderdaad iets gezegd over foto's. Zou je dat willen verklaren?'

Hij had een beter pokerface dan zijn ondergeschikten. 'Evelyn zei dat ze geflits zag,' zei ik. 'Daar ligt de sleutel van die hele zaak van je. In een zaak van moord uit persoonlijke motieven, waarbij de verdachte een goede bekende is van het slachtoffer, is de dader meestal bang om het slachtoffer in de ogen te kijken. Dus zullen ze hem van achteren benaderen.

Meestal zullen ze op het gezicht richten, om de identiteit van het slacht-offer uit te wissen. Was het gezicht van Dale op enigerlei wijze gewond?'

Archers gezicht was als uit steen gehouwen. 'Je had het over foto's.'

'Sommige moordenaars nemen een souvenir van het slachtoffer mee, iets persoonlijks. Soms is dat een lichaamsdeel. Foto's maken is onge-bruikelijk. Dat zou wijzen op zowel een verlangen om een beeld van het slachtoffer in dode toestand te willen bewaren als de behoefte een psy-chische afstand te scheppen. Dale had de moordenaar altijd voor een vriend aangezien. Maar de moordenaar zag in Dale alleen een object. Zo-als een geleerde een laboratoriumrat bestudeert.'

'Schijnvriendschap,' zei hij. 'Je bent een slimme aap, agent Yeager. Dat moet ik je nageven.'

'Daarom heb je me hier toch laten komen? Je wist dat ik je zou helpen om de man in zijn kraag te vatten die die foto's nam. Daar hebben ze me bij de FBI voor getraind. Ik heb de afgelopen tien jaar van mijn leven niets anders gedaan dan naar foto's kijken.'

'In dat geval...' Hij trok zijn wenkbrauwen op. 'Wat haal je hieruit?'

Hij vouwde de dossiermap open en draaide hem om.

'Dat Jezus weende,' zei ik.

ZEVEN

Het was waar; ik had de afgelopen tien jaar voor de FBI naar foto's gekeken. Mijn werk bestond eruit te weten wanneer het slachtoffer voor het
laatst had gegeten, of het was verkracht of letsel was toegebracht, en of
er iets binnen het kader van de camera was dat de gemoedstoestand van
de ontvoerder prijsgaf. Het was een kwestie van voorkeur dat ik afging op
gezichten. Gezichten van de doden en wie op sterven na dood was. Gezichten van kinderen die vreselijke pijn leden en desondanks het bevel
kregen om te glimlachen, en die soms maar al te graag een poging waag-
den.

Maar Dale had geen gezicht om te bestuderen. Zijn hoofd was vanaf
de aanzet van de hals van de romp gescheiden.

Er zaten eenentwintig glanzende zwart-witfoto's in de serie die Archer
voor me uitspreidde. Foto's van Dale terwijl hij naakt op de grond lag. Er
was net zo lang op zijn blote huid ingehakt tot die als nat wc-papier aan
flarden was. Reepjes slap vel hingen er aan weerskanten bij, waardoor ontblote ribben zichtbaar waren, en de ingeklapte long. Beide onderarmen
waren overdekt met kerven als winkelhaken, regelrecht tot op het bot.

'Niets te zeggen?' vroeg de sheriff. 'Die hele FBI-training in lucht opgelost?'

De foto's waren goed genoeg voor een leerboek voor de universiteit –
te goed, misschien wel. Elke opname was van een chirurgische precisie.
Elke verwrongen pees, elke wond ving het licht en schikte zich met over-
duidelijke opluchting. Ik begon te praten, waarna ik me realiseerde dat ik
had vergeten te ademen.

'Dit zijn geen foto's van een plaats delict.' Ik nam amper de moeite om
het trillen van mijn stem te verbergen.

'We weten niet wie ze heeft genomen,' zei hij. 'Ik dacht dat jij me dat
zou kunnen vertellen.'

'Het is een perfectionist,' zei ik. 'Je ziet de klok op de magnetron in
drie verschillende opnamen: kwart over tien, vierendertig over één en zeventien over drie. Overal scherp. Hij vertelt ons hoelang hij op de plaats
delict is geweest. Sheriff, hoe ben je aan deze foto's gekomen?'

'Hoezo?'

'De verdachte zou beroepsfotograaf kunnen zijn,' zei ik. 'Of een amateur met talent. Er is oefening voor nodig om zo'n diepe focus te krijgen, en deze afdrukken zijn niet bij de supermarkt ontwikkeld. Hier moet je je eigen donkere kamer voor hebben, en die moet van topkwaliteit zijn. Chemicaliën en materiaal zouden speciaal besteld moeten worden... wat allemaal een spoor van paperassen achterlaat.'

'We hebben in de stad geen fotograaf.' Hij zweeg even. 'Niet beroeps in elk geval.'

'Zelfs een specialist zou een halve dag nodig hebben om de afdrukken te maken – afgezien van de reistijd.' Ik snuffelde aan een foto. 'Je kunt de ontwikkelaar nog ruiken. Met een natte vinger in de lucht zou ik zeggen dat ze tussen twee en vier uur geleden voor je zijn achtergelaten.'

Hij knikte. 'Ik vond ze vanmorgen om zes uur op mijn drempel.'

'Dan is hij dus van hier. De verdachte heeft waarschijnlijk drie punten die in zijn voordeel werken: geld, privacy en tijd. Daarmee wordt jouw scala aan verdachten beperkt. Het zal het werk vergemakkelijken als je eenmaal het type film en camera hebt bepaald.'

'En jij denkt dat degene die deze foto's heeft genomen de moord heeft gepleegd.'

'Op z'n minst heeft hij het zien gebeuren. Maar ik ben bereid te wedden dat het dezelfde man was. Kijk maar eens naar de kwaliteit van deze afdrukken. Hij wil dat we bewondering hebben voor zijn werk.' Ik nam ze nog eens door. 'Bijna geen close-ups. Hij heeft de camera steeds op een afstand van vier tot tien meter... waarschijnlijk om de dieptefocus niet te verliezen. Maar vervolgens moet je ook kijken naar wat de keuzen van de verdachte over zijn persoonlijkheid vertellen.'

'Wat vertellen ze jou?'

'Dat hij zo ver mogelijk van het slachtoffer wil blijven,' zei ik. 'Waarschijnlijk om er niet emotioneel bij betrokken te raken. En ook al stuurt hij foto's naar de politie, hij verwacht duidelijk niet dat hij wordt gepakt. Zo te zien heeft hij gebruikgemaakt van een statief om zijn lengte te verdoezelen. Geen schaduwen, geen spiegelingen. Niet eens voetafdrukken in het bloed. Alsof hij zich onzichtbaar maakt. Hebben jullie op de plaats delict afdrukken gevonden?'

'Geen enkele die goed genoeg is om te identificeren,' zei hij. 'Hoe is het hoofd van Dale verwijderd?'

'Een wapen met een lemmet.' Ik keek nog eens beter. 'Ik ben geen expert in messen, maar volgens mij was het er een om mee te snijden en niet om te steken. Er zijn twee verschillende soorten verwondingen. De eerste zijn diep, met precisie, en de verdachte heeft veel kracht in het bovenlichaam, dus het is waarschijnlijk een man, tussen de dertig en vijftig.

De rest is hakwerk, want dat is niet met een gewoon mes gebeurd. Dat betekent dus twee belagers. Waar is Mary?'

'Mary?'

'De vrouw van het slachtoffer,' zei ik. 'Zij was –'

'We weten niet waar Mary is,' zei hij.

Ik richtte me weer op de foto's. Dale lag op zijn zij, onder het bloed en zo bloot als op de dag dat hij werd geboren. Hoogstwaarschijnlijk was hij na zijn dood uitgekleed. Op bijna elke foto lag hij opgerold in foetushouding, met zijn armen over zijn borst, als een slapend kind. Om de stomp van zijn hals was een donkere lap gewikkeld, ter vervanging van zijn hoofd.'

'Wat is dat voor een lap?' vroeg ik. 'Een vlag? Zo te zien met achtenveertig sterren.'

'Die is nog van de begrafenis van zijn vader,' zei hij. 'Hij was marinier, net als Dale, en gesneuveld in Khe Sahn. Zie je die driehoekige lijst aan de muur? Die hebben ze opengebroken om bij die vlag te kunnen.'

'Ongedaan maken,' zei ik.

'Ongedaan maken?'

'Posthomicidale wroeging. Het slachtoffer in een bepaalde houding leggen, het wassen of aankleden. De moordenaar probeerde de moord "ongedaan te maken" door de verwondingen van het slachtoffer te bedekken met een voorwerp waarvan hij wist dat het betekenis voor hem had. Net zoals je een kind zijn teddybeer geeft. Meestal gebeurt dat alleen wanneer de moordenaar en het slachtoffer elkaar buitengewoon na staan.'

'Zoals familie?'

'Iemand die hem van kleins af aan heeft gekend,' zei ik. 'Weet je misschien een kandidaat?'

Ineens was hij op zijn hoede. 'Ga door.'

De laatste foto, nummer 21, vormde een sterk contrast met de andere: een close-up op ooghoogte van de stomp van Dales hals. De vlag was verwijderd om de afgesneden luchtpijp te laten zien. Beide handen lagen bij de hals tegen elkaar, alsof ze het verdwenen hoofd vasthielden. Ze waren compleet in focus. De rest van de foto was enigszins vaag. Ik ontdekte een minuscuul ezelsoor in de rechter bovenhoek.

'*Semper Fi,*' zei ik.

'Wat?'

'Dales ring van het Korps Mariniers,' zei ik. 'Die is het brandpunt van het hele beeld.'

'Is het van belang?'

'Dat weet ik nog niet,' zei ik. 'Die sneeën in zijn armen zijn tegendraads, dus hij moet op zijn minst een seconde de kans hebben gehad om zich om te draaien. Maar dan heb je daar die verticale jaap tussen het borstbeen en het rechter sleutelbeen. Wat... eigenaardig is.'

'Hoezo?'

'Het mes zou toch minstens twee slagaders doorgesneden moeten hebben. Dan zou hij niet de tijd hebben gehad om op te staan, laat staan om terug te vechten.'

'Dale had niet veel hersens,' merkte Archer op. 'Maar hij was een vechter.'

'Dat klopt niet. Je zou over het slachtoffer heen moeten staan om die diepe jaap toe te brengen. En dan nog zou hij heel stil moeten liggen, anders loop je grote kans om langs het bot te schampen. Dus dat zou niet de eerste steek geweest kunnen zijn. Ik zou het lichaam moeten zien om er zeker van te zijn. Maar het slachtoffer is waarschijnlijk verplaatst nadat de dood was ingetreden, dus is niet te zeggen waar –'

'Hoe weet je dat allemaal?'

'De messporen op de grond komen niet overeen met de verwondingen.' Ik bekeek de foto van dichtbij. 'Ze geven qua tijd alles uitstekend weer, maar de eerste steek was niet fataal. Het slachtoffer had tijd om overeind te komen. Dale vocht terug.'

Eén ogenblik kon ik het bijna zien gebeuren, als een 3D-film. Het slachtoffer lag op zijn knieën, met zijn gezicht voorovergebogen, als in gebed, terwijl de moordenaar achter hem stond. Een zwaai met iets van staal, een fontein van bloed. Maar vervolgens keek het slachtoffer omhoog met die doodsbange blauwe ogen en werd hij weer Dale. *Ik verga van de pijn.*

Het kostte me even voor het tot me doordrong dat sheriff Archer me aandachtig aankeek. Ditmaal niet vol verachting, maar met een nieuwsgierige, duistere blik in de ogen.

'Wat heb ik gezegd?' vroeg ik.

'Eén seconde,' zei hij, 'leek het wel alsof je verging van de pijn.'

Behoedzaam legde ik de foto's op een stapeltje. 'Je had moeten vertellen wat dit was voor je me ze liet aanraken,' zei ik. 'Er hadden best bruikbare vingerafdrukken of DNA-sporen op kunnen zitten.'

'Ik dacht dat je dat wel zou weten zonder dat ik het je vertelde,' zei hij. 'Tot je naar die foto's bekeek, had ik durven zweren dat je een lastpak was. Maar toen was het net alsof je gezicht helemaal openbrak.'

'Dat komt gewoon door de bloeduitstorting op mijn kaak.'

'Ik herken die blik,' zei hij. 'Die zag ik dagelijks in de spiegel, voor ik oud en sikkeneurig werd. De pijn straalt je ogen uit, Mr. Yeager.'

Ik keek langs hem heen naar de staande klok. 'Het is twee minuten voor acht, sheriff. Ben je van plan me aan te klagen voor moord of laat je me gaan?'

'Dat hangt ervan af in hoeverre je de waarheid spreekt,' zei hij. 'Ik hang nog liever een leugenaar op dan een moordenaar.'

'Sinds ik je deur binnenkwam, heb ik geen enkele leugen verteld.'

'Je speelt nou ook weer niet direct open kaart met me. Maar ik denk dat ik je nu in de smiezen heb. Je kunt niet aanzien dat iemand lijdt. Dat is zeker waar je je bij de FBI mee bezighoudt, hè? Kinderen beschermen. Ik heb gehoord dat je daar goed in bent.'

'Ik heb inderdaad kinderen beschermd,' zei ik. 'En wat dan nog?'

'Nou, en moet je nou kijken,' zei hij. 'Dat schuimt de woestijn af... raakt in knokpartijen verwikkeld en wordt wakker in de bajes, zodat ouwe zakken als ik met je kunnen sollen. Eens waren de rollen omgedraaid. Het moet gevoeld hebben alsof je je arm uit een ijzeren val losrukte om dat allemaal achter te laten. Het was verdomme bijna je dood geworden.'

'Het ís verdomme bijna mijn dood geworden.'

'Ik dacht dat je misschien wel een kans wilde om die arm terug te krijgen.' Dat zei hij even vanzelfsprekend als hij mijn koffie had ingeschonken.

'Niet als de val nog gespannen staat,' zei ik.

'Maar je hebt Dale beloofd dat je een oogje op Cassie zou houden. Of heeft Connor je fout geciteerd?'

'Hij had het juist.'

'En jij zou me kunnen helpen om haar te vinden. Dat is wat je wilt, is het niet?'

Ik begon te begrijpen waarom Clyde doodsbang voor de man was. Archer had de Buntline niet nodig. Hij had die grijze ogen.

'Het spijt me,' zei ik ten slotte. 'Ik ben gewoon niet de man voor dat soort werk. Niet meer.'

'Je wilt niet eens haar foto bekijken?'

Zonder een antwoord af te wachten pakte hij een ingelijste kleurenfoto van zijn bureau en gaf die aan mij. Een schoolfoto, een portret. Cassandra Dupree leek absoluut niet op haar vader. Ze was bleek en ondervoed, met een groot rond gezicht en lang rossig blond haar dat schreeuwde om een kam en een moederhand. Een afwezig glimlachje. Haar ogen waren zuiver groen, groot en uiterst waakzaam.

'Hoe oud is ze?' vroeg ik.

'Zeven,' zei hij. 'Even oud als haar neefje Robbie. Heb je zelf kinderen, agent Yeager?'

Ik schudde mijn hoofd.

'Ik heb er zelf twee,' zei hij. 'Soms denk ik niet dat ze me erg zouden missen. Maar ik krijg het doodsbenauwd als ik bedenk wat Cassie op dit moment waarschijnlijk doormaakt. Waar ze ook is, ze moet gek worden van angst.'

'Ik zou beginnen met haar moeder te zoeken,' zei ik.

Hij fronste zijn wenkbrauwen. 'Je hebt het maar steeds over Mary Frances. Zit je me nou te stangen of weet je iets?'

'Mary Dupree zou gemakkelijk de tweede moordenaar kunnen zijn,' zei ik. 'Pas gescheiden, mogelijk in gevecht om de voogdij. Een prima kandidaat voor moord uit wraak, voortvloeiend uit huiselijke omstandigheden. Bovendien was ze op de plaats delict. Als je de fotograaf zoekt, zou je kunnen beginnen met haar lijst van minnaars. Evelyn Maidstone noemde haar een hoer. Was dat een verdachtmaking, of heeft Mary werkelijk als prostituee gewerkt?'

Archer vouwde zijn handen. 'Dat doet ze nog steeds, heb ik gehoord.'

'Zoek dan naar haar pooier,' zei ik. 'Als je de pooier vindt, vind je Mary ook. Als je Mary vindt, heb je Cassandra. Zo doe je dat, sheriff. Volg de keten van misbruik.'

Eén tel schoten zijn ogen vuur, alsof hij in een spijker was getrapt. Toen sloeg de klok. Bij elke slag doofde het bleke vuur, en toen was hij weer alleen de stoffige oude wetshandhaver.

'Er zal wel enige wijsheid in zitten,' zei hij.

Achter me werd er geklopt.

'Sheriff?' klonk een bekende stem over mijn linkerschouder.

'Rechercheur Tippet,' gromde de sheriff. 'Agent Yeager denkt dat we, in plaats van tijd aan hem te verspillen, de ex-vriendjes van Mary Dupree moeten opsporen. Ik meen dat hij het over haar pooier had. Zou jij je daarmee bezig willen houden?'

Tippets mond viel open. 'Natuurlijk, sir.'

'Natuurlijk, sir,' herhaalde Archer. 'Wil je alsjeblieft agent Yeager in vrijheid stellen en hem naar de garage rijden – en, uiteraard oprechte excuses voor onze allerarmzaligste arrestatieprocedures. Je bent een vrij man, jongeman. Als dat iets voor je betekent.'

'Sheriff.' Ik stond op van mijn stoel. 'Mocht je hulp nodig hebben, ik kan je in contact brengen met –'

'Louter voor mijn gemoedsrust,' zei hij. 'Je weerzin heeft toch niet iets te maken met een jongen die Antonio Madrigal heet?'

Die oude rotzak. Al die tijd had hij het geweten.

'Daar zou het de schijn van kunnen hebben.' Archer knikte. 'Adieu, agent Yeager.'

ACHT

Tippet wist zich nog tot de parterre te beheersen. Toen smeet hij me een dikke envelop in mijn gezicht.

'Jij hebt je stront kunnen lozen,' zei hij. 'Ga nou met je stinkreet uit mijn ogen.'

Met veel omhaal telde ik de biljetten in mijn portefeuille.

'Vervloekte FBI-superspeurneus,' zei hij. 'Je denkt zeker, nu je een run hebt gescoord bij de sheriff, dat je Jezus bent? Heb niet het lef om mijn onderzoek te dwarsbomen. Dan zullen er in de hemel geen engelen genoeg zijn om voor je te bidden.'

'Jij mag het onderzoek helemaal alleen doen, Tippet. Het zal je aan je reet kunnen roesten, maar ik hoop van harte dat je er iets van zult bakken.' Ik deed mijn riem om. 'Aangezien jij met alle geweld de scepter wilt zwaaien, kan ik het net zo goed vragen. Wie was degene die je vrijdag op je gsm opbelde, voordat je weer rapport uitbracht bij je sheriff?'

Zijn gezicht vertrok van blinde woede. 'Zie maar dat je die verrekte garage op eigen houtje vindt.' Tippet beende weg.

De aantrekkelijke receptioniste, brigadier Rosario, kwam timide vanachter haar balie vandaan. 'Let maar niet op hem,' zei ze. 'Ik zal u er wel heen rijden.'

We stapten het heldere ochtendlicht in. De bergen in de verte hadden een bleek zilveren tint. Ada's parfum, cederhout met kaneel, was zoet en verfrissend na een dag in de cel.

'Mooi zijn ze,' zei ik.

'Hè?'

'De Sangre de los Niños. Weet je, die bergen zijn de enige reden waarom ik hier ben. Als kind had ik er foto's van gezien in de *National Geographic*, en ze zijn me altijd bijgebleven. Ik heb altijd gedacht dat ik op een dag fotograaf zou worden en, net als Ansel Adams, in het westen zou gaan wonen.'

'O,' zei ze. 'Dus dit is een soort vakantie voor je?'

'Het is een lang verhaal,' zei ik. 'Ik had ergens een punt achter gezet... en ik probeerde mijn leven op orde te krijgen. Toen, twee weken geleden, werd ik op de grond wakker in mijn flat en ik realiseerde me: ik heb nooit foto's van de Sangre de los Niños genomen. Ik weet dat het onnozel is, maar het gaf me een reden om verder te gaan.'

'Ik begrijp het. Wij wonen dicht bij de bergen. Dus...' Haar stem brak af. 'Ik vind het naar voor je dat het allemaal zo is gelopen. Er zijn hier ook fijne mensen.'

'Ik vind het jammer dat ik niet lang genoeg zal blijven om dat te ondervinden. Misschien had jij mijn mening over Dyer County kunnen veranderen.'

Ze keek me indringend aan, alsof mijn opmerking thema's opwierp die voor een buitenstaander te complex waren om te bevatten.

'Velen van ons zijn blij om wat je voor Robbie hebt gedaan,' zei ze. 'Ik heb een zoontje van die leeftijd. Althans... dat zou hij geweest zijn.'

'Wat is er met hem gebeurd?'

'Hij is dood.' Haar gezicht verstrakte, vertrok. 'Ze hebben hem met een vrachtwagen doodgereden.'

We waren bij haar auto aangekomen, dezelfde groene jeep Cherokee uit de begrafenisstoet. Met een kinderzitje achterin en geplette M&M's op de bekleding.

'Mijn god,' zei ik. 'Jouw zoontje... Ik had geen idee.'

'Mijn moeder en mijn broers begrijpen niet waarom ik weer aan het werk ben gegaan,' zei ze. 'Ze zeiden dat ik mijn zoontje te... te schande maakte. Maar ik moet iets te doen hebben. Als ik thuis zou blijven, denk ik dat ik dood zou gaan.'

'Hoe heet je zoon?'

'Espero.'

We reden zwijgend naar de garage. Mijn oude Nash Rambler stond tussen de roestige pick-uptrucks te wachten.

'Ik moet maar eens teruggaan,' zei ze. 'Ik mag mijn balie eigenlijk niet verlaten.'

'Ik ben blij dat je dat wel hebt gedaan.'

Ik hees me uit de auto. Haar handen klemden zich om het stuur.

'Hij had niet dood gehoeven,' zei ze. 'Het was mijn schuld.'

'Hoe zou het nou jouw schuld kunnen zijn?'

'Volgens mijn moeder is hij weggerend omdat ik altijd maar werk. Als ik thuis was geweest, in plaats van...'

'Jij was niet degene die achter het stuur van die vrachtwagen zat, Ada.' Ik keek op haar neer. 'Hoe is het gebeurd?'

Ze kneep haar ogen dicht. 'Hij... was 's avonds in de tuin aan het spelen. En hij is naar de weg afgedwaald.'

'Hoe ver woon je van de weg af?'

'Ongeveer anderhalve kilometer.'

'Dat lijkt me voor een kind een heel eind om af te dwalen,' zei ik. 'Had hij dat al eens eerder gedaan?'

Ze keek me aan, geschrokken – hechtingen uit een verse wond gerukt. 'Nee,' zei ze. 'Zoiets is nooit eerder gebeurd.'

Toen liet ze me alleen achter op de binnenplaats van de garage.

NEGEN

Het benzinestation op Highway 313 en Sparks Valley Road was de laatste aanlegplaats voor je Dyer County verliet. Daarvandaan was het één rechte ruk naar de *interstate* – naar Las Vegas in het zuiden en in westelijke richting naar Los Angeles – of waarheen ik maar wilde, aangezien ik nu weer een vrij man was.

'...bent verbonden met de mobiele telefoon van speciaal agent Weaver van het Federal Bureau of Investigation,' sprak de op band opgenomen stem van Peggy. 'Om een boodschap achter te laten, druk dan op 1. Om een genummerde oproep te plaatsen...'

Ik drukte op 2 en toetste het nummer in van de telefooncel van het pompstation, waarna ik er de driecijferige code aan toevoegde waarvan Peg en ik ons bedienden voor persoonlijke boodschappen. Het was kwart voor negen 's morgens, en in Philadelphia liep het tegen de middag. Peggy zou inmiddels haar ochtendrondje joggen en haar jacht op bagels wel achter de rug hebben. Als ik bij haar was geweest, zouden we misschien bezig zijn met het doorspitten van rapportages of ons opdirken om, zoals altijd op maandag, onze opwachting te maken in het gerechtshof. Misschien. Als het weer het toeliet, zouden we gaan spijbelen. Maar we zouden hoe dan ook samen zijn. Op zondagmiddag konden we onze badge afleggen en net doen of we gewone mensen waren.

Twee minuten laten ging de telefoon in de cel over.

'Je hebt geen woord te veel gezegd over die sheriff,' zei ik. 'Hij was echt iets aan het bekokstoven. Ik ben er op het nippertje aan ontsnapt om te worden aangeklaagd wegens moord met voorbedachten rade.'

'Mike?' vroeg Peggy. 'Waar ben je?'

'Aan de andere kant: wie weet ben ik helemaal niet ontsnapt.' Ik keek om me heen. 'Peg, heb ik het recht om medelijden met mezelf te hebben?'

'Waarschijnlijk niet. Waarom vraag je dat opeens?'

'Ik zat tegen iemand te jammeren over mijn kwaaltjes en pijntjes, en toen bleek dat haar zoontje net was overleden. Op de een of andere manier had zij een manier gevonden om op de been te blijven. Vandaar dat ik me afvraag hoe ik na één slechte zaak zo in de vernieling kon liggen.'

'Die ene slechte zaak is harder bij je aangekomen dan je wilt geloven,' zei ze. 'We moeten nodig eens praten.'

'Dat schijnt zo.' Ik haalde diep adem. 'Wat heb je sheriff Archer over me verteld?'

'Wat ik je vrijdag al heb gezegd,' zei ze. 'Positieve dingen.'

'Over Tonio Madrigal?'

'Over... oké, wacht even. Ik zie aan het kengetal dat je nog steeds in Nevada bent. Heb je je auto?'

'Ja.'

'Stap in, rij naar de dichtstbijzijnde staatsgrens en bel me, dan zullen we het hebben over Tonio, of... waar je nog meer in verzeild bent geraakt.'

'Wie kan er anders met hem gesproken hebben? Weet je zeker dat je hem niet op een of andere manier een hint hebt gegeven?'

'Yeager, is het ooit in je opgekomen dat de zaak-Madrigal een publiek geheim zou kunnen zijn?' Haar stem klonk nu gesmoord. 'Jezus, zelfs in de achtergebleven gebieden hebben ze natuurlijk de *Inquirer*. En sinds wanneer heb ik jou ooit genaaid... met wat dan ook?'

'Zo bedoelde ik het niet,' zei ik. 'Ik ben een beetje doorgedraaid. Ik heb net een weekend in de bajes doorgebracht.'

'Natuurlijk. Wegens moord. Die ex-marinier van je.' Ze ademde langzaam in. 'Waarom denk je dat ze je hebben losgelaten?'

'O, weet ik veel. Misschien omdat ik niemand heb vermoord?' Ik probeerde te lachen, maar het kwam er nogal kwaaiig uit. 'Zo te horen verbaast het je allemaal niets.'

'De laatste tijd verbaast niets me meer van wat je doet.' Ze zuchtte. 'Een halfuur geleden kreeg ik een telefoontje.'

'Alweer die sheriff?'

'Jawel, de sheriff. En dáárvoor de undercoveragent die de leiding heeft op het hoofdkantoor in Las Vegas. Om te vragen of een van mijn agenten soms assistentie verleende bij het onderzoek naar een moord in zijn arrondissement.'

'Moord en ontvoering,' zei ik. 'Je hoeft niet bang te zijn voor een wedstrijdje ver pissen met het hoofdkantoor in Las Vegas. Ik heb al nee gezegd tegen de sheriff.'

'Het is dat punt allang voorbij. Archer neemt geen enkel ander aanbod aan voor hulp. Wat jij hem hebt verteld, schijnt hem ervan te hebben overtuigd dat jij de enige man bent om de klus te klaren. Heb je wel enig idee wat die klus inhoudt?'

'Gewoon een paar footootjes bekijken,' zei ik. 'Bovendien wordt er een meisje vermist. Je weet wel, zo eentje waar de media onmiddellijk op duiken: lichtblond haar, groene ogen.'

'Heeft hij je haar dossier laten zien?'

'Een schoolfoto. Zo te horen wil deze sheriff zo gauw mogelijk met pensioen. Volgens mij is hij gewoon bang voor slechte publiciteit.'

'Denk even na. Waar bewaarde hij die schoolfoto? In een tas met bewijsmateriaal?'

'Op zijn bureau.'

'In een lijstje zeker?'

'Inderdaad, hoe wist je... o, shit.'

Heb jij kinderen, Yeager? Ik heb er zelf twee.

'Een schoolfoto op zijn bureau,' zei ik. 'Hoe heeft dat me kunnen ontgaan?'

'Je bent moe. Ik hoor het aan je stem.'

'Zijn kleindochter,' zei ik. 'Dat kan niet anders. Wat inhoudt... Jezus, ik heb zijn dochter nota bene voor prostituee uitgemaakt.'

'En toch heeft hij je vrijgelaten. Hij heeft vast geweten dat je niet ver weg zou gaan.'

Ik zuchtte. 'Wat vind jij dat ik moet doen?'

'Waarschijnlijk niets. De beroepscommissie zou ook moeten vinden dat je weer in actieve dienst zou moeten – wat hangende een onderzoek bijna nooit gebeurt. Als je een excuus wilt om problemen te vermijden, zou ik de schuld op de ambtenarij schuiven.'

'Waarom zou ik een excuus willen?'

'Omdat de sheriff hoogstpersoonlijk de leiding heeft bij de opsporing van zijn kleindochter. Als de zaak in de soep loopt, zal hij bloed willen zien. En jij bent kwetsbaar, Mike. Wat inhoudt dat het bureau kwetsbaar is. Ik zeg dit niet graag, maar als het gaat lijken op een herhaling van Madrigal...'

'Duidelijk.' Ik deed mijn ogen dicht. 'Maar wacht eens even.'

'Ik krijg het altijd doodsbenauwd wanneer je zinnen begint met "wacht eens even".'

'Stel dat het lukt, Peg. Stel dat het me werkelijk lukt om dit kind te redden?'

Ze haalde behoedzaam adem. 'Mocht het op een geslaagd herstel uitlopen, dan zou je daardoor misschien weer aan de kant van de engelen komen te staan. Het bureau is dol op een gunstige pers. En wie weet gaat dan het verhoor in rook op en kun jij weer eens slapen.' Ze aarzelde. 'Maar eerlijk is eerlijk: zo ver zijn we nog lang niet.'

'Tja, zoals je al zei, zal het bureau me in elk geval verre houden van deze zaak.'

'Wie weet? Deze sheriff schijnt heel wat invloed te hebben. En hij wil jou. Dat heeft hij maar al te duidelijk gemaakt. Bovendien heb je nog één ding mee.'

'Wat dan?'

'Je bent echt de juiste man voor die klus.'

Ik glimlachte. 'Zou je bereid zijn dat voor het gerecht te zweren?'

'Luister, als je het serieus meent, zal ik je steunen. Maar eerst moet ik één ding zeker weten: geen grappen, niet dat ondoorgrondelijke gedoe van jou.'

'Je wilt weten wat ik probeer te bewijzen.'

'In één woord: ja. Want als het er alleen om gaat dat je je baan terugkrijgt, of om iemand anders die je niet kon redden...'

'Daar gaat het niet alléén om. Het gaat om Dale, en... het gaat om die foto van Cassie. Iets in haar ogen.'

'Je denkt dat jij de enige bent die dat kind kan redden.'

Ik haalde adem. 'Ik wil alleen weten of ik het nog kan.'

'Stap maar weer in je auto, Mike. Het is nog te vroeg. Bovendien ben je nog steeds in de rouw, wat op een kritiek moment je beoordelingsvermogen niet bepaald ten goede zou kunnen komen.'

'Je boodschap is duidelijk,' zei ik. 'Peg, heb je dat elektronische notitieboekje bij je?'

'Yeager, in godsnaam.'

'Ik kan deze beslissing niet nemen zonder achtergrondinformatie. Het stelt helemaal niet zo veel voor. Wat eraan voorafging en bekende handlangers, meer niet.'

Ze zuchtte. 'Steek van wal. Begin maar bij de moeder.'

'Mary Dupree, gespeld D-U-P-R-E-E, blank en meerderjarig. Ze zou tussen vrijdagavond tien uur en zaterdagochtend acht uur het terrein hebben verlaten, in gezelschap van haar dochter en een volwassen man: een minnaar of een pooier. Geen signalement van hem, maar –'

'Is ze letterlijk een prostituee?'

'Ja. Heb je daar een idee over?'

'De staat Nevada vereist dat iedereen die in de seksindustrie werkt bij een werkgever staat ingeschreven,' zei ze. 'Dat zou ons naar de minnaar kunnen leiden. En de dochter?'

'Zeven jaar,' zei ik. 'Aan de foto te zien, zou ik zeggen... één meter vijfendertig, twintig à drieëntwintig kilo.'

'Waar was zij ten tijde van de moord?'

'Hoogstwaarschijnlijk op de plaats delict.'

'Als ze haar hebben gedwongen om toe te kijken...'

Ze maakte haar zin niet af. Dat was ook niet nodig.

'Daar kan ik beter achteraan gaan,' zei Peggy. 'Hoe heet ze?'

'Cassandra,' zei ik. 'Wacht niet tot je alles weet. Fax me over een uur maar wat je hebt.'

'Waar kan ik je faxen?'

'Blijf even hangen. Dan geef ik je het nummer van het motel.'

'Yeager, weet je zeker dat je dit op je wilt nemen?'

Er viel een lange stilte.

'Oké,' zei ze. 'Je zwalkt nog steeds door die woestijn van je. Maar beloof me één ding. Zo niet als, nou ja, als iemand die om je geeft, dan toch als vriend.'

'Kom maar op.'

'Dwaal er niet zo ver in af dat je me niet meer kunt horen.'

TIEN

Drie kwartier later stond ik in de lobby van het Lucky Strike Motel te wachten op de fax van Peggy. Ik doodde de tijd met het lezen van een recente editie van de plaatselijke krant, de *Dyer County Ledger*. Er stond een waarschuwing in voor een plotselinge overstroming, een lijst met Halloweenactiviteiten... en een zeer interessante kop op de voorpagina:

RAPPEL OVERLEEFT HOGER BEROEP VOOR RECHTBANK
Sheriff Archer bij referendum 4 nov. oog in oog met dwarsliggers

Kennelijk was het Provinciaal Bestuur, na de zoveelste keer te hebben aangedrongen op Archers pensionering, er tijdens de stemming van dinsdag eindelijk in geslaagd de aanzet te geven tot een rappel. De sheriff had zijn tegenstanders met zo veel woorden uitgedaagd om hem te komen afmaken als ze daar het lef voor hadden. Wat vrijdag betrof, verwachtte men niettemin dat hij zich langs een ploeg van zesenzeventig kandidaten zou weten te wurmen, van wie de meesten niet bij een partij waren aangesloten of een vast inkomen hadden. De enige serieuze tegenpartij van Archer, een tweedehandsautoverkoper genaamd Buford Warburton, werd volgens zeggen gefinancierd uit gokopbrengsten. 'Hoerengeld,' noemde Archer het.

Het liep inmiddels al tegen tienen. Ik liep om de balie heen, klopte aan en duwde toen de deur open. De eigenaar zat in vellen papier te lezen waarop bovenin het zegel van de FBI stond.

'Ik dacht dat ze je hadden opgesloten.'

'Dat zijn staatsaangelegenheden,' zei ik. 'Vertrouwelijk, snap je?'

Hij hield de papieren dicht bij zijn dikke brillenglazen, als een juwelier die een diamant keurt.

'De fax is alleen voor gasten.'

'Schitterend. Ik ben een gast.'

Hij woog de paperassen in zijn hand. 'Veertig dollar.'

Ik legde twee biljetten van twintig neer en griste hem de vellen uit de hand. 'Als je me nog iets vraagt,' zei ik, 'krijg je dat faxapparaat te vreten.'

Volgens haar vergunning om prostitutie uit te oefenen was Mary Dupree tweeëndertig jaar oud, één meter vierenzeventig en woog ze negenenveertig kilo, had ze geblondeerd haar, de grijze ogen van haar vader en geen seksueel overdraagbare ziekten. Zelfs op een gefaxte kopie kon je zien dat Mary het van haar gezicht moest hebben. Voor de rest was ze niet direct slecht bedeeld, maar aan het lijstje achtergrondinformatie was werkelijk niets fraais te ontdekken: drugsbezit, rijden onder invloed en een verblijf in de jeugdgevangenis wegens 'rondhangen' in de buurt van Fort Sherman in Californië – wat in politiejargon 'prostitutie door minderjarigen betekent'.

In 1990 trouwde ze met Dale en leek het een poosje rustiger te worden. Vervolgens, een week voor hun veertiende trouwdag, werd ze opgepakt bij een politierazzia op de Strip in Las Vegas. Haar man en haar zuster bemiddelden voor haar en er werden geen stappen ondernomen. Maar kennelijk was dat voor Dale de laatste druppel, want die zomer eiste hij echtscheiding op grond van overspel. De onvermijdelijke strijd om de voogdij eindigde op 15 oktober met een regeling in Dales voordeel.

Vanaf 15 september stond Mary Dupree voor zes weken onder contract bij de Sweet Charity Ranch in het nabijgelegen Caritas in Nevada. Er waren twee voor de hand liggende redenen waarom ze zo dicht bij huis wilde blijven. De ene was haar dochter. De andere was hoogstwaarschijnlijk de man op de volgende bladzijde.

Peter Stimson Frizelle, alias Paul Stimson, alias Farrell Stone, alias Wild Pete. Zevenendertig jaar, één meter negenenzeventig en zeventig kilo. Op de foto was hij te zien in een Armani-pak en met een getrimde snor, in een poging om een nette indruk te maken, maar door de onnozele glimlach en gokkersogen viel hij door de mand. Eerdere aanhoudingen en veroordelingen waren onder andere voor autodiefstal, ontucht met minderjarigen, drugsbezit, drugshandel, souteneurschap en uitlokking. De man leerde niet van zijn fouten, maar op een of andere manier wist hij altijd de ernstige aanklachten te weerleggen. Vervolgens klom hij in 1985 op tot zware misdaad, met een overtreding van de Mann Act wegens het met immorele bedoelingen over de staatsgrenzen smokkelen van minderjarigen. Frizelle bracht de rest van de jaren negentig in Californische gevangenissen door. Daarna verkaste hij naar San Francisco, waar het hem, tegen alle verwachtingen in, lukte uit handen van justitie te blijven. In 1997 wist hij bij de staat een gokvergunning los te peuteren – die officieel op zijn moeders naam stond – waarna hij Wild Petes Hotel en Casino opende.

Ik keek omhoog naar de reusachtige neon cowboy aan de overkant van de snelweg. Wild Petes.

De datum van de aanklacht tegen Frizelle wegens mensensmokkel was dezelfde als de aanklacht tegen Mary Dupree voor rondhangen: 16 juni 1985. Wat betekende dat hij haar lichaam had verhandeld sinds ze minstens vijftien jaar oud was. Sheriff Archer, zo leek het, had de maffia dan wel Dyer County uit kunnen trappen... maar hij speelde het niet klaar zijn dochter bij deze Peter Frizelle uit de buurt te houden.

In 1995, toen hij nog steeds op kosten leefde van de staat Californië, had Frizelle een verzoekschrift bij de kinderrechter ingediend voor het voogdijschap over Cassandra Dupree. Kennelijk had hij zelfs om een DNA-test verzocht. De motie werd snel afgewezen – uiteindelijk was het Archers gerechtshof – maar dat was niet wat me interesseerde. Op de aanvraag had Frizelle als beroep 'import en export' ingevuld. En in de ruimte voor 'Plaats van Vestiging' had hij het adres opgegeven van Shogun Swords & Military Collectibles, San Francisco, Californië.

Aan de telefoon had ik Dale horen zeggen dat de moordenaar iets in zijn handen had dat 'verdomme wel een bazooka leek'. Dat zou dan van het juiste formaat zijn. Want het wapen dat een eind aan Dales leven had gemaakt was een mes om mee te fileren – en voor een dergelijke moord was er niets zo geschikt als een Japans zwaard.

Ik griste de plattegrond van Dyer County van de balie. Even later was ik weer op weg naar Langhorne.

ELF

De confessionele kerk Tree of Life, oftewel Boom des Levens – predikant: de eerwaarde Gavin McIntosh – was een groot wit bouwsel van golfplaat. Als de nepklokkentoren er niet was geweest, zou ik hebben gedacht dat het een opslagplaats van veevoer was. HERFST OOGSTFEEST, VRIJ-ZO, stond ervoor op een bord vermeld. KINDEREN WELKOM! De parkeerplaats stond vol. Slordig over twee invalideplekken heen geparkeerd stond een terreinwagen waarop SHERIFF stond.

Het interieur was even chic als de buitenkant lelijk was. Dik blauw tapijt, gouden ornamenten aan het plafond – net als in de nadagen van Louis XVI, bedacht ik. De altaarmuur was van plafond tot vloer van glas en bood een schitterend zicht op de Sangre de los Niños.

'Laat de kinderen tot mij komen,' reciteerde een heldere tenorstem. 'En niemand mag ze verhinderen, want voor zodanigen is het Koninkrijk der hemelen.'

Ik was bij het staartstuk van het pastorale gebed komen binnenlopen. De eerwaarde McIntosh lag op zijn knieën, een man met een breed gezicht en met een hawaïhemd aan. Zonlicht dat binnensijpelde vormde een soort halo in zijn keurige witblonde haar.

'Heer, Uw wil geschiede, maar die is soms moeilijk te begrijpen,' zei hij. 'Er komt maar geen regen... Vijanden omsingelen dit geweldige land... en onze kinderen, Heer. U ontneemt ons onze kinderen. Deze afgelopen week nog is de kleine Espero tot U weergekeerd. En nu verkeert onze Cassie in moeilijkheden. Waar moet dit alles eindigen?'

De gezichten van de congregatie waren voorovergebogen in gebed. Dikbuikige motorduivels en aanstaande moeders, kromme oude vrouwtjes en tienermeisjes die elkaar hun bijbels leenden, trillend van verdriet, en die zich in angst aan elkaar vastklampten.

'We weten dat U geen wrede God bent. Dat U niet gevoelloos ons leed aanziet. Wij bidden... Wekt U deze woestijn weer tot leven. En gelijk Gij Uw kind voor ons hebt laten sterven, behoedt ons nageslacht voor het duister. Amen.'

'AMEN!' weergalmde de congregatie.

Er klonk weer muziek, en nu gingen de collecteschalen in het rond.

Driehonderd handtassen, portemonnees en beursjes met kleingeld gingen wijd open. Op het laatst zag ik de sheriff tegen de muur geleund staan. Toen hij me zag, begon hij te glimlachen.

'Hoe wist je dat je me hier kon vinden?' Toen de mis was afgelopen, kwam de sheriff bij het altaar naast me staan.

'Toen ik je kantoor binnenkwam, had je de predikant aan de telefoon. Omdat Dale het over het Oogstfeest op vrijdag had, dacht ik dat dat wel eens de aangewezen plek zou zijn voor het onderzoek.'

'De hele streek is vandaag de aangewezen plek.' Nu ik dichter bij hem stond, zag ik dat zijn ogen rood doorlopen waren. Van tranen misschien, of van vermoeidheid. In de lege kerk klonk zijn stem zachter.

'Ik wilde mijn excuus aanbieden voor enkele opmerkingen die ik over je dochter heb gemaakt,' zei ik. 'Ik zou wat voorzichtiger zijn geweest als ik het had geweten.'

'Ik wilde niet dat je voorzichtig was,' zei hij. 'Ik wilde dat je me de waarheid vertelde.'

'Mooi. Dan staan we quitte.'

Hij gaf een scheve glimlach ten beste, Cassies glimlach. 'Is dat zo?'

'Ik vind dat ik recht heb op een paar antwoorden,' zei ik. 'Je wist al van Mary's geschiedenis met Pete Frizelle. En ik durf te wedden dat je ook wist dat hij voor een firma heeft gewerkt die Japanse zwaarden importeerde.'

Kalm stak Archer aan een altaarkaars een zelfgerolde sigaret aan. 'Hij was er zelfs de eigenaar van. Dat zou best het enige eerlijke werk geweest kunnen zijn dat Pete ooit heeft gedaan. Waar heb je dit vandaan, Mr. Yeager?'

'Je wist al dat je dochter hoofdverdachte was voor je me ooit had ontmoet. Daar ben ik niet blij mee, sheriff. Ik heb de hele nacht voor niets mijn ziel in zaligheid moeten bezitten. Zeg niet dat dat door Tippet kwam, want die gasten knipperen niet eens met hun ogen zonder dat jij het ze opdraagt.'

'Misschien zou ik een voorbeeld aan je moeten nemen.' Rook kringelde over zijn ingevallen gezicht. 'Je was misschien heel wat eerder vrij geweest als je geen amok had getrapt.'

'Dat waren vierentwintig uur waarin we naar Cassandra hadden kunnen zoeken,' zei ik. 'Denk daar maar eens over na.'

We werden onderbroken door een kuchje.

'De Heer schrijft Niet Roken voor.' Eerwaarde McIntosh glimlachte terwijl hij op ons toe liep.

'Schoonzoon.' Archer kneep zijn sigaret tussen twee vingers uit. 'Dit is die vent van de fbi over wie ik je heb verteld.'

'Agent Yeager.' Gavins blauwe ogen lichtten op terwijl hij me met beide handen de hand schudde. 'U bent een gebed dat is verhoord.'

'Ikke?'

'Reken maar. We hebben de Heer ingeroepen om hulp te sturen, en daar bent u.'

'Hier ben ik.'

'Laten we eens op dat schooltje van je gaan kijken, Gavin,' gromde Archer. 'Ik wil precies weten hoe Pete Frizelle mijn kleindochter in zijn klauwen heeft weten te krijgen.'

Gavin ging ons voor naar de zondagschool. Ik zag dat hij de rare gewoonte had tijdens het lopen zijn hoofd op te richten, alsof hij Gods instructies van het plafond aflas. Het kostte me een minuut voor ik me realiseerde dat hij dat gewoon deed om zijn onderkin recht te trekken.

'De sheriff noemde u "schoonzoon",' zei ik.

Hij knikte. 'Robbie is onze zoon. Martha en ik zijn u erg dankbaar dat u een oogje voor hem in het zeil houdt.'

'Ik ben alleen maar blij dat hem niets mankeert.'

'Het gaat prima met Robbie,' zei Gavin, iets te snel. 'Hij is bang, uiteraard. Zoals u zich kunt voorstellen, maakt hij zich vreselijk bezorgd om zijn nichtje. Zoals wij allemaal.'

'Ik zou uw zoon een paar vragen willen stellen.' Uit mijn ooghoek zag ik Archer verstrakken – wat me eraan herinnerde dat ik me op zijn terrein bevond en niet op het mijne. 'Met toestemming van de sheriff, natuurlijk.'

Archer knikte. 'We komen later bij je langs, Gavin. Ga je gang en vertel Mike maar over vrijdag.'

'Ik was niet hier,' zei de predikant. 'Ik had net het telefoontje gekregen dat Robbie het busje van de kerk had gemist en toen ben ik hem gaan zoeken. Gewoonlijk zou ik hier geweest zijn om problemen op te lossen.'

'Hoe vaak heeft hij de huiswerkklas gemist?'

'Robbie? Een paar keer maar.'

'Een oude man in de Silver Star beweert dat Robbie daar elke middag videospelletjes komt spelen.'

'O. Nou, dat is... niet goed.' De geestelijke bloosde. 'Maar ja, het meisje dat die dag bij ons werkte, is erg jong. Dus toen Mary Frances op de verkeerde dag opdook, raakte ze in de war.'

De sheriff zag me op de grond knielen. 'Yeager, hoor je dat?'

Ik knikte. 'Waarom ligt er hondenvoer op het tapijt?'

Gavin trok zijn wenkbrauwen op. 'Cassie had haar pup meegenomen. Die heet... Bonnie? Bella?'

'Belle,' zei Archer.

'Ze had hem mee naar school. Meestal vinden we dat niet goed. Geen idee waarom de school dat wel deed.'

'Zo te horen zijn er vrijdag heel wat regels niet nagekomen,' zei ik. 'Dat meisje van u...'

'Leta,' zei hij. 'Leta Brauning.'

'Heeft ze een opleiding voor leerkracht gehad? Een akte voor kinderverzorging?'

'De directeur van onze jeugdafdeling bewaart dat certificaat. Hij was weg om snoep te kopen voor het feest.'

'Dus u was er niet... de coördinator was er niet... en u hebt hoeveel kinderen onder toezicht van een assistente zonder opleiding?'

'Twaalf – neem me niet kwalijk: elf.'

'Wat is het nou: elf of twaalf?'

Hij wierp de sheriff een smekende blik toe.

Archer doorkliefde de lucht met zijn hand. 'Gavin, waar is dat meisje van jullie?'

'Ik wil liever niet dat er nog eens tegen haar wordt geschreeuwd, Rafe. Toen je rechercheur haar gisteren ondervroeg, raakte het arme kind helemaal overstuur. Ze is pas zestien. Ze wist niet wat ze moest beginnen.'

'Toch moeten we met haar praten, eerwaarde.' Ik kwam overeind. 'Hoe ging het tussen moeder en dochter? Hadden ze ruzie?'

Hij haalde diep adem. 'Het enige wat ik weet is dat Mary Frances begon... nou ja, te schreeuwen. En van alles omver schopte, dat boompje, bijvoorbeeld. Er was hier niemand die de boel kon inschatten, dus heeft Leta Cassie uiteindelijk moeten laten gaan.'

Ik keek in de richting waarin Gavin wees. Een kartonnen boom, overdekt met polaroids, was omvergegooid. 'En toen?'

'Toen zijn ze in de truck van Pete weggereden.' Hij gebaarde in de richting van het raam. 'Kennelijk stond hij buiten op ze te wachten.'

'Te wachten?' Archers ogen schoten vuur. 'Je wilt zeggen dat ze had gezien dat Pete Frizelle daar stond te wachten, en Cassie toch heeft laten gaan?'

'Rafe, toe nou.'

'Jezus op een houtvlot, Gavin. Je hebt het lot van mijn kleindochter in de handen gelegd van een tiener die nog niet eens mag rijden en – christus, je brengt me nu naar dat kleine kreng, anders zweer ik bij God...'

'Rafe, ze heeft al gezegd dat ze er spijt van heeft.'

'Ja, ja, je kunt een spreeuw psalmen leren zingen, maar dat betekent nog niet dat-ie naar de hemel gaat.' Archer stormde het lokaal uit.

'Waarom moet dat allemaal vandaag gebeuren?' mompelde Gavin, terwijl hij de sheriff achternaging.

Ik wilde net achter hen aan gaan, toen ik bleef staan om de omgevallen bordkartonnen boom aan een nader onderzoek te onderwerpen. De foto's waren polaroids van de kinderen die op zondagschool zaten. Er was er een losgeraakt: daarop stond een latino jongetje met bolle wangen, donker haar en een merkwaardig bekende glimlach. Zijn naam stond er in blokletters onder.

Espero Rosario. Hij had de ogen van Ada; de mond met de cupidoboog had hij waarschijnlijk van zijn vader. Espero zat alsof hij ergens tegenaan leunde, een ietsje naar links gezakt. In zijn rechterhand had hij een gloednieuwe pluchen tijger – maar het was zijn linkeroog, niet zijn rechter, dat in de camera keek.

Het klaslokaal was keurig netjes. Vier lage tafels met minuscule stoeltjes eromheen, evenals dozen met kleurkrijtjes en stapels schetspapier. Twaalf kastjes, allemaal leeg. Op één na. Daar hing Espero's rode jasje nog steeds aan het haakje.

'Mike.'

De sheriff stond in de deuropening. Zijn ogen waren toegeknepen, nerveus.

'Hebben jullie het meisje gevonden?' vroeg ik.

'Ze is er niet.' Archer klemde zijn kaken op elkaar. 'We verspillen het daglicht. Ben jij van plan me hierbij te helpen?'

'Kom, we gaan.' Ik prikte de foto van Espero weer op zijn kartonnen tak.

TWAALF

We reden onder een onverbiddelijk felle zon naar het zuiden. Terwijl de sheriff aan het stuur zat, keek ik het dossier van de zaak-Dupree door.

'Dit is de verklaring die Tippet Leta zaterdag heeft afgenomen,' zei ik. 'Dat bevestigt zo ongeveer wat de eerwaarde ons heeft verteld.'

'Zo ongeveer?'

'Ze zegt dat Mary alleen kwam.' Ik bladerde terug. 'Ze kregen ruzie, waarna Mary de deur uit is gegaan om op te bellen. Een paar minuten later kwam Pete opduiken in een witte Chevrolet Silverado. Net zo'n auto als Mrs. Maidstone die avond voor de woonwagen van de Duprees zegt te hebben gezien.'

'Dat verbaast me niets. Iedereen in Dyer County kent Petes Chevrolet.'

'Er klopt iets niet,' zei ik. 'Maidstone zag dat Mary rond vier uur samen met Cassie de woonwagen binnenging. Daarna, om tien uur, hoorde ze Dale tegen zijn dochter schreeuwen. Maar Dale zweert dat hij al die tijd alleen was.'

'Je vraagt je af waar ze die zes uur zijn geweest?'

'Dat... en waarom Mary in godsnaam Cassie heeft thuisgebracht als ze een ontvoering van plan was. Of waarom ze tegen Tippet heeft gezegd dat Cassie bij haar was. Of, nu ik toch bezig ben, hoe Tippet haar zo snel heeft weten op te sporen.'

'Mary is niet altijd even slim,' zei hij. 'En Tippet lijkt slimmer dan hij is. In tegenstelling tot jou. Hij zal wel goed genoeg zijn voor Dyer County.'

'Maar niet goed genoeg om het tot commandant te schoppen?'

Van achter zijn zonnebril keek hij me aan. 'Waarom denk je dat?'

'Bij de meeste secties waar ik assistentie heb verleend, wordt de recherche geleid door een korpscommandant. Of door de commissaris zelf. Hebben jullie geen tweede man, of heb ik gewoon nog geen kennis met hem gemaakt?'

'Je vraagt me of ik Tippet wel geschikt vind voor dit onderzoek?'

'Min of meer.'

'Hij doet wat ik hem opdraag.' Archer wachtte even. 'Maar als je een slok whisky in de man giet, zal hij tegen je zeggen dat ik zijn aangeboren talent afknijp. Als hij het graag genoeg zou willen, zou hij mijn zegen hebben om zich net als die andere idioten kandidaat te stellen om sheriff te worden.'

Voortgedreven door de wind rolde er een verkeersbord over de grond: AFSLAG ARCHER. De sheriff reed er pardoes overheen.

'Ik zweer je dat je in deze verrekte woestijn een olifant zou kunnen verbergen,' zei hij, 'en er zonder het in de gaten te hebben voorbij kunt lopen.'

'Waar zou jij naartoe gaan als je op de vlucht was?'

'De bergen in,' zei hij. 'Maar je zou toch wel ontzettend stom zijn om je in Los Niños te verstoppen. Stom, of een berggeit. En mijn dochter is geen berggeit. Waar ze ook is, in elk geval tussen vier muren.'

'Ik heb me altijd afgevraagd: waarom noemen ze die bergen eigenlijk "bloed van de kinderen?"'

'Een groep kolonisten raakte er ooit verdwaald,' zei hij. 'Volgens de legende hebben ze zich de hele winter in leven gehouden met het bloed van hun eigen kinderen. Naar verluidt kun je hun doodskreten in de bergketens horen weergalmen, 's avonds laat.'

'Jezus.'

'Het is maar een verhaal, Mike. Iets wat kinderen elkaar vertellen om elkaar bang te maken.'

Bij daglicht zag de Sangre de los Niños er allesbehalve angstaanjagend uit – verlaten, trots, maar prachtig. Toch, bedacht ik, was de winter nog maar net begonnen.'

'Ik zeg je: dit is een wrede en levensgevaarlijke tijd,' zei hij. 'Neem de raad van een oude man aan, en blijf op de weg.'

'Je moet respect hebben voor de woestijn,' zei ik.

Hij stak zijn kin naar me omhoog. 'Dat is helemaal juist, Mike. Je zult nooit van de woestijn houden, en de woestijn nooit van jou. Maar als je hier lang genoeg woont, leer je er werkelijk respect voor te hebben. Anders kan hij voor heel wat leed zorgen.'

Van de snelweg zwenkten we af naar een autokerkhof, waar een klein team bewijsmateriaal aan het verzamelen was en gipsafdrukken van de grond maakte.

'De chauffeur van een oplegger zei dat hij hier eind vrijdagnacht een witte pick-up zag stoppen.' De politieman die de leiding had loodste ons door een wirwar van autowrakken. 'Die was weg toen hij zaterdagochtend terugkwam.'

Archer trok zijn wenkbrauwen op. 'De Silverado van Pete.'

De agent knikte. 'Dat ziet er wel naar uit, sir. We zijn op loopafstand van de Duprees, dus dit zou geen slechte plaats zijn om een vluchtauto te verbergen. Moet u maar eens naar dat tweede paar voetstappen kijken.'

Ik hurkte neer bij de plek waar de agent naar wees. De sporen van de Chevrolet liepen parallel aan een ander paar, verser en scherper dan de eerste.

'Een afwijking aan het rechter voorwiel,' zei ik. 'Ik herinner me dat dat wiel aan Dales pick-uptruck heen en weer ging toen hij bij de Silver Star voorreed.'

Archer knikte. 'Dales truck was weg toen Tippet zaterdagmorgen kwam. Volgens mij had Pete zijn Chevrolet hier verdekt neergezet en is hij te voet naar de plaats delict gegaan. Daarna is hij met Mary in de Ford teruggereden en zijn ze uit elkaar gegaan. Waarschijnlijk met het plan om ergens in het noorden weer bij elkaar te komen – in Reno, misschien.'

'Die Ford heeft op de terugweg heel wat stof doen opwaaien.' Ik liep langzaam langs de bandensporen. De vroege middagzon weerkaatste in flinters chroom en plastic. 'Brigadier, heeft uw team misschien kleine voorwerpen gevonden die op de grond zijn gevallen?'

'Niet dat ik weet,' zei hij. 'Het ziet ernaar uit dat u gelijk hebt en dat Pete inderdaad op weg is naar het noorden, sheriff. We hebben bij motels langs de snelweg geïnformeerd en kwamen in een register vlak bij Lake Tahoe de naam Farrell Stone tegen.'

'Klinkt die naam je bekend in de oren, Yeager?'

'Ook een alias van Pete. Ik herinner me...' Toen hield ik op.

'Iets gevonden?' Archer kwam achter me staan.

'Daar.' Ik wees naar een flinter koper dat ik in het vuilgele zand zag glinsteren.

Archer trok opeens bleek weg, 'Raap eens op.'

'Laten we er eerst wat foto's van ma–'

'Graaf het uit die verrekte aarde.'

Ik bukte me en veegde het zand eraf. 'BELLE' stond er in de hartvormige penning gegraveerd. 'TEGEN BELONING TERUG TE BRENGEN.'

'Er zit bloed op de halsband,' zei ik.

'Wat wil dat zeggen?' vroeg Archer, terwijl we in zuidelijke richting reden.

'Weinig goeds,' zei ik. 'Het komt voor dat een kidnapper dreigt een huisdier kwaad te doen, om macht over het kind te krijgen. Als de dreiging eenmaal is uitgevoerd...'

'Vertel me één ding.' Archer schraapte zijn keel. 'Wat wil Frizelle eigenlijk met mijn kleindochter?'

'Misschien wordt ze gegijzeld,' zei ik. 'Een manier om Mary onder de duim te houden.'

'Denk je dat hij haar de hoer gaat laten spelen?'

'Het kwam me vreemd voor – tegennatuurlijk bijna – dat dit de eerste zorg was voor de sheriff. 'Waarom denk je dat hij dat zou doen?'

'Dat is precies wat hij met Mary Frances deed,' zei hij. 'Toen ze nog klein waren, keurden mijn meiden Pete geen blik waardig. Hij was alleen maar de zoon van een hoer uit een fout nest. Vervolgens kwamen ze in de puberteit en zette Pete ze aan tot winkeldiefstal... het stelen van drugs... God weet wat nog meer. Martha had goddank al snel haar verstand terug. Maar Mary Frances... iets in haar sloeg door. Het werd zo erg dat we niets met haar konden beginnen.'

'Dus uiteindelijk deden jullie iets met Pete,' zei ik, terugdenkend aan Petes veroordeling in 1985 wegens mensensmokkel.

Archer knikte. 'Dale was degene die me opbelde. Hij was gestationeerd op de marinebasis bij Fort Sherman. Hij vertelde dat de marechaussee Mary en Pete had opgepakt wegens prostitutie. Maar dat wist je volgens mij al.'

'Alleen wat ik op haar strafblad heb gezien.'

'Afijn, nu was Pete officieel een pooier. Waardoor mijn dochter een hoer van vijftien was. De commandant van de basis zei tegen me: "We willen haar niet in de bajes stoppen. We willen haar alleen maar van het terrein af hebben." En ik vroeg hem wat ze van plan waren met Frizelle te doen. Hij zei dat, als ze Mary vrijuit lieten gaan, ze Pete ook niet veel zouden kunnen maken. Maar volgens hem was de beslissing aan mij.'

'Wat heb je toen gedaan?'

'Wat kun je anders? Ik zei dat hij Pete moest wegstoppen, vanwege zijn pooierschap. Hij heeft zes jaar in de federale gevangenis gezeten en Mary heeft negentig dagen in een opvoedingsgesticht doorgebracht wegens hoereren.'

Ik zocht in zijn ogen naar wroeging, maar die vond ik niet. Misschien enige vermoeidheid.

We reden naar de berm, in de schaduw van een reusachtig reclamebord. Daarop stond een lonkende blondine met weinig meer aan dan een cowboyhoed en een glimlach. HIER DE BOCHT OM! stond er op het bord. DAG EN NACHT OPEN BEHALVE MET KERSTMIS!

'Zou je het dashboardkastje willen opentrekken?'

Daarin lag de .45 Buntline Special, geheel geladen.

'Ik dacht dat we naar het huis van je dochter gingen.'

'Dat doen we ook.' Toen liet hij het lange vuurwapen in zijn holster glijden en we draaiden de zandweg op naar de Sweet Charity Ranch.

DERTIEN

Aan de voorkant zag het bordeel eruit als een Disneyland-versie van een saloon in het Wilde Westen. Aan de achterkant bestond het louter uit extra brede woonwagens. Ervoor stonden nog een paar patrouillewagens en dreven agenten slaperige hoeren bijeen naar een boevenwagen.

Binnen was het een ware heksenketel.

'Slappe lullen die jullie zijn!' brulde de madam, een vrouw met brede heupen in een lavendelblauwe pyjama. 'Kom terug met dat kasregister. Een trap voor je reet moeten jullie hebben!'

De assistenten van de sheriff keerden de hele zaak ondersteboven. Intussen tuimelden de meiden krijsend en krabbend door de salon, roepend dat ze net in slaap waren gevallen en wat het verdomme moest voorstellen, dit godvergeten gesodemieter op een zondagochtend.

'Rafe Archer.' De ogen van de madam hadden een merkwaardige groene tint. 'Een trap voor je reet moet je hebben! Dit is je reinste handelssabotage! Ik heb een vergunning van de staat Nevada op zak van vijftienduizend dollar. Denk je dat ik me door dat stelletje paardenstront mijn poen afhandig laat maken?'

'Daar heeft het niets mee te maken, Nell. Hou je mond en laat mij mijn werk doen.'

'Je werk.' Ze lachte. 'Jij hebt de macht niet meer, en ook niet de poen om mijn tent te sluiten. Komende dinsdag bij zonsondergang komt de Heer zelve met de afrekening voor al het kwaad dat je hebt aangericht.'

De sheriff snoof alleen maar. 'Hé, Tippet.'

Tippets ogen puilden uit zijn hoofd toen hij het vertrek binnenkwam. Hij had zijn baas duidelijk niet verwacht. 'Sir, u hoeft u echt niet druk te maken. We hebben het allemaal onder controle –'

'Ja-ja, dat zie ik. Zorg alsjeblieft dat deze dame uit mijn ogen verdwijnt. En roep in godsnaam je team tot de orde. Dit is verdomme geen slipjesjacht.'

'*Yessir.*' Tippet marcheerde af.

'Sheriff,' zei ik. 'Ik had de indruk dat we op zoek waren naar Cassandra. Wat is dit voor pesterij?'

'Ik geloof dat ik je donkere kamer heb gevonden,' zei hij.

De viproom van de Sweet Charity was ingericht volgens de normen van de ultieme bordeelluxe: gestucte bloemenslingers, spiegels en met het embleem van Harley Davidson gedecoreerde zwartfluwelen lakens. De lucht was bezwangerd met de geuren van parfum en ontsmettingsmiddelen. Vlak naast een inloopkast was een spiegeldeur opengewrikt, waarachter een 35mm-Nikon-camera op een statief bleek te staan. Daarachter bevond zich een donkere kamer ter grootte van een vestzak.

'Geef die foto's maar aan agent Yeager.'

Iemand stopte een stapel zwartwitfoto's van 25 x 30 in mijn handen. Ik nam ze door, waarbij ik ze behoedzaam aan de rand vasthield. Ze zagen eruit als gepimpte internetporno: een soort Fourth of July-gerollebol met de meiden van de Sweet Charity in de hoofdrol, samen met enkele gasten die waarschijnlijk geen idee hadden dat ze ook een rol in de voorstelling speelden. Niet bepaald een gebeuren waar iemand met enige vaderlandsliefde tranen van in de ogen zou krijgen. Maar je zou er niet voor worden gearresteerd als je ze in Las Vegas aan de man bracht.

'Zo te zien zijn het allemaal vrijwillige deelnemers,' zei ik uiteindelijk.

'Kijk nog maar eens,' zei Archer. Toen zag ik waarvan zijn bloed was gaan koken. Een met verborgen camera genomen foto van Mary Frances Dupree, in een met de Amerikaanse vlag bedrukte bikini, die achter haar dochter stond, met haar armen om haar heen. Cassandra wekte de indruk dat ze meer belangstelling had voor haar papier en kleurkrijtjes dan voor wat er om haar heen gebeurde. Maar ze was nog altijd een kind van zeven in een bordeel.

Archer wees naar de Nikon. 'Zien die foto's eruit of ze met dezelfde camera zijn genomen als de andere?'

Ik wachtte even voordat ik antwoordde: 'Dezelfde camera... misschien. De scherpte kan ermee door. Het ontwikkelen is niet slecht voor een huis-tuin-en-keukendoka. Maar ik weet niet zeker of het dezelfde man is geweest die die opnamen van Dale heeft gemaakt. Deze mensen hebben lol, en onze man is een sadist.'

'Geef die maar aan mij,' zei Archer. Ik gaf hem de foto's en hij haalde die van Cassie en Mary uit de stapel. We keken met zijn allen toe hoe hij met de vlam van zijn gasaansteker de foto in brand stak. Die liet hij op het kleed vallen, waar het kiekje langzaam omkrulde en tot as blakerde.

'Allejezus,' mompelde ik.

'Oké, jongens,' zei hij. 'Jullie weten wat je te doen staat. En jij, Tip, zeg tegen Mrs. Frizelle: belastingbetaler of niet, aan haar soort nering is in onze plaatselijke basiseconomie geen behoefte meer.'

'Sir.' Tippet ademde fluitend in en verdween.

'Mrs. Frizelle?' Inmiddels realiseerde ik me wat me zo bekend voorkwam aan die groene ogen. 'Is Petes moeder de eigenares van dit etablissement?'

'Welk etablissement?' Archer gooide ook de andere foto's in de vlammen. 'Ik zie hier niets wat het waard is om op te schijten.'

Hij liep op de deur af. De agenten volgden hem met hun ogen, roerloos. Als een roedel wolven.

'Yeager,' zei Archer vanuit de deuropening. Mijn oog viel op iets op de grond. Pijlsnel raapte ik het op.

'Wat heb je gevonden?' vroeg hij.

'Niets.' Ik deed net alsof ik de strook 35mm-negatief weggooide, terwijl ik hem in mijn zak stopte.

VEERTIEN

'Wat zit je dwars?' vroeg Archer, terwijl we terugreden naar de snelweg.

'Ik bedacht net: wat jammer dat je die krantenfotograaf van je niet had meegenomen. Dat zou een plaat zijn geworden om aan je muur te hangen.'

Hij keek me met een donkere blik aan. Toen brak er een brede glimlach op zijn gezicht door. 'Ben je geschokt, Mike? Denk je soms: dit zijn keurige lui, die jonge meiden uitmelken om geld te verdienen? Je zag die foto van Cassie. Wat maakte dat voor indruk op je?'

'Sheriff, ik ben geen eitje. Ik heb heel wat shit langs zien komen. Maar vandaag was het de allereerste keer dat ik zag hoe iemand moedwillig en ten overstaan van getuigen bewijsmateriaal vernietigde.'

'Mijn jongens zien wat ik wil dat ze zien,' zei hij. 'Trouwens, ik heb helemaal niets vernietigd. Ik heb een minderjarige behoed voor schade en schande.'

'Je was iets aan het verdonkeremanen,' zei ik. 'En daarmee hielp je je kleinkind voor geen meter. Er had informatie op die foto kunnen staan die we hadden kunnen gebruiken.'

'Je vriendin in Philadelphia zei dat je over een fotografisch geheugen beschikte.'

'Laten we één ding duidelijk stellen: ik ben niet een van "jouw jongens". Ik ben hier om te helpen bij het opsporen van Cassandra. Niet om jouw politieke belangen te beschermen... of mee te doen aan machtsmisbruik.'

'Is dat een dreigement?'

'Het is een geheugensteuntje,' zei ik. 'Hoe denk je in godsnaam in een rechtszaal te verdedigen wat je vandaag hebt gedaan?'

'Je meent het? Jezuschristus, jongen. Je rijdt verdomme in de rechtszaal.' Hij schudde zijn hoofd. 'Als ik je niet beter kende, Michael Francis Yeager, zou ik zweren dat je de laatste maagd van de staat Nevada was.'

'Hoe bedoel je: "Als ik je niet beter kende"?'

Hij glimlachte alleen maar.

We kwamen bij de stad San Cristobal: een ommuurde gemeenschap iets ten zuiden van de provinciehoofdstad Langhorne. VEILIGHEID EN RUST, vermeldde het bord aan de toegangspoort.

'De verkeerspolitie van Nevada is op zoek naar Dales Ford.' Archer zei het op neutrale toon, alsof onze woordenwisseling niet had plaatsgevonden. 'Heb je nog tips?'

'Met dat rottig uitgelijnde voorwiel zullen ze wel niet al te ver van de geplaveide wegen komen.' In mijn hoofd deed ik wat rekenwerk. 'De verdachten hebben de plaats delict op z'n vroegst om vier uur 's nachts verlaten. Bovendien moesten ze de pick-up voor zonsopgang dumpen. Ik zou zeggen dat je dan opereert binnen een actieradius van een kilometer of tweehonderddertig.'

'Een kippeneindje van Tahoe,' zei Archer. 'Kom, dan gaan we die auto zoeken. Wat is het volgende punt?'

'Achter het geld aan,' zei ik. 'Vroeg of laat zal Frizelle geld moeten opnemen. In de tussentijd waarschuwen wij de douane en vaardigen we een opsporingsbevel uit voor de verkeerspolitie van Nevada. We nemen contact op met de posterijen in verband met de eventuele opgave van een adreswijziging...'

'Dan heb je het over een aanzienlijke papiermolen.'

'Ik zou best wat hulp kunnen gebruiken,' zei ik. 'Iemand die gemotiveerd is en oog heeft voor details. Brigadier Rosario misschien?'

'Je krijgt haar.' Hij gluurde even naar me. 'Wat nog meer?'

'Publiciteit,' zei ik. 'De Landelijke Organisatie voor Vermiste en Misbruikte Kinderen zet Cassies signalement dan op hun website. Plus, we moeten in gesprek met de media, groot alarm slaan...'

'Nee,' zei hij.

'Wat nee? Op alles?'

'Ik ben niet van plan een circus van mijn familie te maken.'

'Het zal ons werk een stuk lastiger maken als we niet de gemeenschapszin aanwakkeren,' zei ik. 'Ben je alleen maar bang voor inbreuk op privacy, of...'

'Ik geloof dat ik mijn mening heb gegeven.'

We stopten bij de portiersloge, waar een bewakingscamera de wacht hield over de geautomatiseerde slagboom. Archer toetste een nummer op de intercom in.

'Hallo?' Het was de stem van een jonge jongen, een stem die ik kortgeleden nog had gehoord.

'Robbie, dit is opa,' zei Archer. 'Wees eens zoet en doe open.'

'Hebt u Cassie gevonden?' vroeg Robbie.

'Nog niet, lieve jongen.'

We wachtten. De slagboom kwam niet in beweging. 'Rob, druk op het knopje. Geen spelletjes nu, hè?'

'Oké,' zei de jongen knorrig. Even later ging de slagboom omhoog. Het lampje op de videocamera floepte aan toen we eronderdoor reden.

'Denk je dat hij dat expres deed?' vroeg hij.

'Misschien duurt het gewoon even voor hij bij de knoppen kan.'

'Hij is een tikkie traag in zijn hoofd. Je zou zeggen dat als de Heer de jongen zijn benen afpakt, Hij hem boven iets anders zou moeten geven.'

Ik wist niet wat ik moest zeggen zonder mijn beheersing te verliezen, dus uiteindelijk zei ik maar niets. Als je zo door die buurt reed, zou je nooit zeggen dat je je in een woestijn bevond. Alle gazons waren beplant met bloemenborders en vers gras. Archer remde af voor een golfcart, waarna hij en de bestuurder, een vriendelijke grijsaard in een roze overhemd, naar elkaar gebaarden dat de ander kon voorgaan. Het kostte me enkele seconden voor ik hem van de foto's herkende. Zonder zijn luier om zag hij er anders uit.

'Dat is de rechter met wie Mrs. Frizelle zou moeten praten over de schade aan haar eigendommen,' zei Archer. 'Hij is zo druk met golf bezig dat ik me niet kan voorstellen dat hij veel tijd zal hebben voor haar gejammer.'

'Zo te horen heeft Mrs. Frizelle grof geld op tafel gelegd,' zei ik. 'Maakt de rechter zich geen zorgen om de verkiezingen van dinsdag?'

'Niet zo erg als om mevrouw de rechter.' We reden langzaam verder. 'Kijk goed om je heen. Hier vind je tegenwoordig het grote geld. Je hebt geen gokspel of hoeren nodig om kapitaal te vergaren – zelfs geen vee of zilver, zoals in opa's tijd. Je hoeft maar vier woorden te kennen om geld als water te verdienen: "met vervroegd pensioen gaan".'

'Dus hier wil je na je pensioen naar uitwijken?'

Hij gromde. 'Ik ga pas met pensioen op de dag dat ik doodga.'

We zetten de auto neer voor een rustiek huis. De deur ging open, waarna een meisje van vier – witblonde krullen en een geel zomerjurkje – de stoep af dribbelde.

'Opa!' kirde ze, terwijl ze zich in zijn armen liet vallen. 'Hé, je ruikt naar parfum! Naar parfum en... naar rook!'

'Ik moest een oude dame uit een brandend huis halen,' zei hij met een knipoog naar mij. 'Volgens mij heb ik daar toch wel zo'n duizend kusjes mee verdiend.'

Ze giechelde, terwijl hij haar wang met kussen overdekte. Eerwaarde McIntosh kwam over de oprit aangesjokt. Zijn dunne gele haren plakten van het zweet. Zijn gezicht, dat bij de altaarverlichting zo onberispelijk gebronsd had geleken, was een en al sproeten. Om de een of andere reden vond ik het gênant te beseffen dat hij tijdens de mis make-up had opgehad.

'Waar is die waardeloze assistent van me?' vroeg Archer.

'Achter, met Robbie.' Gavin nam het meisje van Archer over. 'Hannah, wil je aan mama vragen of ze voor nog twee dekt?'

'Ik blijf niet,' zei Archer. 'Ik moet mee op speurtocht. Ik heb Mike afgeleverd, zodat hij met Robbie kan praten.'

'Prima,' zei Gavin, op een toon die eerder het tegengestelde aangaf. 'Kom dan ten minste binnen, Rafe. Anders laat Martha niets van me heel.'

'Kijk eens, opa.' Hannah ging in pirouettes de oprit weer op.

'Ik weet niet wat ik ervan moet vinden dat mijn kleinkinderen in de tuin spelen, Gavin.'

Even leek de geestelijke protest te willen aantekenen, maar toen knikte hij slechts. 'Je hebt gelijk, natuurlijk.'

'Waarom hebben ze eigenlijk bewaking nodig?' vroeg ik. 'Verwacht je dat Frizelle het op hen heeft voorzien?'

Archer wisselde een duistere blik met Gavin. 'Dat zou me niets verbazen van Pete, of van die trut die hem heeft geholpen.'

Gavin dempte zijn stem. 'Hoe is het gegaan?'

'Het is nog steeds aan de gang.' De sheriff keek me aan. 'Mike, ik vroeg me af of je zo vriendelijk zou willen zijn om tegen mijn assistent te zeggen dat hij maar in zijn eigen tijd spelletjes gaat spelen. Op dit moment wil ik dat hij mijn familie beschermt.'

Ik voelde dat de haartjes op mijn door de FBI gefinancierde nek rechtop gingen staan toen hij dat zei. Ik werd weggejaagd door de kleine Hannah. Maar zo zou ik de kans krijgen om Robbie alleen te spreken.

'Ja, natuurlijk,' zei ik.

Toen ik omkeek, zag ik dat de sheriff een blanco bruine envelop aan eerwaarde McIntosh gaf. Toen Gavin één blik op de inhoud wierp, werd hij zo wit als zijn overhemd. Klaarblijkelijk had Archer niet alle foto's verbrand die hij die ochtend in de Sweet Charity Ranch had gevonden.

'Vlug!' riep Robbie, te midden van een heel leger poppen. 'We moeten voor het donker bij de geheime schuilplaats zijn!'

Hij had een Spider Man-pop in zijn handen. Vervolgens antwoordde hij namens een barbiepop met vuurrood haar. 'Alle anderen zijn dood,' zei de jongen met een hoog stemmetje. 'We zijn nog maar met ons tweeën, vrees ik.'

Andere poppen waren in stukken gebroken of lagen half begraven onder het zand. Een reusachtige Japanse robot stond half verscholen achter een omgekeerde emmer.

'Hallo, Yeager.' Clyde lag languit op een tuinstoel een stripboekje te lezen. 'Ze hebben je zeker vrijgelaten wegens goed gedrag.'

'Agent Yeager,' zei ik. 'De sheriff wil dat je je bij de deur posteert.'

'Jezusmina op een dolgedraaide pony.'

'Kalm aan. Ik zal wel tegen hem zeggen dat je de schutting aan het repareren was.' Ik pakte het stripboekje af. 'Niet vloeken waar het kind bij is.'

Hij knikte dankbaar en verdween.

'Ik heb wel vaker mensen horen vloeken,' zei Robbie.

'Dat spijt me te moeten horen.' Ik knielde bij hem neer. 'Heftig spelletje, waar je mee bezig bent.'

'De slaven zijn in óp-stand.' Robbie keerde zijn bleke gezicht naar me toe. 'Dat is mijn woord van de dag. Ken je dat woord?'

'Natuurlijk. Tegen wie zijn ze in opstand?'

'Gewoon. Ze vluchten weg naar allerlei schuilplaatsen.'

'Aha. Zoals de geheime schuilplaats.' Ik wees naar het kapotte speelgoed. 'Zo te zien konden die slaven niet wegkomen.'

'Nee,' zei hij treurig. 'Ze gaan op het eind altijd dood.'

'Misschien kan ik je helpen en winnen deze keer de goede mensen.'

Hij trok zijn wenkbrauw op, alsof hij zich afvroeg of zoiets mogelijk was. 'Je praat net als Miss Corvis.'

'Je weet toch nog wel wie ik ben, Rob?'

Hij knikte. 'Jij hebt oom Dale pijn gedaan.'

'Tja. Daar ben je van wel van geschrokken, hè?'

Hij haalde zijn schouders op.

'Rob, ik ben op zoek naar Cassie. Wil jij me daarbij helpen?'

Hij scheen over het voorstel na te denken. 'Opa zegt dat je naar foto's kijkt.'

'Dat klopt. Ik probeer te bedenken wat ze betekenen. Ben je daarin geïnteresseerd?'

'Ik kan foto's maken,' zei hij. 'Maar ze worden nooit zo goed. Je mag me best helpen bij dit spel, als je wilt.'

'Oké.' Ik stak de barbiepop omhoog. 'Hoe denk je dat zij zich vandaag voelt?'

Hij trok zijn mond samen. 'Ze is bang.'

'Weet je wat haar bang heeft gemaakt?'

Robbie wierp een blik op de speelgoedrobot. Die was zwart geverfd en had diverse armen en geklauwde handen. Het gezicht van de robot was een klont gesmolten plastic.

'Heb jij dat gedaan? Dat gezicht gesmolten?'

'Dat heeft hij bij zichzelf gedaan,' zei Robbie. 'Hij is de Schaduwvanger.'

'Waarom heb je hem zo genoemd?'

Daar had je die ondoorgrondelijk bruine ogen weer. 'Wil je het echt weten? Of ben je gewoon iemand die net doet alsof?'

'Ik weet heel zeker dat ik niet iemand ben die maar doet alsof.'

'Hij haalt van alles uit je,' legde Robbie uit. 'Alle slechte delen die niemand wil.'

'Wat doet hij er dan mee?'

'Ze meenemen naar een onzichtbare plek. En dan verandert hij de schaduwen in... iets. En dan komt dat iets... je opeten.' Hij zei het even vanzelfsprekend alsof hij de smaak van havermout beschreef.

'Dus nu gaan we Barbie helpen om aan de Schaduwvanger te ontsnappen?'

Hij keek me recht aan. 'Als iemand zou proberen een kind kwaad te doen, zou je dan op hem schieten?'

Ik herinnerde me dat Dale me vrijdag een vergelijkbare vraag had gesteld.

'Als ik geen andere manier wist om hem te laten ophouden... ja, dan zou ik dat doen.'

'Zou je net zolang schieten tot hij doodging?'

Ik zei niets. De vrijmoedigheid in zijn stem toen hij dat laatste woord uitsprak – 'doodging' – had me ietwat van mijn stuk gebracht.

'Dat dacht ik al,' zei hij. 'Je zult Cassie niet vinden.'

'Waarom niet?'

'De Schaduwvanger zit achter haar aan.'

Hij zette de robot boven op de emmer.

'Dat probeerde ik oom Dale te vertellen,' zei hij. 'En toen werd hij kwaad.'

'Robbie!' klonk een schelle vrouwenstem achter me. 'Hoeveel keer moet ik zeggen dat je niet mag spelen met Hannahs... Kijk nou wie we hier hebben!'

Ik draaide me om... en keek naar het evenbeeld van Mary Frances Dupree.

VIJFTIEN

Ze had een wit jasschort aan en haar haar was kastanjebruin in plaats van blond. Ze was een kilo of zeven zwaarder dan haar zus, en dan heb ik het nog niet eens over de prominente zwelling van haar buik. Maar haar ogen waren net zo doordringend en grijs als die van Mary Frances. De ogen van de sheriff.

'Ik ben Martha McIntosh.' Ze glimlachte en stak haar hand uit.

Ik kwam overeind, terwijl ik het zand aan mijn broek afveegde. 'Sorry, het was niet mijn bedoeling om zo te staren.'

'Mary en ik zijn een eeneiige tweeling. Laat maar; iedereen maakt dezelfde vergissing.' Ze ging me voor naar een zitkamer die de stijl van het deftige Wilde Westen uitstraalde. 'Het spijt me dat Robbie je lastigvalt. Hij is tegenwoordig erg humeurig.'

'Hoezo?'

'Ach, je weet hoe jongetjes zijn.' Ze bukte zich om een plastic speelgoedpony op te rapen, waarbij ze met haar hand haar rug ondersteunde, zoals zwangere vrouwen nu eenmaal doen. 'Heb je trek in koffie, Mike? Of liever een glas ijsthee... Of cola light? Ik moet toch een fles openmaken...'

'Koffie is prima,' zei ik over mijn schouder. 'Alleen als-ie al is gezet.'

Er stonden familiefoto's op de schoorsteenmantel, voornamelijk van Gavin en Martha en hun twee kinderen. Een paar dateerden uit haar eigen jeugd. De kleine Martha en Mary Frances waren steevast eender gekleed en poseerden als twee poppen van hetzelfde schap. Eén blik op Mrs. Archer, en je kon zien hoe ze aan hun rondingen kwamen.

Martha gaf me een beker instantkoffie. 'Ik heb niet gehoord wat je in je koffie gebruikt.'

Ik nam een slok, amaretto met room, en deed mijn best om geen vies gezicht te trekken. 'Ik ben altijd benieuwd geweest hoe het zou zijn om er een van een tweeling te zijn.'

'Soms wist ik nauwelijks waar mijn zusje ophield en ik begon. Toen we nog klein waren... als Mary een pak voor haar broek kreeg, was ik degene die huilde. En ze kreeg heel vaak een pak voor haar broek, kan ik je verzekeren.'

'En wat voelt u nu nog van haar?'

'Ik voel haar niet meer.' Haar glimlach verdween. 'Toen ze weg moest, was het alsof ik... geamputeerd werd.' Ze schudde haar hoofd. 'Je denkt vast dat ik wel gek moet zijn, om zulke dingen te zeggen.'

Ik glimlachte.

Ze fronste haar voorhoofd, net als Robbie. 'Viel het een beetje mee... om haar te vinden?'

'We beginnen pas,' zei ik. 'Uw vader kan u waarschijnlijk meer vertellen dan ik.'

'Mijn vader.' Martha rolde met haar ogen. 'Ik had zelf detective moeten worden, zoals ik alles al die jaren van zijn gezicht heb moeten aflezen.'

'Denkt u dat hij dat goedgevonden zou hebben?'

'In geen miljoen jaar.' Ze lachte. 'Ik moet voor het avondeten zorgen. Kan ik je verder nog iets...'

'Foto's van Dale en Mary,' zei ik. 'Met Cassandra, als u die hebt.'

'O, nou, we hebben er op Cassandra's verjaardag nog eentje gemaakt.' Ze keek de kamer rond. Haar ogen lichtten even op bij een bijzettafeltje, maar schoten toen naar de boekenkast. 'Ik heb onlangs zo veel dingen moeten verplaatsen... O ja, ik heb hem achter mijn Dierbare Momenten gelegd...'

Ik snapte heel goed waarom ze de foto van haar zus achter een rijtje treurig ogende porseleinen kinderen had verstopt. De Duprees waren niet bepaald een toonbeeld van harmonie. Dale probeerde zijn dochter met een plak cake te paaien, terwijl Mary haar stevig bij de schouders beet had. Intussen leek het alsof Cassie voor hen allebei terugdeinsde, terwijl ze een beaglepup op schoot had. Nee, niet zomaar op schoot had: ze klemde het beest stevig vast. Alsof het zou kunnen wegvliegen of verdwijnen.

'Die is zeker genomen vlak voor Dale echtscheiding aanvroeg?'

'Ja... Hoe wist je dat?'

'Dale en Mary hebben hun arm om Cassie, maar niet om elkaar heen geslagen,' zei ik. 'Bovendien verbergt Dale zijn gebroken hand voor de camera.'

'Ja, hij... is ermee door een muur gegaan,' zei ze. 'Hoe komt het dat je die dingen opmerkt?'

'Dat hoort bij mijn werk. Interessant dat niemand in de lens kijkt. Trouwens...' Ik liep naar de schoorsteenmantel. 'Ik zie geen enkele foto van u of van Mary waarop jullie recht in de lens kijken.'

'We waren verlegen kinderen.' Weer keek ze naar het bijzettafeltje.

'Natuurlijk.' Ik zette de foto op de schoorsteenmantel. 'Ik wil niet lastig zijn, Mrs. McIntosh. Ik had moeten zeggen dat ik geen room in mijn koffie gebruik.'

'O. Geef maar hier.' Ze griste de mok uit mijn handen. 'Ik ben zo on-attent om het niet te vragen. Ik ben een vreselijk mens.'

De glimlach week geen moment, maar er klonk waarachtig angst in haar stem door. En ze ontweek mijn blik.

'Ik geloof absoluut niet dat u een vreselijk mens bent,' zei ik. 'Het is maar koffie.'

'Deze keer geef ik hem je precies zoals je het wilt hebben. Niet weg-gaan.'

Ze ging terug naar de keuken. Als Martha de dochter was die 'bij haar verstand was', dan moest Mary Frances werkelijk rijp zijn voor een in-richting. Ik liep naar het bijzettafeltje. Er was op het tafelblad een smal-le rechthoek die donkerder was dan het fineer eromheen. In de la lag een ingelijste foto.

Het was een buitenopname, in verbleekte Kodacolor van eind jaren ze-ventig. Mary en Martha waren zo te zien een jaar of twaalf en poseerden aan dek van een zeilboot die was vastgelopen op een drooggevallen zand-bank in een meer. Het kostte me niet veel tijd om de twee jongens te identificeren die om hen heen de clown uithingen. De ene was een gro-te lange slungel met rood haar: Dale Dupree. De kleine magere puber op de voorplecht moest Peter Frizelle zijn. Archer had het mis toen hij zei dat de meisjes Pete geen blik waardig keurden. Want moest je ze nou zien, als kind: met hun opzichtige T-shirts en shortjes: een viertal tieners dat zijn best deed volwassen en cool over te komen. En alle vier glimlachten ze recht in de lens, alsof ze van hun leven geen sombere dag hadden ge-kend.

Ik maakte de lijst open. *Cathedral Lake Camp, 1977* stond in meisjes-achtige letters achterop de foto geschreven. Vervolgens had iemand er in hanenpoten onder geschreven: *vier kwamen thuis*. De hoekige schaduw van de fotograaf was duidelijk zichtbaar. Woeste haardos, mollige armen. De schaduw van een kind, of van een erg kleine volwassene.

In de keuken hoorde ik een magnetron piepen.

'Het eten staat klaar.' Martha kwam terug met mijn koffie. 'Neem dit maar mee aan tafel, Mike, als je wilt.'

Ik stond tussen haar en het bijzettafeltje in, de foto veilig opgeborgen.

'Deze keer is hij goed, hè?' vroeg ze verwachtingsvol.

Ik nam een slok hazelnootmokka. 'Het lijkt wel of u mijn gedachten hebt gelezen.'

ZESTIEN

'Ik kan het gewoonweg niet geloven,' zei Martha. 'Ik weet dat Mary Frances als moeder nooit veel heeft voorgesteld. Maar toch, Gavin, het is onmogelijk.'

We zaten aan de keukentafel en aten *sloppy joe*'s – ik, althans. Niemand anders scheen veel trek te hebben. Hannah had misschien een paar happen genomen, maar haar moeder zat de hele tijd met een vochtige papieren servetje haar mond te betten.

'Lieverd, je weet dat ik het zelf ook niet wil geloven.' Er sijpelde saus tussen Gavins broodje uit. 'Maar Mary heeft zichzelf altijd met duistere dingen omringd. Daarom hoeft ze niet per se slecht te zijn, of reddeloos verloren. Gewoon... verloren.'

Ze fronste haar voorhoofd. 'Mary Frances heeft zich helemaal met niets "omringd", Gavin. Je kent mijn zus niet genoeg om zo over haar te oordelen.'

'Mijn beer is kapot,' zei Hannah klaaglijk.

Martha klopte haar dochter op de hand. 'Hannah, stil.'

'Het geeft niet,' zei ik. 'Wat is er met hem gebeurd?'

'Hij... uhm,' zei Hannah. 'Zij kon eerst praten. Toen heeft Robbie haar stukgemaakt.'

'Niet waar.'

'Jokkebrok.'

'Kinderen, alsjeblieft.' Martha fixeerde haar grijze ogen op mij. 'Mike, denk jij... is het mogelijk dat Mary Frances werd... gedwongen?'

De kinderen schenen weinig interesse te hebben voor het gesprek van de volwassenen. Maar dat betekende niet dat ze niet luisterden. 'Het is nog vroeg in het onderzoek,' zei ik. 'Alles is mogelijk.'

Martha draaide met haar ogen. 'God, wat haat ik politiejargon. Het is een en al ontwijken en... Hannah, schattebout, zo krijg je nog vlekken op die zondagse jurk die ik voor je heb gemaakt.'

'Ik wil deze jurk geeneens meer aan.'

'*Niet eens* meer,' corrigeerde Martha. 'Wil je er dan niet leuk uitzien voor Mr. Yeager?'

'Nee! Ik ben dat optutten zat en... dat iedereen hier maar is!'

Martha wierp me een gegeneerde blik toe, zo'n blik van: kinderen kramen de grootst mogelijke onzin uit. 'Liefje, laat onze gast niet denken dat je een blank achterbuurtkind bent.'

'Wat is... achterbuurtkind?'

'Zoals een ongemanierd klein meisje dat aan tafel een grote mond opzet en allemaal eten knoeit over haar gloednieuwe jurk,' zei Martha.

'Mike, zijn jij en je vrouw bij een kerk?' Gavin glimlachte.

'Nou... nee op beide vragen eigenlijk. Geen vrouw, geen kerk.'

'Geen kinderen?'

'Geen tijd.'

Martha keek op. 'Kijk uit, Mike. Je wordt geronseld.'

Gavin grinnikte. 'Neem me niet kwalijk. We zijn alleen zo trots op onze kerk, dat ik soms niet van ophouden weet. Tien jaar in deze contreien, en we zijn al de grootste gemeente van Dyer County. Volgend jaar openen we een nieuw ziekenhuis, een nieuwe scholengemeenschap... Wij gaan de woestijn weer in bloei zetten.'

'Dus u bent niet hier in de buurt opgegroeid?'

Hij schudde zijn hoofd. 'Ik had een parochie in Phoenix, maar... Nou ja, het was een verrijkende ervaring. Het staat allemaal in mijn boek.'

'Boek?'

'*Ontwaak en trek verder*. Het kreeg een paar heel aardige kritieken in de evangelische pers. Ik zal je er een exemplaar van geven, als je wilt. Martha zeurt me altijd aan mijn kop om een vervolg.'

Ze schonk me een bleek glimlachje. 'En waar is jouw thuishaven, Mike?'

'Ik ben opgegroeid in Pennsyvania. Thuis is... Dat heb ik op dit moment zo ongeveer voor het kiezen.'

'Nou, wie weet besluit je wel om een poosje bij ons te blijven.'

'Waren er ook mensen die Amish waren, waar je bent opgegroeid?' Dat kwam uit de mond van Robbie. Zoals ik al dacht, was hij heel wat aandachtiger dan hij liet blijken.

'Dat klopt,' zei ik. 'Ik ben onder de indruk.'

'Dank je,' zei hij. 'Heb je Cassies pup al gevonden?'

'Nog niet.'

'Ze heet Belle,' zei hij. 'Ze is al gesteriliseerd.'

Gavin schraapte zijn keel. 'Dat is geen onderwerp voor aan tafel, Robbie.'

'Ik durf te wedden dat het niet Pete was, die haar kwaad heeft gedaan,' zei de jongen. 'Zoals opa denkt.'

Gavin en Martha wisselden een gespannen blik.

'O nee?' zei ik. 'Hoezo, Robbie?'

Hij haalde zijn schouders op. 'Ik durf te wedden dat hij de nacht met zijn hoeren heeft doorgebracht.'

Martha verbleekte. 'Robbie!'

Gavin was asgrauw. 'Vriend, vertel mij maar eens waar je dat woord vandaan hebt.'

'Wie zal dat een zorg zijn?'

'Ik zal eens zorg aan je achterwerk besteden, Robin Archer McIntosh. Zie je dan niet dat je zo je moeder overstuur hebt gemaakt? Bied haar nu je excuus aan. En aan onze gast.'

'Eerwaarde...' begon ik.

'Oké, jochie. Ga naar je kamer tot je weet hoe je berouw moet voelen.' Gavin plantte zijn handen op de tafel. 'En meteen.'

'Ik zeg alleen maar...' Robbie staarde naar zijn bord. 'Als Pete, of zijn hoe–'

Martha liet met een klap haar vuist neerkomen. Het bestek rinkelde, 'Robbie, hou je mond!'

Robbie keek op – recht in mijn gezicht – waarna hij op zijn lip beet, zich achter zijn looprek hees en weg wankelde.

'Waar zou hij dat gehoord hebben?' vroeg Gavin.

'Eerwaarde,' zei ik op neutrale toon. 'Ik wil me nergens mee bemoeien –'

'Mr. Yeager, ik bedoel het niet kwaad, maar dat doet u wel degelijk.' Hij wendde zich tot zijn vrouw. 'Engeltje, gaat het een beetje? Wil je even gaan liggen?'

'Behandel me niet als een klein meisje,' zei ze.

'Schattebout –'

Ze stond op. 'Je weet verdomd goed waar hij dat woord heeft geleerd.'

'Wat heeft dat in godsnaam te betekenen?'

Ze rende de keuken uit. Gavin volgde haar op haar hielen.

'Martha, ik vroeg je iets. Wat –'

Er werd een deur dichtgesmeten. Hannah veegde haar handen aan haar jurk af. 'Wat is hoeren?' vroeg ze.

ZEVENTIEN

Het echtpaar McIntosh was naar boven gegaan om hun ruzie te beslechten en mijn lift terug naar het bureau zou nog minstens twintig minuten op zich laten wachten. Ik wist de rustigste kamer met telefoon te vinden – Gavins werkkamer, bezaaid met rekeningen van aannemers – en voerde een reeks telefoongesprekken. Na een kwartier stuiterde ik nog steeds heen en weer tussen de ene na de andere balie van de verkeerspolitie van Nevada. Kennelijk waren mijn FBI-geloofsbrieven van weinig betekenis voor de plaatselijke ambtenarij. Uiteindelijk liet ik de naam van sheriff Archer vallen: die bracht er wat schot in.

'Neem me niet kwalijk dat ik u liet wachten,' zei de motoragent. 'We blijken het voertuig al die tijd al te hebben. Rode Ford, halve tonner, klopt dat? Die is vannacht opgehaald, zo'n veertig kilometer buiten Reno.'

'Fantastisch.' Ik graaide naar een potlood. 'Waar stond-ie?'

'In een carwash. Ze hadden hem goed verborgen, Alleen hadden die klojo's vergeten de koplampen uit te zetten. Typisch onnozele crimineeltjes, hè?'

'Ik wil dat hij terugkomt naar het bureau,' zei ik. 'Fax me intussen wat foto's van het voertuig – de binnenkant, dashboard...'

Hij floot tussen zijn tanden. 'U bent hier sneller met de auto dan dat ik de foto's naar u toe zou kunnen faxen. Tot maandagochtend sta ik er hier alleen voor, en ik kom om in het werk.'

'Agent, het gaat hier om een moord, begrijpt u wel?'

'*Yessir*, welkom in Nevada. Daarvan krijgen we er elke zaterdagavond wel tien van uit Las Ve–'

'En het gaat om een vermist kind,' zei ik. 'De kleindochter van de sheriff. Ik weet natuurlijk niet waar uw prioriteiten liggen, maar ik begin me een beetje verwaarloosd te voelen. Eerst zegt u dat u de auto niet hebt, en vervolgens vertelt u me dat ik tot maandag moet wachten.'

'Agent Yeager, ik heb geen idee tegen wie u moet schreeuwen, maar niet tegen mij. Elke zaak die jullie ons in de maag splitsen, handelen we af op dossiernummer. Ik heb hier twee verzoeken liggen voor aanhoudingen buiten Dyer County, en toen ze u hiernaartoe stuurden, kreeg ik de verkeerde referentiecode.'

'Wat was die andere auto voor type?'

'Zwarte Nissan, vierwielaandrijving, getint glas.'

'Die verwar je toch niet zomaar met een rode pick-up?'

'Nee, sir, ik snap wat u bedoelt. Maar die heeft namelijk bijna hetzelfde dossiernummer. SV-ADR-10-13. Die van u is 10-31, agent Yagger.'

'Yeager,' zei ik. 'Ik heb geen dossiernummer opgegeven.'

'Nou, ik heb er hier anders wel een. Dat is niet ons systeem, en daarom ben ik zo in de war geraakt.' Hij haalde adem. 'Eerlijk waar, anders had ik het u eerder verteld. We hebben sheriff Archer heel hoog zitten.'

'In dat geval ben ik ervan overtuigd dat u me die foto's vanavond bezorgt.' Ik zweeg met opzet even. 'Zodat ik niet zelf naar jullie toe hoef te rijden.'

'*Yessir*,' zei hij kortaf. 'We gaan meteen aan de slag.'

Ik hing op, me er inmiddels van bewust dat er iemand achter me stond.

'Het spijt me vreselijk dat ik je moet storen,' zei Martha.

'Ik ga u in uw eigen huis echt niet de toegang tot een kamer ontzeggen.'

'Laat me alsjeblieft mijn excuses aanbieden voor het gedrag van mijn gezin.' Ze sloot de deur achter zich. 'Paps zou me naakt vastketenen als hij zag dat ik zomaar toeliet hoe mijn kinderen zich gedragen.'

'Laat die excuses maar zitten,' zei ik. 'Eerlijk gezegd, Mrs. McIntosh, maak ik me een beetje zorgen om uw zoon.'

'O ja?'

'Ik denk echt dat hij probeert te helpen. Wat hij aan tafel zei, over Pete en zijn hoeren...' Ik liet het woord in de lucht hangen. 'Dat is niet iets wat een kind van zeven zomaar uit de lucht laat vallen. U kunt hem de mond wel snoeren, maar ik denk dat het belangrijker is om te weten te komen wat hij probeert te zeggen.'

'Ik begrijp het,' zei ze. 'Ik beloof je dat het niet weer zal gebeuren.'

'Daar gaat het me helemaal niet om.' Ik boog me dichter naar haar toe. 'Mrs. McIntosh, denkt u dat uw zoon iets weet over de ontvoering van Cassie?'

'Waarom zou hij?'

'Het spelletje waar hij in de tuin mee bezig was... was nou niet echt een spel. Hij had het over iemand die de Schaduwvanger heette. Agressie en angst lagen er duimendik bovenop. Hij heeft het gezicht van de robot gesmolten...'

'Het gezicht?' Martha trok wit weg.

'Kinderen reageren vaak via spelletjes een echt trauma af. Waarschijnlijk stelt die robot iemand voor voor wie Robbie bang is. Heeft uw zoon veel contact met Frizelle?'

'Van mij mag Pete niet eens bij mijn kinderen in de buurt komen.

Nooit.' Martha masseerde de onderkant van haar nek. 'Robbie doet de laatste tijd eigenaardig. Ik weet niet waarom hij het gezicht van die pop heeft verbrand.'

'Eigenlijk zei ik "gesmolten, niet "verbrand". Hoezo eigenaardig?'

'Hij... plast in bed. Dat deed hij nooit.'

'Hebt u misschien veranderingen van lichamelijke aard bij hem opgemerkt?'

'Zoals?' vroeg ze, plotseling waakzaam.

'Nou, wijst iets erop dat hij misschien is...'

'Mishandeld?' Ze deed een paar stappen naar achteren. 'Wij slaan onze kinderen niet, als je dat soms denkt.'

'Mrs. McIntosh, alstublieft.'

'Jullie die met kindermishandeling te maken hebben, denken dat iedereen wordt mishandeld. Dat is voor jullie overal het antwoord op.'

'Het is voor mij nergens het antwoord op.'

'Ik wil alleen maar dat je geen enge ideeën in het hoofd van mijn zoon plant.' Ze stak haar puntige kin naar me op. 'Vind je het leuk om mensen bang te maken?'

'Ik vind het niet leuk om te zien dat kinderen in angst leven, als u dat bedoelt.'

'Doe maar niet alsof je de onschuld zelve bent. Je was aan het rondsnuffelen. Toen je die oude foto teruglegde, vergat je het laatje te sluiten.'

'Wanneer iemand iets niet goed verstopt,' zei ik, 'is dat vaak omdat ze willen dat het wordt gevonden.'

'Ik heb niets verstopt, ik had haast bij het opruimen.'

'Hoe dan ook: die zomer aan het meer, daar bewaart u waarschijnlijk speciale herinneringen aan.'

Ze bloosde.

'Vertelt u eens,' vroeg ik. 'Wat betekent "Vier kwamen thuis"?'

'Het is maar een foto. Foto's hoeven niet altijd iets te betekenen.'

'In dat geval, mijn excuses.' Ik stond op.

'Waar ga je heen?'

'Kennelijk heb ik u gekwetst, Mrs. McIntosh.'

'Martha,' zei ze. 'Ga niet weg.'

Ze ging op de rand van de tweezitsbank zitten.

'Waarom heb je geen...' Ze legde een hand op haar borst. 'Waarom heb je geen kinderen, Mike?'

'Zoals ik je man al uitlegde,' zei ik. 'Het handhaven van de wet is nou eenmaal geen gezinsvriendelijk beroep. Maar ik denk dat jij dat wel weet.'

'Ja,' zei ze. 'Maar toch, heb je nooit het gevoel dat een deel van je leven je is... ontzegd?'

'Ik kan met de beslissing leven.' Ik haalde mijn schouders op. 'Eerlijk gezegd, heb ik de kinderen van mijn zaken altijd als mijn eigen kinderen beschouwd.'

'Dat is... heel mooi,' zei ze. 'Die kinderen hebben geboft.'

'Zo zou ik het niet willen stellen,' zei ik. 'Waarom vroeg je dat?'

'Familie kan een hele last zijn.' Ze wendde haar blik af. 'Mijn zusje, bijvoorbeeld. Ze is mijn duistere helft. Ik zal God mijn hele leven dankbaar blijven dat ik nooit in zoiets vreselijks ben terechtgekomen als Mary Frances.' Ze fronste haar voorhoofd vol medeleven, maar uit haar ogen sprak angst. 'Toen Mary Frances naar het opvoedingsgesticht ging, rustte op mijn schouders de taak om de goede naam van de familie hoog te houden. Als ze nou maar bij die Pete Frizelle uit de buurt was gebleven...'

'Martha, ik weet dat jij en Frizelle in het verleden iets met elkaar hebben gehad,' zei ik. 'Zeg gerust wat je wilt zeggen, maar laten we niet het kostschoolmeisje uithangen, oké?'

Ze zonk weg in de bank alsof ik haar een klap had gegeven.

'Gavin weet het niet,' zei ze. 'Vorige week ging ik op bezoek bij mijn zusje. In die... waar ze werkt.'

'Het bordeel?'

'Ja, het bordeel.' Ze keek op met de staalgrijze ogen van haar vader. 'De hele streek moest horen wat Mary Frances te melden had... en paps maakt zich zo'n zorgen over de verkiezingen. Ik wist dat het zijn hart zou breken als er narigheid tegen hem zou worden gebruikt.'

'Wat voor narigheid?'

'Ze was boos omdat papa tijdens de voogdijzitting de kant van Dale had gekozen. Ik heb haar gesmeekt om haar mond te houden, ten minste tot dinsdag. Mary zei dat het haar niets kon schelen als paps met zijn billen bloot zou moeten. En dat het haar hoe dan ook zou lukken om Cassie bij Dale weg te krijgen. Ik voel me een verrader, nu ik dit aan jou vertel.'

'Legde ze uit wat ze bedoelde met "hoe dan ook"?'

Martha schudde haar hoofd. 'Ze zei maar steeds: "Er is iets ergs gebeurd. Ik moet zorgen dat ik Cassie weg krijg voor het opnieuw gebeurt."'

'Iets ergs,' zei ik. 'Insinueerde ze dat Dale hun dochter iets had aangedaan?'

'Ik kan me niet voorstellen dat Dale Cassie ooit iets zou doen.' Martha huiverde. 'Dit is pas begonnen na dat proces om de voogdij. Ik ben ervan overtuigd dat Pete degene was die haar tot die hele toestand heeft opgezet.'

'Is dat de reden dat je wilde weten of ik van mening was dat Frizelle Mary in zijn macht had?'

'Ik geloof dat ik me alleen maar aan elk strootje vastklamp. Paps schijnt te denken dat ze bepaalde dingen deed... omdat ze dat leuk vond.' Ze verborg haar gezicht achter haar hand. 'Je gaat hem toch niets doen, hè?'

'Wie? Je vader?'

'Pete,' zei ze. 'Hij is niet sterk.'

'Ben je plotseling bezorgd om Frizelle?'

'Het klopt wat je zei.' Ze wendde haar blik af. 'We hebben in het verleden iets gehad.'

'Heeft je zusje verder nog iets gezegd? Toen je...'

'Het spijt me, ik kan niet meer.' Ze barstte in snikken uit. 'Ik kan niet zijn zoals iedereen wil. Mijn hele familie ligt in de vernieling en ik heb het gevoel dat het mijn schuld is. Wat doe ik verkeerd, Mike? Dat ik me zo... slécht voel de hele tijd?'

Opeens lag haar hoofd op mijn schouder. Haar magere armen strengelden zich om mijn rug. Tranen rolden mijn kraag binnen. Ik gaf mijn geest bevel om te negeren hoe warm en vol Martha's borsten tegen mijn borst voelden.

'Toe maar, toe maar,' zei ik. 'Mrs. McIntosh... Martha...'

'Ik zou gewoon willen dat ik haar weer in mijn armen kon houden,' jammerde ze. 'Dat ik weer samen kon zijn met mijn zusje, zoals het was... toen alles nog voelde alsof het echt was.'

Ik tastte naar haar hals, in een poging een vriendelijke manier te vinden om me los te wurmen. Toen voelde mijn hand een grillige ribbel vlak bij het begin van haar schedel. Een litteken.

'Martha?'

Ze trok zich razendsnel terug. Haar echtgenoot, Gavin, stond over ons heen gebogen.

'Martha,' zei hij. 'In godsnaam.'

ACHTTIEN

Eerwaarde McIntosh begeleidde me naar de deur.

'Ik heb overal naar u gezocht.' Hij pakte een boek van een haltafeltje.

'Eerwaarde...'

'Ik heb u immers een exemplaar van mijn boek beloofd? Dit is nog het enige dat ik in huis heb, maar... Afijn, ik kan er nog altijd een paar bij mijn uitgever bestellen.'

Hij legde het boek in mijn hand. *Ontwaak en trek verder: de reis van een dolende.* Op het omslag stond een foto van de geestelijke: brede glimlach en een hoge kuif. Dat was een eigenaardige tegenstelling met de gezette, slonzige man die voor me stond.

'Dank je,' zei ik. 'Gavin, over wat je zo-even hebt gezien...'

'Laat maar.' Hij stak zijn handen omhoog. 'Zelfs op haar best is Martha... Nou ja, ze raakt gauw uit haar evenwicht.' Hij dempte zijn stem. 'Je hebt inmiddels wel gezien dat de familie... ontwricht is.'

Ik knikte, wachtend op wat hij verder ging zeggen.

'Bepaalde patronen herhalen zich,' zei hij. 'Ik meen dat de tweeling een groot kwaad ten deel is gevallen. Niemand heeft er met een woord over gerept, maar je moet wel stekeblind zijn om het niet te zien. En ik begin te vrezen dat het kwaad op de volgende generatie zal overslaan.' Zijn blik schoot naar de oprit, waar mijn chauffeur stond te wachten. 'De sheriff zal het niet leuk vinden dat ik je ophoud.'

'Eerwaarde, de laatste tijd word ik niet anders dan opgehouden. Wat bedoelt u precies met "bepaalde patronen herhalen zich"?'

'Hebt u al kennisgemaakt met Connor Blackwell?'

'De psycholoog?'

Gavin knikte. 'Connor is samen met mij uit Phoenix hierheen gekomen. Hij is heel goed in deze dingen.'

'Ik zal hem opbellen,' zei ik. 'Eerwaarde, ik denk dat het een goed idee zou zijn als ik nog wat meer met uw zoon zou praten.'

Onverbloemde angst schoot over het gezicht van de geestelijke.

'Nee,' zei hij. 'Ik vrees dat ik het daar niet mee eens ben, agent Yeager. Ik denk dat het een heel slecht idee zou zijn dat u met mijn zoon sprak.'

Toen verdween hij zijn schitterende huis in.

NEGENTIEN

Volgens mijn chauffeur waren er drie teams in actie om Cassandra Dupree op te sporen: één om op de plaats delict bewijsmateriaal te verzamelen, een andere om de snelwegen te bewaken en het derde, verreweg het grootste, was alle uithoeken van de woestijn aan het uitkammen. Over dit team had sheriff Archer hoogstpersoonlijk de leiding. Ik besloot me bij hem aan te sluiten.

De schemer viel al bijna in toen we ons bij hen voegden: een linie van met stof overdekte mannen met gebogen hoofden. Reusachtige Rhodesische ruigharen doolden snuffelend over het territorium.

'Lijkenhonden,' verkondigde de adjudant die de leiding had. 'We hebben ze te leen van de rijkspolitie van Nevada. Het is nog steeds niet gelukt om helikopters te krijgen.'

'Helikopters?' Ik trok een wenkbrauw op. 'Hoeveel woestijn proberen je mannen te doorzoeken?'

'Zo'n vijf hectare, de bergen niet meegerekend.' Hij wees naar de Sangre de los Niños. 'Daar is de sheriff op dit moment.'

'Helemaal alleen?'

'*Yessir.* Voor de derde keer sinds gisteren. Ik kan proberen hem voor je op te trommelen, maar die bergen zijn moordend voor de ontvangst.'

'Krijg nou wat,' klonk een stem achter me. 'Mike?'

Connor Blackwell had zich uit de linie losgemaakt en kwam naar me toe. 'De sheriff zei dat je hebt besloten te blijven. Het lijkt wel alsof er een gebed is verhoord.'

'Dat hoor ik ook steeds.' Ik keek om me heen. 'Hoe gaat het hier?'

Connor wachtte tot de adjudant buiten gehoorsafstand was. 'Het is niet gemakkelijk om bij iedereen de moed erin te houden,' zei hij. 'We zijn pas twee dagen bezig. Toch...'

'Twee dagen zijn een eeuwigheid wanneer je naar een kind zoekt.' Ik knikte. 'Wat moet dat voorstellen, dat de sheriff in zijn eentje in de bergen is?'

Connor schudde zijn hoofd. 'Is dat een probleem?'

'Alleen een beetje vreemd,' zei ik. 'Je hebt niet toevallig een gsm bij je? Ik moest mijn chauffeur laten gaan.'

'Natuurlijk, maar... Wil je soms een lift? Het is hier toch een aflopende zaak.'

Ik keek om naar de gebroken linie van mannen: het einde van een lange, vruchteloze dag.

'Laten we nog wat langer wachten,' zei ik. 'Zij moeten weten dat er iemand hier de wacht houdt.'

Connors Honda lag bezaaid met wikkels van proteïnerepen en lege flesjes van sportdrankjes. Toen hij de motor aanzette, bulderde er een zelfverzekerde stem uit de speakers:

'...straffen die zelden effectief, maar dikwijls schadelijk zijn.' Die stem kwam me bekend voor; misschien was het die vent die over hete kooltjes liep. 'Maar de allerstrengste straf is verwaarlozing.'

'Sorry.' Connor drukte op de knop met EJECT, waarna een wit cassettebandje naar buiten floepte. 'Maar die vent is geweldig. Hij heeft mijn leven radicaal veranderd. Luister jij onderweg wel eens naar luisterboeken?'

'Ik rij in een Nash Rambler uit '57.' Ik wreef over mijn oren. 'Soms kan ik de AM-zender ontvangen, als de wind gunstig staat.'

'Nou ja, misschien wil je het bandje een keer lenen. Het is verdomd eenzaam in de woestijn als je alleen maar naar jezelf kunt luisteren.' Hij keek over zijn schouder, terwijl we de weg op zwenkten. 'En, hoe was je eerste dag?'

'Een eyeopener,' zei ik.

We reden noordwaarts over de snelweg, richting stad. 'Kan ik je ergens bij helpen?'

'Misschien wel. Je weet waarschijnlijk toevallig niet iets over de hoorzitting in verband met de voogdij over Cassandra?'

Hij knikte. 'Ik heb haar moeten ondervragen. Zodat ze niet hoefde te getuigen.'

'Hoe ging dat?'

Hij fronste zijn voorhoofd. 'Het was niet helemaal mijn terrein. Ik werk voornamelijk met volwassenen.'

'Ik bedoelde: hoe was Cassie?'

'Nerveus,' zei hij. 'Hoezo?'

'Ik heb vandaag foto's van haar gezien. Eentje was er afgelopen zomer genomen en de andere nog maar een paar weken geleden. Enorm verschil.'

'In welk opzicht?'

'Op de eerste foto was ze nog een kind,' zei ik. 'Op de tweede leek ze... erg oud voor haar leeftijd. Als iemand die zich in haar lot heeft geschikt.'

'Scheidingen zijn altijd moeilijk voor kinderen,' zei hij. 'Deze in het bijzonder.'

'Heb je een kopie van het gesprek?'

'Misschien een transcriptie ergens.' Hij fronste zijn voorhoofd. 'Maar weet je, alles ligt verzegeld op de rechtbank.'

'Aangezien het de kleindochter van de sheriff betreft, zouden we het er dan niet aan kunnen onttrekken?'

'Dat zou je aan de sheriff moeten vragen.'

'Op dit moment vraag ik het aan jou. Is er tijdens die hoorzitting iets boven tafel gekomen wat zou kunnen wijzen op kindermisbruik?'

Hij haalde diep adem. 'Cassie was nogal gesloten. Uiteindelijk kreeg ik haar zover dat ze over een nachtmerrie praatte die ze had gehad.'

'Waarover?'

'Over haar puppy,' zei hij. 'Ze droomde dat iemand hem wilde mishandelen.'

'Zei ze ook wie?'

'Niet meteen. Maar toen ik haar overhaalde om een tekening te maken, tekende ze een man met donkerbruin haar en groene ogen. Toen ik haar vroeg wie dat was, zei ze "mijn papa". Dat was duidelijk niet Dale.'

'Pete is toch haar biologische vader?'

Hij schoof ongemakkelijk heen en weer. 'Ja. En Mary heeft altijd tegen Cassie gezegd dat ze hem "mijn papa" moet noemen. Maar hoor eens, dat op zich bewijst niets. Ze kon ook gecoacht zijn.'

'Nou ja, ik weet tenminste waarom Archer er al die tijd zo op gebrand was om Frizelle als verdachte aan te wijzen.'

Hij ving mijn blik. 'Jij schijnt niet te denken dat Pete schuldig is, hè?'

'Ik ben er nog niet uit.'

Hij knikte alleen, terwijl hij mijn woorden overwoog. 'Laten we gaan kijken of we die transcriptie kunnen vinden.'

Buurtgemeenschap Arbor Vitae was een van de grotere en nieuwere gebouwen van de stad. De omwonenden schenen er goed gebruik van te maken: een zwemclub, een cursus knipsels inplakken, Al-Anon – opvang voor familie en vrienden van alcoholisten – en iets wat Spring Knal Giechel Wiebel heette. Connors praktijkruimte was een verborgen hol naast de administratie.

'Dit is maar tijdelijk.' Hij rommelde door een tiental sleutels. 'Volgend jaar brengen ze me over naar de nieuwe psychiatrische vleugel van het ziekenhuis.'

'Wie zijn "ze"?'

'Nou... Gavin voornamelijk. Hij heeft zich er sterk voor gemaakt.'

'Hij schijnt heel wat vertrouwen in je te hebben.'

Connor glimlachte bescheiden. 'Hij noemt me graag zijn verloren zoon... of is het zijn beschermeling? Ik zou die twee dingen nooit uit elkaar kunnen houden. In elk geval is "liefdadigheidsproject" wellicht beter op zijn plaats.'

Connors boekenkasten puilden uit van de zelfhulpboeken, waaronder een beduimeld exemplaar van *Ontwaak en trek verder*. HET IS NOOIT TE LAAT VOOR EEN GELUKKIGE JEUGD, stond er op de screensaver van zijn computer. Al zijn diploma's waren afkomstig uit Arizona.

'Ben jij dit?' Ik keek aandachtig naar een ingelijste foto van eind jaren zeventig: een driekoppig gezin in visserstenue dat trots een vis aan de lijn omhooghield. Je kon zien dat hij zich veilig en ronduit gelukkig voelde.

Hij glimlachte om de foto. 'Dat is dicht bij Vallecito in Colorado, waar ik ben opgegroeid. Waarschijnlijk de laatste dierbare herinnering sinds tijden.'

'Fraaie vangst,' zei ik. 'Wat is dat, een gevlekte forel?'

'Gewoon een forel. Twee kilo. Ik moest hem teruggooien van mijn vader. Hij zei dat niets hoeft te sterven om te bewijzen wat een man waard is.' Hij rommelde door de paperassen op zijn bureau. 'Een jaar nadat die foto is genomen heb ik mijn ouders verloren. Daar was ik nogal erg kapot van. Als er niet van bovenaf was ingegrepen, weet ik niet wat er van me was geworden.' Hij keek op. 'Was het voor jou ook zo?'

'Minus de ingreep van bovenaf,' zei ik. 'Ik zal je opbiechten dat je me de stuipen op het lijf hebt gejaagd met dat dossier. Ik denk dat zelfs de FBI niet weet dat ik dominee wilde worden.'

'Ik krijg mijn informatie uit een hogere bron.' Hij knipoogde en wees omhoog. 'En een paar speurtochten in het wilde weg op internet. Waardoor heb je afgezien van het predikantschap?'

'Een klein probleem: omdat ik niet in de verlossing geloofde,' zei ik. 'Volgens mij had dat met mijn vader te maken.'

'Was hij atheïst?'

'Nee,' zei ik. 'Hij was predikant.'

De telefoon ging over. Connor nam op, waarna hij gebaarde dat hij even alleen wilde zijn. Ik knikte en liep de hoek om. Even later hoorde ik in de aula kinderen zingen.

> *Three blind mice...*
> *Three – blind mice...*
> *See – how they run...*

Ik duwde de deur open. In de gigantische ruimte waren voldoende tvlampen en camera's opgehangen voor de uitzending van een kleinschalige Oscar-uitreiking. Twaalf kinderen zongen weinig melodieus, terwijl ze in half afgemaakte muizenkostuums rondsjokten. Eén volle seconde was ik moord en ontvoering glad vergeten. Ik kon me bijna voorstellen als smoorverliefde vader die toekeek hoe zijn eigen kinderen zich een weg door 'Mother Goose' heen worstelden.

They all ran after – a – farmer's wife...
She cut off their tails with a – carving knife...

Daarna werd de ban gebroken door een triplet van applaus.

'Oké, dat was prachtig,' riep een heldere vrouwenstem vanuit de orkestbak. 'Jullie doen het geweldig, jongens! Alleen Chelsea, Clemenza, geen gekietel, oké? Judah? Liefje, je moet eraan denken dat het publiek aan déze kant zit. Jullie ouders willen jullie goed kunnen zien... Zeg, wat bezielt mijn kleine muisjes ineens?'

De kinderen vlogen giechelend en fluisterend tegen elkaar aan. Wie was die rare grinnikende volwassen kerel die op hen af kwam? Toen rees een donkerharige jonge vrouw uit het orkest op en ze richtte haar ongelooflijk blauwe ogen op mij.

TWINTIG

'Afijn, het heeft nu weinig zin om te vragen of ze willen opletten.' Ze glimlachte, terwijl ze in mijn richting liep. 'Bent u soms op zoek naar een van de andere zalen? Ik verdwaal hier zelf ook de hele tijd.'

Ze was eind twintig, een moderne versie van een bloemenkind. Onder haar trui en zeemleren rok met franje tekenden zich oogverblindende rondingen af. Haar fonkelende blauwe ogen loensten een heel klein beetje, waardoor ze voortdurend nieuwsgierig leek te kijken. Die geur die om haar heen hing, was geen parfum. Die leek me eerder wierook, afkomstig uit een newagewelzijnsimperium.

'Ik wacht alleen maar op iemand,' zei ik. 'Ik neem aan dat dit Spring Knal Giechel Wiebel is?'

'Die naam was niet mijn idee.' Ze bloosde. 'Die van mij is trouwens Dorothy Corvis.'

'Mike Yeager.' Toen schoot het me te binnen. 'Robbie had het vandaag over je.'

'Klopt, ik ben zijn juf. Wanneer... Neem me niet kwalijk, maar zou ik je moeten kennen?'

'Waarschijnlijk niet. Ik ben hier vreemd.' Ik knikte haar toe. 'Misschien kun jij me daarbij helpen.'

Ze stak haar kin vooruit, alsof ze een spoor rook, maar toen glimlachte ze desondanks. 'Later misschien. Vandaag heb ik mijn handen vol aan dit spektakel.' Ze keek naar de kinderen achter haar. 'Het is leuk om ze weer te zien lachen. Ze hebben zo over Robbie in gezeten – vooral na wat er met die arme Cassie is gebeurd. Ik zeg maar steeds tegen hen dat er niets met hem aan de hand is.' Ze keek me over haar schouder aan. 'Dat is toch zo, hè?'

'Eerlijk gezegd weet ik dat nog zo net niet.'

'Daar ben je.' Connor stapte op ons af. 'Valt deze man je lastig?'

Ze keek me goedkeurend aan. 'Nog niet.'

'Nou, pas maar op met wat je over de regering zegt. Hij is van de FBI.'

'Schei uit,' zei ze. 'Echt waar?'

'Ik vrees van wel,' zei ik.

'Je bedoelt... O.' Haar mond viel open. 'Ik wil niet onbeleefd zijn. Jij bent toch niet die man van de parkeerplaats? Die met Cassies vader heeft gevochten?'

'Ik zou willen dat dat niet het eerste was wat mensen over me wisten. Maar: inderdaad.'

'Hij assisteert bij het zoeken naar Cassie. Nu we het daar toch over hebben...' Connor gebaarde in de richting van de deur. 'Als je zover bent, Mike.'

Ze keek hem na toen hij wegliep, terwijl ze op haar lip beet. 'Je "vreest" dat je bij de FBI bent?'

'Een lang verhaal.'

'Kom morgen maar bij me langs om het te vertellen,' zei ze. 'Misschien kan ik een paar vragen beantwoorden over Cassie.'

'Dat zou ik fijn vinden.'

'Maar nu moet ik terug naar die knaagdiertjes.' Ze trok een wenkbrauw op. 'Je lijkt me niet het prototype van een smeris. Hoe ben je hier trouwens verzeild geraakt?'

'Dat was niet uit vrije wil. Ze hebben me gearresteerd.'

'Ga weg! Zullen we vriendjes worden?' Ze lachte. 'Dat is de manier waarop mijn kinderen elkaar begroeten. Ze weten nog niet wat afwijzing is.'

'Laten we hopen dat ze het zo zullen houden.'

Ze glimlachte terwijl ze mijn hand greep, die ze vervolgens omkeerde. 'Wauw.'

'Wat is er?'

'Je moet me deze hand echt eens laten lezen. Al die ongelooflijke lijnen.'

'Oorlogslittekens,' zei ik. 'Eelt van het schieten.'

'Nee,' zei ze. 'Het is geen hand om wapens mee vast te houden.'

Inmiddels riepen de kinderen haar naam.

'Wat weet je van haar?' vroeg ik toen Connor ons terugreed naar het domein van de sheriff.

'Over Dorothy? Beroepsmatig of privé?'

'Allebei.'

'Ze is net begonnen met lesgeven in de eerste klas op de scholengemeenschap van Dyer. Ze staat heel goed bekend – Stanford, Peace Korps, Phi Beta Kappa. We blijven ons best doen om haar weg te kopen, tot dusver zonder resultaat. Niemand weet eigenlijk wat zij met zo'n cv nou in Dyer County moet.'

'Waarschijnlijk wil ze gewoon een frisse start maken.'

'We verdienen allemaal een tweede kans.' Hij grijnsde. 'Niet bepaald pijnlijk aan de ogen, hè? De eerste verliefdheid van elk schooljongetje.'

Ik probeerde nietszeggend te glimlachen. 'Wat is er, tussen haakjes, met die transcripties gebeurd?'

Hij schudde zijn hoofd. 'Ze hebben na de hoorzitting alles verzameld. Ik dacht dat ik nog een kopie had, maar...'

'Je hebt geen aantekeningen bewaard?'

'Jawel... maar die heb ik ook moeten inleveren.' Hij laveerde het plein op.

'Twintig minuten geleden zei je nog dat je me het dossier kon bezorgen.' Ik bekeek hem aandachtig. 'Dit heeft toch niets te maken met dat telefoontje van daarnet, hè?'

Ineens vermeed hij mijn blik.

'Zet me hier maar af,' zei ik. 'Ik zal het zelf wel regelen.'

Hij reed het trottoir van het station op.

'Probeer er alsjeblieft begrip voor te hebben, Mike. Het gaat niet alleen om de verzegeling van Justitie, maar het zijn vertrouwelijke patiëntengegevens.' Hij zette de motor af. 'Hebben jullie bij de FBI geen ethische code?'

'Connor, het kan me niet schelen dat je een ethische code hebt. Maar doe alsjeblieft niet alsof je incompetent bent. Ik denk dat we allebei beter weten.' Ik deed het portier open. 'In elk geval bedankt voor de lift. En voor het ontbijt.'

'Je zag eruit of je daar wel aan toe was.' Hij wachtte, terwijl ik al buiten de auto stond. 'Mike?'

Ik keek naar hem om.

'Ik weet wat jou is overkomen,' zei hij. 'Over de dood van je moeder, bedoel ik. Dat zat in je dossier.'

'Geweldig.'

'Niet dat ik op zoek was naar die informatie, maar toen ik erachter kwam... Ik wilde je alleen maar laten weten dat ik het begrijp.'

'Is dit bedoeld om me te helpen bij het vinden van een vermist kind?'

Hij hield zijn mond, en hij liep rood aan. 'Het zou kunnen. Ik bedoel, ik begrijp de last die je je op de hals hebt gehaald. En wat je zonet zei... over dat je je geloof in verlossing bent kwijtgeraakt... Het zette me aan het denken. Misschien is het helemaal niet erg om het verleden los te laten.'

Ik haalde mijn schouders op. 'Stel dat iemand je vertelde dat hij zich schuldig voelde aan de dood van een medemens. Zou je dan tegen hem zeggen om het verleden los te laten?'

'Niet met zo veel woorden. Maar: ja.'

'En als hij echt schuldig was?'

Hij aarzelde. 'Er is niets wat niet vergeven kan worden,' zei hij. 'Behalve de weigering om te worden vergeven.'

'Dit is dan een punt waarop we het oneens zijn,' zei ik. 'Sommige mensen verdienen geen tweede kans.'

'Ik bel je dus vanuit mijn riante kantoor op het hoofdbureau van politie van Dyer County,' zei ik tegen Peggy. 'Vanmorgen werd ik wakker in de bajes, en twaalf uur later zit ik tot mijn nek in de paperassen. Niet slecht voor een eerste werkdag.'

'In dit tempo krijg je de verdachte nog te pakken voor de overplaatsing een feit is,' zei Peggy. 'Hoe voelt dat?'

'Ik zou me heel wat beter voelen als iedereen niet zo vastbesloten was om die vent aan de paal te nagelen. Begrijp me goed: op het eerste gezicht is Frizelle de perfecte verdachte. Met zijn strafblad en een notoire rancune jegens het slachtoffer. Intussen duiken als paaseieren overal bewijzen op.'

'Soms gaat dat gewoon zo. Het hoeven niet altijd hersenkrakers te zijn.'

'Er zijn twee problemen,' zei ik. 'Ten eerste past Frizelle niet in het profiel van de moordenaar. Onze verdachte gaat nauwkeurig en methodisch te werk, trefzeker. Frizelle kan amper zorgen dat hij uit de gevangenis blijft. Wat nog veelzeggender is: er staat op zijn strafblad niet één arrestatie wegens een geweldsdelict. Niet eens voor een vuistgevecht.'

'Hoe zou je de aanklacht wegens aanranding dan willen noemen?'

'Ontucht. Hij was achttien, het meisje een jaar jonger. Ik bedoel gewoon dat hij waarschijnlijk een verachtelijke klootzak is. Maar als hij niet degene is die Dale heeft omgebracht, dan heeft híj het kind niet. Wat me op een ander probleem brengt: Archer koestert een enorme wrok tegen Frizelle. Die schijnt van heel lang geleden te dateren.'

'En wat is je derde probleem?'

'Ik zei alleen twee.'

'Er is er altijd één dat je me niet vertelt,' zei ze.

'Ik heb het eigenaardige gevoel alsof ik hier onder een microscoop lig. Heb ik jou ooit over mijn familie verteld?'

'Alleen dat je er niet over wilt praten. Hoezo?'

Ik vertelde haar over mijn gesprek met Connor, waarna ik mijn adem inhield toen ik naderende voetstappen hoorde. 'Elke familie zal zo zijn geheimen hebben,' zei ik uiteindelijk. 'Maar er is iets heel raars met de Archers aan de hand.'

Er werd op de deur geklopt.

'Moet je ophangen?'

'Zo te horen wel,' zei ik. 'Misschien zoek ik er gewoon te veel achter, Peg. Ik bedoel: als Pete en Mary onschuldig zijn, waarom zouden ze dan vluchten?'

'Hoe weet je dat ze zijn gevlucht?'

'Daar zeg je zo wat.' Ik hing op, waarna ik de deur opendeed. Brigadier Ada Rosario stond op de gang, met een stapel dossiers in haar armen.

'Je wilde me spreken, agent Yeager?'

Ik gebaarde naar een stoel. 'Heeft de sheriff verteld waarnaar ik op zoek ben?'

Ze knikte. 'Dat wil heel wat zeggen, dat je om mij vraagt.' Ze wierp een blik op een kartonnen doos naast de deur. J. TIPPET, LT. RECHERCHE, stond er op het kaartje dat er los op lag. 'Rechercheur Tippet is vast niet erg blij dat je blijft.'

'Nee, dat zal wel niet.' We moesten er allebei om glimlachen. 'Hou je je een beetje op de been, Ada?'

'Prima,' zei ze. 'Ik wil aan het werk.'

'Je bént aan het werk.' Ik gaf de paperassen op mijn bureau aan haar. 'Dit gaat vanavond de deur uit. Ten eerste een verzoek om het dossier van Cassandra op het kantoor van de procureur-generaal van Nevada te openen. En ook een verbod om het land te verlaten. Ben je daar bekend mee?'

'Jawel,' zei ze.

'Goed zo. Als we kunnen bewijzen dat Frizelle de staatsgrens over is gegaan terwijl hij wist dat hij werd verdacht, hebben we tenminste iets tegen hem. En hier heb ik een lijst gemaakt van chemicaliën en apparaten die zijn gebruikt voor de foto's van Dupree. Morgen gaan ze leveranciers in de omgeving onder de loep nemen... Kijken of ze klanten in Dyer County hebben.'

Ze las de lijst aandachtig door. 'Ilford... Perceptol?'

'Dat is een merknaam,' zei ik. 'Ik ben er bijna zeker van dat dat de ontwikkelaar is die ze hebben gebruikt. Daarmee krijg je een vlekkeloze afdruk zonder korrel. Je levert hiermee wel fijngevoeligheid in om scherpte te krijgen, maar omdat diegene een dode kiekte, maakte dat niet veel uit. Het is er alleen in poedervorm.' Ik ving haar blik. 'Heb jij het hier wel eens gezien?'

Ze schudde haar hoofd.

'Oké, laten we het over de victimologie hebben. We moeten een lijst opstellen van een gedragspatroon: alles waaruit we Cassandra's algehele conditie van vlak voor de ontvoering kunnen opmaken. Eventuele plotseling opgetreden of onverklaarbare verwondingen, nieuwe vrienden, veranderingen in haar leefsituatie...'

Inmiddels was me opgevallen dat Ada's pen niet langer in beweging was. 'Ik zie dat je dit al vaker hebt gedaan,' zei ik.

'Toen Espero werd verm... toen hij overleed. Voor hem hebben we dit ook gedaan.'

Ik knoopte snel in mijn oren dat ze bijna 'vermist' had gezegd. 'Ada, zou je even de deur willen sluiten?'

Ze keek over haar schouder. 'De sheriff wil niet dat deuren hier gesloten zijn.'

'Nou, daar moet hij de eerstvolgende paar minuten maar mee zien te leven.'

Ze keek om zich heen voordat ze de deur dichtdeed. 'Wanneer is je zoon precies overleden?'

'De dokter heeft hem op 27 oktober doodverklaard,' zei ze.

'Dat begrijp ik. Ik vraag wanneer hij is overleden.'

Ze begon haar dossiers recht te leggen. 'Ik begrijp het niet.'

'Ik denk van wel, Ada.' Ik raadpleegde mijn aantekeningen. 'Ik zie dat de zaak-Dupree de plaatselijke codering heeft... sv-adr-10-31. Ik neem aan dat jij degene bent geweest die het dossier heeft geopend?'

Ze knikte. 'Gisterochtend.'

'En waar staat sv voor?'

'*Special Victims* – bijzondere slachtoffers.'

'Juist. Dale werd 31 oktober vermoord, vandaar de code 10-31, zou ik zeggen...'

Het bloed trok uit haar gezicht weg.

'Maar daarna is hier op 13 oktober nog een sv-dossier geopend,' zei ik. 'Waarin wordt gevraagd naar een spoor van een recent type zwarte terreinwagen met vierwielaandrijving en getint glas. Was dat het voertuig waarmee je zoon is overreden?'

'We hebben niet gezien wie hem heeft overreden.' Haar stem was flinterdun. 'Waarom vraag je dat aan mij?'

'Je initialen staan op beide dossiers,' zei ik. 'Ada Delfina Rosario: adr.'

Ik nam mijn petje voor haar af; ze knipperde niet eens met haar ogen.

'Dat was een vergissing,' zei ze na een tijdje. 'Dat dossiernummer bestaat niet.'

'Hier niet, in elk geval. Maar degene die de dossiers heeft gelicht, heeft kennelijk vergeten de verkeerspolitie van Nevada te bellen om het verzoek te annuleren.'

Ze ademde voorzichtig in. 'Je laat me dingen denken die ik niet wíl denken.'

'Ada, je hebt me verteld dat je zoon is doodgereden. En nu kom ik tot de ontdekking dat hij al tien dagen voor je het lichaam vond, werd vermist.'

'Ik heb niet tegen je gelogen, Mr. Yeager. Ik heb je verteld hoe hij om het leven is gekomen.'

'Luister, het spijt me.'

'Nee, niet waar. Beweer alsjeblieft niet dat het je spijt. Iemand heeft hem, mijn zoon, de bergen op en af gesleurd en hem voor de prairiewolven achtergelaten. Het was zo erg dat we voor de begrafenis zijn kist niet eens konden openmaken. Snap je het nu? Of wil je dat ik je de foto laat zien die ze hebben genomen?'

'Als niemand het voertuig heeft gezien waarmee hij is overreden, hoe wist je dan dat we naar die terreinwagen moesten gaan zoeken?'

'Ik zei je toch dat het een vergissing was?' zei ze. 'Mijn broer heeft die auto gezien, maar dat bleek niet te kloppen. En ik dacht...'

'Wat dacht je?'

Ze sloeg haar hand voor haar gezicht. 'Ik denk dat je iemand anders moet zoeken om je te helpen, Mr. Yeager.'

'Ada, was Cassandra het eerste kind dat was ontvoerd?'

'Maakt het enig verschil?'

'Als ze niet de eerste was,' zei ik, 'is ze misschien ook niet de laatste.'

Ada staarde een hele tijd naar haar handen: zonder één enkel sieraad, fijn en sterk. Uiteindelijk keek ze me weer aan. 'Dan is ze volgens mij niet de laatste.'

Er werd op de deur geklopt.

'Wat is er?' vroeg ik.

Brigadier Clyde stak zijn hoofd om de hoek. 'De sheriff wil u spreken, beneden in de garage.'

'Zeg dat ik er meteen aankom.' En omdat Clyde zich niet verroerde: 'Bedankt.'

Clyde keek met een kwaad gezicht naar mij en toen naar Ada.

'Vertel me eens, brigadier Rosario,' zei ik, terwijl Clydes voetstappen in de gang weergalmden, 'wat gaan jij en ik hieraan doen?'

'Vraag me dingen die ik kan doen.' Ze veegde langs haar ogen. 'Laat me geen dingen doen die ik niet kan.'

'Wat bijvoorbeeld?'

'Ik ga niet tegen de sheriff in.'

'Heeft hij gezegd dat je dat opsporingsbevel voor het voertuig moest intrekken?'

Ze zei niets.

'Juist. Ik neem aan dat je toegang hebt tot dossiers betreffende de regio.'

Ada knikte.

'Ga naar de rechtbank en licht alles wat ze hebben over de hoorzitting van de Duprees in verband met de voogdij. Ik ben met name geïnteresseerd in een verhoor dat ze Cassie hebben afgenomen. Denk je dat het op een zondagavond zal lukken?'

'De man achter de balie valt op me,' zei ze. 'Is dat alles, of...'

Ik schudde mijn hoofd. 'Ik wil ook de namen van iedere geregistreerde seksuele delinquent in Dyer County.'

'Die hebben we niet,' zei ze. 'Dat zou sheriff Archer nooit goedvinden.'

'Misschien wel, misschien niet. Wil je me helpen?'

'Vertel jij de sheriff dan maar dat jij het me hebt gevraagd.' Het was geen vraag.

'Natuurlijk, als ik je daar een genoegen mee doe.'

'Ik denk dat dat beter is.' Ze stond op. 'Je moet de sheriff maar niet laten wachten, agent Yeager. Dan denkt hij nog dat het mijn schuld is.'

'Ada?'

Bij de deur bleef ze staan.

'Je zoon zou trots op je zijn.'

Maar haar ogen waren donker en leeg toen ze zich omdraaide.

TWEEËNTWINTIG

Archer stond me bij de lift op te wachten. Ik zag rossig stof op de hakken van zijn laarzen.

'Ik dacht dat ik jou moest komen ophalen,' zei hij.

'Ik moest wat administratie afhandelen,' zei ik. 'Hoe is het vandaag in de bergen gegaan?'

'Ik heb mijn kleindochter niet gevonden.' Hij keek me even aan. 'Heb jij het een beetje met Robbie kunnen vinden?'

'Niet zo best,' zei ik. 'Zijn ouders zouden wel eens een sta-in-de-weg kunnen zijn.'

'Martha is niet mis,' zei hij. 'Maar jij zou haar prima aankunnen. Naar wat ik heb gehoord, heb je het klaargespeeld dat iemand in Reno van de staatspolitie tegenwoordig uit je hand eet.'

'Ik vroeg hem foto's van Dales pick-up op te sturen,' zei ik. 'Zijn die er al?'

'Beter nog.' Hij duwde de deur van de garage open. 'We hebben de pick-up.'

En daar stond hij, aan het begin van de oprit: dezelfde rode Ford, dezelfde halvetonner die ik de parkeerplaats van het Silver Star Cafe op had zien scheuren. Nu duwden twee chauffeurs van de verkeerspolitie van Nevada hem omlaag over de oplegger van een vrachtwagen. Een ploeg agenten, onder wie Clyde, stond paraat om er beslag op te leggen.

'Heeft iemand een vinger naar het interieur uitgestoken?' vroeg ik aan een van de verkeersagenten.

Hij schudde zijn hoofd. 'Alleen om het voertuig te identificeren en om hem in z'n vrij te zetten. U zei dat we ermee om moesten gaan als met bewijsmateriaal op een plaats delict.'

'Zorg dat er een fotograaf komt,' zei ik. 'En iemand om monsters te nemen.'

Er zaten twee kleuren stof op de pick-up: oud stof, blauwachtig grijs, zat op de wielkasten en koplampen gekoekt. Er liep een koperbruine streep over de motorkap en de voorruit. Dezelfde kleur als die op Archers laarzen.

'Dat grijze stof is van hier,' zei Archer. 'De rest hebben ze waarschijnlijk in het noorden opgedaan. Zie je die steentjes in het loopvlak van de banden? Het lijkt wel of Wild Pete met alle geweld een spoor van vonken wilde achterlaten.'

Het team van de plaats delict verscheen, waarna we ons het volgende halfuur met de hele buitenkant van het voertuig bezighielden. Ten slotte was ik aan de cabine toe.

'Het is binnen wel erg schoon,' merkte de fotograaf op. 'Wat is dat voor geur, een poetsmiddel?'

Een van de andere politiemannen gniffelde. 'Zo te zien was Pete vast van plan de borgsom van zijn verzekering terug te verdienen.'

Schoon was het inderdaad. Zo blinkend en keurig als een auto die rechtstreeks uit de showroom kwam.

'Eronder bespeur ik nog een ander luchtje,' zei ik. 'Chloor. Sheriff, kom eens naar het dashboard kijken.'

Hij boog zich om naar binnen te kijken. 'De naald staat op nul. Volgens mij hadden ze geen zin om te stoppen om te tanken.'

'Wie weet.' Ik wendde me tot de verkeersagent. 'Jullie hebben de pickup toch na zonsondergang gevonden? Was dit de stand van het contact?'

'*No sir*, daar is aan gedraaid. Zoals ik al zei.'

'Dus de koplampen stonden aan.' Voorzichtig draaide ik aan de schakelaar op het dashboard. De lampen floepten aan. 'Het kan onmogelijk dat de lampen van acht uur 's morgens tot na zonsondergang continu hebben gebrand. Niet zonder de accu uit te putten. Tenzij...'

'Tenzij de motor liep.' Er lichtte iets op in Archers ogen. 'Ze wílden dat we 'm zouden vinden.'

'Hé, kijk daar nou.' Clyde boog zich over de passagiersstoel.

'Clyde, ga daar ogenblikkelijk weg,' zei ik. 'We hebben er nog geen afdrukken van gemaakt.'

'Ja, maar er ligt iets vast onder de zitting...'

Nu verdrongen alle politiemannen zich om hem heen.

'Druk dan op die knop.'

'Dat heb ik al gedaan,' gromde Clyde. 'Het voelt alsof iemand zijn jack eronder heeft gepropt. Er zit olie op...'

Ik liep om de pick-up heen. 'Clyde, godverdomme.'

'Jezus, verrek.' Clyde rukte zijn handen los, kleverig van een donkere vloeistof.

'O jee,' zei iemand achter me. 'Dat is geen olie.'

DRIEËNTWINTIG

Het kostte de monteur twintig minuten om de stoelen uit hun rails te lichten. Inmiddels hing de geur van bloed al in de hele garage. Archer stond er stokstijf bij toen een politieman Cassies beagle op een schoon stuk plastic legde. Toen het dier langs hem heen werd gedragen, zag ik dat hij in elkaar kromp.

'Hel en verdoemenis.' Vervolgens draaide hij zich op zijn hakken om en liep weg.

De sheriff zat met zijn rug naar me toe toen ik zijn kantoor binnenstapte.

'Sheriff...'

'Die pup heeft ze van mij voor haar verjaardag gekregen,' zei hij. 'Zij heeft een kaart voor me gemaakt – die heb ik hier ergens liggen – een foto van mijn kleindochter. Met haar pup.' Hij draaide zich om met een van woede vertrokken gezicht. 'Eerder op de dag vertelde je me wat het betekende als ze de hond afmaakten.'

'Het betekent dat er geen weg terug is,' zei ik. 'Als de verdachte die grens eenmaal over is, is het alleen nog maar een kwestie van tijd voor hij...'

'...Háár afmaakt.' Archer klemde zijn kaken op elkaar. 'Met "verdachte" heb je het nog altijd over Pete, neem ik aan?'

Ik ademde in. 'In dit stadium heb ik geen idee.'

Hij zette grote ogen op. De telefoon ging over voor ik verder nog een woord kon zeggen. 'Goed,' zei hij in de hoorn. 'Zeg dat hij maakt dat hij hier komt. Het is nota bene zijn eigen verrekte verhoor.' Hij smeet de hoorn neer.

'Sheriff, ik denk dat het tijd wordt om over mijn bezoek aan het huis van je dochter te praten.'

'Yeager, dat heb ik al tot in de finesses van Martha en Gavin gehoord. Eerlijk gezegd heb ik belangrijker zaken aan mijn hoofd dan de stijfkoppigheid van mijn kleinzoon. Ik heb je maar voor één ding nodig, en dat is om me te helpen mijn kleindochter te vinden.'

'Dat is nou net wat ik probeer te doen.'

'O ja? Weet je zeker dat er hier geen sprake is van een beetje FBI-kont-draaierij? Vanmorgen nog zei je dat Pete Frizelle de kwaaie pier was. En nu beweer je dat hij onschuldig is?'

'Wil je me even laten uitpraten?'

Hij gebaarde naar een stoel. Ik nam plaats.

'Als we ons steeds op de verkeerde man concentreren, kunnen we Cassandra wel vergeten,' zei ik. 'Eerst moeten we inzicht krijgen in het motief. Uit wat we hebben gezien, heeft dit steeds minder weg van een simpele ontvoering uit gefrustreerd ouderschap.'

'Met andere woorden: dat hele relaas dat je tegen me afstak, sloeg helemaal nergens op.'

'Nergens op... Misschien. Maar het was in elk geval niet volledig. Dat wraak het motief is, is duidelijk. Maar geen wraak op Dale. Dale is dood. De vraag is: wie wil de moordenaar laten boeten? Hij neemt foto's, en hij stuurt ze naar jou. Hij kidnapt je kleindochter. Hij laat de pick-up met opzet achter op een plek die in het oog springt, zodat je geheid zult zien wat er met de hond is gebeurd. Dit is allemaal tegen jou gericht, sheriff. Ga me niet vertellen dat dezelfde gedachten niet in jouw hoofd zijn opgekomen.'

Hij trok een wenkbrauw op. 'En jij vindt niet dat alles in de richting van Frizelle wijst?'

'Ik ken de man niet. Uitgaande van wat ik heb gezien: nee. Op dit moment is brigadier Rosario in het gerechtsgebouw dossiers voor me aan het lichten. Wie weet zal dan alles weer naar Frizelle leiden. Maar zo niet... Ik heb haar ook gevraagd de namen van geregistreerde zedendelinquenten in Dyer County op te snorren.'

'We hebben in Dyer County geen zedendelinquenten,' zei hij zonder blikken of blozen. 'Tenzij je Pete meetelt.'

'Sheriff, wat weet je eigenlijk over Frizelle?'

'Genoeg om te weten dat je hem nauwelijks menselijk kunt noemen.'

'Is hij schoon? Lichamelijk, bedoel ik?'

De sheriff gnoof. 'Al niet op het moment dat hij werd geboren.'

'O nee? Want dat is onze verdachte wel. Op het neurotische af. Je hebt de binnenkant van die auto gezien. Die sopt hij niet alleen maar uit. Hij wrijft alles in met allesreiniger om de geur van chloor weg te werken. Dat gaat verder dan voorzorg. Dat is regelrechte obsessie.'

'Als jij in een bebloede pick-up zou rondrijden, zou jij dan niet vijf minuten de tijd nemen voor een sopje?'

'Waar doet hij dat dan? Bij het tankstation om de hoek? Niemand rijdt urenlang rond terwijl hij onder het bloed zit, en dan gaat hij niet de bergen in voor een schoonmaakbeurt. Ik durf te wedden dat jullie in de afvoer van de woonwagen van de Duprees heel wat bloed en zeep zullen vinden.'

Hij zweeg nadenkend. 'Dat hebben we al gedaan.'

'Het is te simpel, sheriff. Die Ford was precies op de plek neergezet waar we hem verwachtten te vinden. Heb je trouwens gekeken hoe de spiegels waren gericht? En hoe de stoel ten opzichte van het stuur was opgesteld? Hoe lang was degene die als laatste in die pick-up heeft gereden?'

'Eén meter negenenzeventig,' zei hij. 'Om en nabij.'

'Precies de lengte van Pete Frizelle. Waarom zou iemand die zo zorgvuldig is om op de foto's zichzelf uit beeld te houden – en zo slim is om nergens bloedsporen of vingerafdrukken achter te laten – zo stom zijn om de spiegels aangepast aan zijn lengte te laten?'

Archer trommelde met zijn vingers op het bureaublad. 'Wat wilde je zeggen over je bezoek aan Martha?'

'Ik denk dat Robbie iets weet. Ik heb geen idee hoeveel. Martha en Gavin schijnen bang te zijn voor waar de vragen heen zullen leiden als hij eenmaal gaat praten. Gavin had zitten zinspelen op gebeurtenissen uit het verleden...'

'Gavin moet zich tot preken beperken en het politiewerk aan professionelen overlaten.'

'Hij schijnt tot op zekere hoogte je vertrouwen te genieten. Wat zat er precies in die envelop die je hem vanmorgen gaf?'

'Zijn toekomst.' Archers lip krulde lichtjes. 'Hij heeft nu nog een toekomst, zo lang hij niet vergeet wie hem hier op poten heeft gezet.'

'Ik ben ervan overtuigd dat hij je dinsdag niet zal vergeten,' zei ik. 'Hier is er nog een voor je collectie.' Ik gaf hem de strook fotopapier die ik in mijn jack had gemoffeld.

'Die heb ik net laten afdrukken,' zei ik. 'Ze zijn afkomstig van de negatieven die ik in de Sweet Charity vond. Die zul je wel herkennen, omdat ze bij dezelfde serie horen die je hebt verbrand.'

Hij fronste zijn voorhoofd. 'Wat is dat op de laatste, die in het midden is afgeknipt? Het enige wat ik zie is een meisje...'

'De laatste opname van het rolletje,' zei ik. 'Je zult Mary's bikini van de Amerikaanse vlag wel herkennen die over het bed hangt.'

Hij draaide de strook om. 'Ik had durven zweren dat ik je dat filmpje had zien weggooien, Yeager. Waar is het negatief?'

'Veilig,' zei ik. 'Ik heb deze afdruk niet zomaar gemaakt om je te choqueren. Ik wilde je laten inzien waarom de moordenaar anders te werk gaat dan Pete Frizelle. Heb jij de foto's van Dupree nog?'

Hij keek me met scheve ogen aan. Toen graaide hij in zijn bureau en gaf me het mapje.

'Zie je wat er met het negatief in Petes camera gebeurt als die wordt opgeblazen tot briefkaartformaat? Een grove korrel... iets minder scherp. Vergelijk die nu eens met de foto's van de moordenaar.' Ik hield ze naast elkaar omhoog. 'Praktisch zonder korrel en haarscherp. We hebben het hier over een negatief van groot formaat – materiaal van achttien bij tien, kan ook groter. De camera moet van het type voor portretfotografie zijn. Zoals beroepsfotografen gebruiken.'

'Zoals die camera van jou misschien.'

'Misschien. Maar het is uitgesloten dat deze foto's met Petes Nikon zijn gemaakt. De camera van de moordenaar weegt... laten we zeggen een kilo of zeven, als je de randapparatuur meerekent. En dan hebben we het niet over statief, lampen en reflectors...'

'Het moordwapen?'

'Alles bij elkaar... minstens twintig kilo. Dat is heel wat om te voet mee te sjouwen. Dus moet de moordenaar sterk genoeg zijn om met een mes te zwaaien, maar ook zo lenig dat hij in een klein keukentje uit de voeten kan. En hij is bekend met de technieken van de politie. Dat staat vast. De pick-up was met de lichten aan weggezet, zodat hij pas zou worden gevonden nadat was vastgesteld dat het ding belangrijk bewijsmateriaal was.'

'Jij wilt me wijsmaken dat een politieman deze foto's heeft genomen,' zei hij. 'Of misschien wel een commissaris.'

'Misschien een wanna-be politieman, een beveiligingsbeambte. Iemand die op de politieacademie is mislukt of een promotie is misgelopen.'

'Of iemand die eropuit is gestuurd door de FBI?' Hij tastte achter zich naar de Bull Durham-tabak, doodgemoedereerd.

'Sheriff,' zei ik. 'Als je denkt dat je mij de zaak in de schoenen kunt schuiven, ga je gang.'

'Yeager, dat had ik al gedaan voor je hier een voet binnen had gezet.' Hij nam alle tijd om een sigaretje te rollen. 'Je bent net als die indianen die zich elk jaar met Goede Vrijdag aan het kruis nagelen. Hoe meer ze bloeden, denken ze, hoe heiliger ze worden. Die doen het tenminste maar één keer per jaar.'

'Ik doe alleen mijn werk.'

'Mannen als jij hebben geen werk. Wat die hebben, zijn kruistochten.' Hij stak zijn sigaret aan. 'Er gaan heel wat mensen dood tijdens kruistochten. Zoals dat Mexicaanse jongetje in Philadelphia – hoe heet hij ook alweer?'

'Ik denk dat je nog heel goed weet hoe hij heet.'

'Tonio Madrigal,' zei hij. 'Je bent er in het oosten vast een populair ventje mee geworden bij de kranten. Het lijkt wel of je in elk artikel dat ik las iets heel intelligents wist te melden – precies zoals wat je mij nu op de mouw speldt. Jammer dat het allemaal niet het leven van dat jongetje heeft kunnen redden.' Hij blies een wolk grijze rook uit. 'Of heb ik het mis? Wat denk jij?'

'Maakt het iets uit wat ik denk?'

'Het maakt iets uit als de kans zou bestaan dat het leven van mijn Cassie afhangt van jouw oordeel.'

'Oké,' zei ik. 'Wat wil je weten?'

'Die jongen Madrigal, wat betekende hij voor jou?'

'Ik heb hem nooit ontmoet,' zei ik. 'Ik kende zijn vader. Iedereen in Philadelphia kende Sandalio Madrigal en iedereen mocht hem graag. Hij was een hoge pief in de onroerendgoedhandel. Zeven kinderen van twee vrouwen... De oudste zoon, Baldomero studeerde in Harvard. Strebers waren het.'

'Dan had hij vast grootse plannen met Antonio.'

'Tonio was doof. Ik denk dat dat een teleurstelling was voor de Madrigals.' Ik haalde even adem. 'Hoe dan ook, je kent de feiten. Op 14 juni, 's middags om twee uur, verdwijnt Antonio. Geen spoor van worsteling, geen getuigen... en geen verdachten. Sandalio Madrigal scheen geen vijanden te hebben. Twee weken later ontvangen ze op zijn kantoor een foto als bewijs dat de jongen in leven is. Hij is er verschrikkelijk aan toe. En pal over hem heen is de schaduw van een naakte man te zien.'

'Jezus.'

'Toen ik de foto zag, wist ik: dit was in geen geval een ontvoering voor losgeld. Zoals ik al zei: zodra zekere fysieke grenzen eenmaal zijn overschreden... Het ergste was het wachten. Voor het eerst voelde ik diepe haat jegens de verdachte. Niet alleen de behoefte om hem tegen te houden. Ik wilde...'

'Je wilde hem zijn ballen afrukken en ze door zijn strot proppen,' zei Archer.

'Ja,' zei ik. 'Ik wilde hem zien lijden. En des te meer toen ik die bewijsfoto beter ging bekijken. Tonio stak zijn rechterhand omhoog – in verzet, dacht ik. En er lag een afgrijselijke uitdrukking van herkenning in zijn ogen. Hij kende zijn ontvoerder heel goed. Een week later hebben we de vader van het jongetje gearresteerd.'

'En dat allemaal vanwege een foto?'

Ik schudde mijn hoofd. 'Sandalio beantwoordde aan het profiel. Hij was om onverklaarbare reden afwezig toen zijn zoon als vermist werd aangegeven. Hij had geregeld dat een secretaresse de brief met de eis om losgeld openmaakte. Dat doen verdachten vaker als ze bang zijn dat ze geen oprechte verbazing kunnen simuleren. Toen ik met hem sprak, leek hij angstig... maar voornamelijk om zijn eigen reputatie. Hij bleek heel wat te verbergen te hebben. Zijn ex-vrouw liet me foto's zien van de blauwe plekken die hij haar en het kind had bezorgd. Toen... vonden we de camera waarmee de bewijsopnamen waren gemaakt. Rond de derde dag van de ondervraging had ik een enorme afkeer voor die schoft opgevat. Hij leek absoluut geen berouw ten opzichte van zijn zoon te voelen. Als je hem zo hoorde, zou je bijna denken dat hij zelf het slachtoffer was.'

'Maar uiteindelijk wist je hem te breken,' zei Archer.

'Ik heb hem inderdaad gebroken,' zei ik. 'Maar niet zoals ik dat had gewild. Sandalio Madrigal verhing zich in zijn cel. Hij heeft nooit bekend. Vervolgens ontvingen we nog een foto van Tonio... Dood. Ditmaal was de fotograaf nonchalant geworden en had zijn DNA achtergelaten. Bloed en sperma. Van de oudste zoon.'

'Die jongen van Harvard?'

'Tonio's stiefbroer,' zei ik. 'Het begon als wraak op zijn vader... Later, zei hij, kreeg hij de smaak te pakken. Toen ik hem de boeien omdeed, glimlachte dat joch naar me en zei: "Zonder jou had ik het niet gekund." En ik wist dat hij gelijk had.'

'Omdat je je had vergist wat betreft de vader.'

'Omdat ik de foto finaal verkeerd had uitgelegd. Tonio stak zijn hand niet uit protest op. Het was bedoeld als gebarentaal – een letter: de B van Baldamero. Hij had geprobeerd via de foto te communiceren. Ik was zo op mijn verdachte geconcentreerd – op de verkeerde – dat ik het niet goed begreep.'

Archer fronste zijn voorhoofd.

'Vandaar dat ik vertrok, sheriff. Ik kon niet riskeren dat zoiets nog eens zou gebeuren.'

'En toch ben je hier.'

'Hier ben ik.'

Er werd op de deur geklopt. 'Binnen.'

Het was Tippet. En hij had zijn verrekte naamplaatje in zijn hand.

'U hebt me geroepen, sheriff?'

'Ik wilde alleen maar weten waar je uithing, Tip. Ik dacht dat je blij zou zijn om dat te horen. Mike heeft die pick-up weten te vinden. De afdrukken zijn al vastgelegd.'

'Ja.' Hij wierp me een duistere blik toe. 'Ik heb de zaken van vanmorgen afgerond. Met alle respect, sir: het zou mijn aanpak niet zijn geweest.'

'Genoteerd,' zei Archer. 'Verder nog iets?'

'Mijn... kantoor zit op slot.'

'Het kantoor van agent Yeager, zul je bedoelen' antwoordde hij. 'Goedenavond, inspecteur.'

Een walm van benzine en verschroeid plastic volgde Tippet de deur uit.

'Wat zou zijn aanpak niet geweest zijn?' vroeg ik.

'Tip schijnt een zwak voor die zwoegende meiden te hebben.' Archer fronste zijn voorhoofd. 'Zijn we hier klaar?'

'Ik zou die foto's nog wat beter willen bekijken.'

Even verstrakte hij, waarna hij het dossier naar me toe schoof.

'Tussen háakjes,' zei hij. 'Je kleinzoon heeft een interessante theorie over dit alles. Hij schijnt ook niet van mening te zijn dat Pete schuldig is.'

Archer schonk me een bleek glimlachje. 'O nee? Wie is zijn hoofdverdachte dan?'

'Iemand die de Schaduwvanger heet,' zei ik. 'Goedenavond, sheriff.'

'Goedenavond.' Archers stem klonk zo ijl als rook.

VIERENTWINTIG

De foto's van de Sweet Charity waren zo goed als zeker vanuit een verborgen positie genomen. De randen waren wat groezelig, alsof ze opgeprikt waren geweest. Op de afgeknipte foto hurkte Mary Dupree over haar onzichtbare klant heen. Het enige wat je van hem kon zien was een paar cowboylaarzen.

Ik legde Frizelles foto's weg en wijdde me weer aan de serie van Dupree. Eens te meer was ik vol bewondering over de kwaliteit van de fotografie – zo erg, dat ik mezelf eraan moest herinneren dat de opnamen niet voor míjn plezier waren gemaakt. De uitblinker was nummer 21: de close-up van de verwonding aan Dales hals. Het was de enige foto die vanuit kikkerperspectief was genomen en de enige met een klein diafragma. Van al die foto's leek het alsof op nummer 21 iets menselijks van het slachtoffer te zien was. Je kon de haartjes op Dales pols tellen. Je kon de smalle streep zien waar zijn trouwring had gezeten. En de ring van het Korps Mariniers aan zijn pink.

'Wacht eens even,' mompelde ik.

Ik pakte de loep en boog me er dichter overheen. In Dales nek, een haarbreedte van de ruggengraat, zat een wond, een rond gat: een millimeter of zeven in doorsnede en met gave randen, van een ijsprikker of een bijgeslepen schroevendraaier. Die was bijna volledig overschaduwd door het letsel van de onthoofding.

'Daar hebben we de achterbakse aanval,' zei ik. 'De klootzak stond vlak achter Dale en stak vervolgens toe.' Dat zou kunnen. Hem ombrengen met één snelle haal door de hersenstam. Dan zou Dale dus dood zijn geweest voor hij de grond raakte. Die had zijn doel op nog geen centimeter na gemist.

Het werd al laat, en Ada was nog altijd niet van het gerechtshof teruggekeerd. De administratie die ik haar had laten doen was al af en lag keurig opgestapeld op haar bureau; ze was zelfs al begonnen aan een lijst van leveranciers van fotospullen. Maar Ada zelf was nergens te bekennen. Drie telefoontjes naar het secretariaat leverden alleen een automatische boodschap op, dus uiteindelijk besloot ik er zelf naartoe te gaan om een kijkje te nemen. Ik was halverwege de deur uit, toen ik me realiseerde dat de Dupree-foto's nog op mijn bureau uitgespreid lagen. Ik bedacht dat ik ze beter beneden in de bewijskluis kon leggen – en herinnerde me vervolgens dat, althans in dit geval, Archers bureau als bewijskluis diende. Uiteindelijk liet ik ze naast de negatieven van de Sweet Charity in de voering van mijn jack glijden. Als laatste voorzorgsmaatregel kieperde ik Tippets asbak op de drempel leeg. Je kon nooit weten wie er verder nog een sleutel van mijn kantoor had, maar ik zou op die manier tenminste weten of er iemand was geweest.

Het gerechtshof van Dyer County was een oud victoriaans gebouw dat de indruk wekte dat het in het leven was geroepen als opera. Ik stak resoluut de binnenplaats over, waar mijn laarzen over het bevroren gras knerpten. Toen ik bij de vlaggenstok was beland, was ik er vrij zeker van dat iemand me observeerde.

'Hallo?' Ik kon geen kant op zonder dat ik werd verblind. Het hele plein was verlicht als het Philadelphia Stadium. Ik hoorde nog een paar laarzen in het droge gras, verscholen buiten de schijnwerpers. Twintig meter rechts van mij.

'Wie is daar?' De voetstappen versnelden. Lange passen. Ik hield mijn toon luchtig. 'Wat een rotweer, hè?'

Er kwam geen reactie. En geen geluid. Ik liep door. Toen hoorde ik een autoportier dichtvallen. Een achtcilindermotor kwam tot leven, waarvan de ventilatorriem jankte. Kapotte koplampen schenen zwakjes, terwijl de witte Silverado in z'n twee werd gezet. Het was te donker om er naar binnen te kunnen kijken en er was geen kentekenplaat. Maar toen de pickuptruck de hoek om glipte, zag ik een bumpersticker van Wild Pete's Casino.

'Ik heb tegen Ada gezegd dat ze niet alles mag meenemen.' De secretaresse, een mollige gnoom, leidde me door een wirwar van boekenkasten. 'Ik kon niet veel meer doen dan haar de inventarisatielijst laten zien. Ik was anders al weg geweest, maar ze beloofde dat ze zo terug zou zijn. Maar ja, dat deed Jezus ook, volgens mij.'

De kelder had een laag plafond en geen ramen. Leidingen liepen langs de betonnen muren, waar ze stoom uitzweetten op de houten archiefkasten. Het rook er overal naar oud papier en roest.

'Heeft brigadier Rosario gezegd waar ze naartoe ging?'

De secretaresse schudde haar hoofd. 'Maar ze was helemaal over haar toeren. Die arme vrouw vreet alles in zich op. En, weet u, haar familie heeft zich volledig tegen haar gekeerd vanwege die vreselijke toestand met Espero.'

'Hoezo?'

De secretaresse keek me argwanend aan. 'Ik dacht dat je detective was. Heb je ooit een trouwring aan Ada's linkerhand gezien?'

'Ik dacht niet dat dat tegenwoordig veel uitmaakte.'

'Voor sommigen wel,' zei ze. 'Die Rosario's zijn trotse mensen. Ze zijn hier al zo lang... al toen dit nog allemaal Mexico was.' Ze nam een enorme hap adem. 'Ik ben veel te oud en te dik voor dit werk. Oké, hier was Ada aan het zoeken. Zoals ik ook al tegen haar zei: er gaat niets de deur uit. Duidelijk?'

'Glashelder.'

'Ik meen het, hoor. Je wilt toch niet dat ik je ga fouilleren?'

Dat was één waarschuwing die ik vast van plan was in mijn oren te knopen. Ik bladerde net zo lang door de dossiers van voogdijzaken tot ik bij *Dupree vs. Dupree* kwam. De transcripties bevatten voornamelijk schimpscheuten tussen Pete Frizelle en de rechter:

RECHTER: Mr. Frizelle, mocht u met Mary Frances trouwen, bent u dan van plan haar in haar huidige functie in dienst te houden?

FRIZELLE: Nee, sir, ik ben van plan die fantastische vrijpartijen vierentwintig uur per dag helemaal voor mezelf te houden.

(GELACH)

RECHTER: Vierentwintig uur per dag fantastische vrijpartijen zijn niet bepaald de manier om een gezin draaiende te houden, Mr. Frizelle.'

FRIZELLE: Kan wel zijn, edelachtbare. Maar ik ken geen betere manier om er een te beginnen.

De dossiers waren verdacht dun. VERWIJDERD IN OPDRACHT VAN KANTONGERECHT, stond boven zo ongeveer elk lemma van het documentenoverzicht gestempeld.

'Neem me niet kwalijk,' zei ik. 'U weet zeker toevallig niet waar de evaluaties van de verhoren in de zaak-Dupree zijn?'

'Jongeman, ik wóón niet in deze verrekte dossiers. Ik doe alleen mijn best om de schimmel eruit weg te houden.' Met piepende longen waggelde ze naar me toe.

'Hier is de laatste map die Ada eruit had gehaald.' DUPREE, CASSANDRA stond er in keurige rode blokletters op het label.

'Maar hij is leeg,' zei ik. 'Niet eens een verslag.'

'Soms verzegelt de rechter de verslagen bij die voogdijzaken.' Haar wenkbrauwen gingen op en neer. 'Vooral wanneer het een bepaalde gekozen official betreft die een rappel voor de boeg heeft.'

Ik hield de map tegen het licht. Langs de rug zag ik een rij deukjes – zoals de afdrukken die een spiraalblok achterlaat.

'Ik begrijp wat u bedoelt,' zei ik. 'Wat hebben de vijanden van de sheriff volgens u gevonden om tegen hem te gebruiken?'

'Het enige wat ik weet, is dat Rafe een tikkeltje te lang heeft geleefd om zich door een stukje papier te laten verslaan.'

Ze kuierde weg. Ik bladerde nog eens door de transcripties, op zoek naar verwijzingen naar de ontbrekende documenten. Eindelijk vond ik er een:

RECHTER: Nu hebben we het lichamelijke onderzoek van dr. Lund, en ik heb heel aandachtig naar de ondervragingen van Mr. Blackwell gekeken. Vandaar dat ik geen redenen kan vinden om Cassie bloot te stellen aan de marteling om voor het gerecht te verschijnen. Motie afgewezen.

'Sir?' De secretaresse schraapte haar keel. 'Ben je daar soms in slaap gevallen?'

'Deze ruimte is te klein voor alle dossiers die jullie moeten bewaren,' zei ik. 'Hebben jullie geen pakhuis als dependance, of –'

Ze schudde haar hoofd. 'Het budget knelt. Eerlijk gezegd: de helft van de spullen die ze hiernaartoe sturen, wordt na twee jaar versnipperd. De enige rapporten waarin iedereen is geïnteresseerd, gaan over waterrecht. Mensen doen een moord voor water.'

'In de krant stond dat er regen wordt verwacht,' zei ik. 'Een waarschuwing voor een plotselinge overstroming.'

'Mensen lezen de *Ledger* om te weten te komen wat ze niet moeten geloven.' Ze haalde haar schouders op. 'We hebben in Dyer County al vijfentwintig jaar droogte. Ooit kon je legaal water onttrekken aan Cathedral Lake, als je maar kon nagaan dat de vergunning voor je land van vóór 1920 dateerde. Nu is dat zelfs tot voor 1874... en alles is in handen van rijkelui. Alsof we verdomme in een tijdmachine zitten die de verkeerde kant op gaat.'

'Waar is Cathedral Lake precies? Ik kon het niet op de kaart vinden.'

'In de heuvels,' zei ze. 'Is al sinds – o, wel twintig jaar een droge beerput. De mensen noemen het nu Lost Lake. Vroeger was het een zomerkamp, maar ze hebben het moeten sluiten.'

'Omdat het meer was opgedroogd?'

'Door een bosbrand in 1978.'

'Maar wie heeft hier in de omgeving dan nog waterrecht?'

'Nog maar een paar gezinnen,' zei ze. 'De Archers voornamelijk. Alleen houden zij geen vee meer, dus moet de sheriff zijn water verkopen aan die elitebuurt, San Cristobal. Bent u daar bekend?'

'Veiligheid en Rust,' zei ik, het motto boven het hek citerend.

Ze lachte. 'Iemand zou daar "Seniliteit" achter moeten zetten. En die lui maar golf spelen, terwijl onze beesten van hun stokje gaan.'

'Wie heeft er verder nog een claim?'

'De Rosario's.' Ze knipte de plafondverlichting uit. 'Kom, sir. Heb je geen gezellig huis dat op je wacht?'

Ik was halverwege het plein, toen ik in de verte het geloei van brandweerwagens hoorde. Over de zuidelijke horizon lag een vaag oranje gloed. Dat deed me denken aan die benzinelucht aan Tippet.

Mijn auto stond nog altijd bij de Tree of Life-kerk, nog geen kilometer verderop. Ik zette de pas erin, over de snelweg, waar ik over het losse grind van de berm bleef lopen. Het was een koude avond, maar nog altijd helder. Boven mijn hoofd wentelde de jager Orion voorbij, met de Plejaden op zijn hielen. Er ging werkelijk niets boven woestijnsterren.

Even later waren er koplampen achter me, die mijn schaduw over de weg wierpen. Ik ging opzij om plaats te maken. Het gejank van de ventilatorriem was het laatste wat ik hoorde voor de duisternis bezit van me nam.

VIJFENTWINTIG

Een afschuwelijk moment van in de rondte suizen werd gevolgd door een knal van louter zwart. Eén tel later lag ik te staren naar stoom die uit de grille van een oude, witte Chevrolet pick-up oprees. Stof op de gebarsten koplampen. Toen ik aan mijn nek voelde, droop mijn hand daarna van het bloed. Er lachte iemand.

Had de pick-up me geramd? Mijn benen voelden als rubber, maar ze bewogen nog, schurend tegen het grind van de berm.

'Moejekijke,' krakeelde een schorre stem. 'Die ligt in de vernieling.'

'Niet genoeg...'

Iets diks en hards maakte contact met mijn kaak. Vuur barstte in mijn oogkassen los en de koplampen draaiden rond. Ik rolde een goot in, terwijl aarde en steentjes mijn hemd in rolden. Zware laarzen knerpten in mijn richting.

'Is hij bewusteloos?'

'Ssst... Nee, hij komt overeind...'

Een vuurwapen knalde achter me.

Ik kreeg de ruwe bast van een yuccaboom te pakken en trok me op. Nu waren mijn voeten onder me, maar ik kon mijn evenwicht niet vinden. Het lijkt wel of ik een hele tijd heb stilgestaan, dacht ik, en voelde het volgende moment een koud ijzeren rondje onder mijn rechteroor drukken. De loop van een vuurwapen. Een geluid alsof een stalen veer werd aangespannen: vinger om de trekker.

'Eens kijken wat we hebben.' Een stem van staal, vervormd door de bivakmuts.

Ik gaf met mijn rechterhand een knal tegen de loop, waardoor ik hem opzij mepte. Er klonk een luide explosie in mijn oor, gevolgd door een straal grove hagel die langs me heen schoot. Ik keerde me met een ruk om en zag door de rook heen een lange gestalte, met een gezicht dat schuilging onder een kap. Maanlicht weerkaatste in een zilveren gesp waarin een cowboy te paard waren gegraveerd. Ik richtte met mijn laars tien centimeter onder die gesp. Hij jankte. Ik graaide naar het vuurwapen, maar hij trok het meteen terug. Blauwe ballen of niet, dit was wel een héél taai stuk vreten.

Eén seconde later werd er iets hards vlak onder mijn kin strak getrokken. Een ijzeren ketting, waardoor ik bijna stikte. Ik klauwde er niet naar – dat kon mijn dood worden. In plaats daarvan gooide ik mijn hoofd achterover in het gezicht van mijn belager. Er klonk een tevredenstemmend kraakgeluid van onder de capuchon.

'*Die godvergetengekheeftmijnneusgebroken...*'

Hij klapte achterover, zodat ik de ketting nu in mijn handen hield. Zijn partner richtte het vuurwapen. Hij laadde het opnieuw, met het wapen tegen zijn heup.

'Leg dat neer,' commandeerde hij.

Ik slingerde de ketting in de richting van de schutter. Die probeerde hem op te vangen, waardoor het ene eind zich om zijn rechter onderarm kronkelde en door zijn kleren heen een gapende wond sloeg. Omdat we allebei hard aan de ketting rukten, vielen we tegen elkaar aan, maar hij bevond zich in een nadelige positie. Ik werd van achter strak in een wurggreep genomen, van zo dichtbij dat ik de dader kon ruiken. Benzine, zweet en rook.

'Zwakke zet, Tip,' fluisterde ik. 'Heel zwak.'

Witte koplampen verblindden ons, gevolgd door zware stoten uit de claxon van een vrachtwagen met oplegger. Ik kreeg een venijnige elleboogstoot tegen mijn gekneusde rib. Mijn belagers tuimelden als wilde katten in de berm. Terwijl de woonwagen puffend tot stilstand kwam, vertrok de Silverado in de duisternis.

'Jezus, wat krijgen we nou?' De bestuurder klauterde naar beneden. 'Ik had jullie wel dood kunnen rijden... Jezus.' Hij bescheen me met zijn zaklantaarn. 'Alles oké? Heb je hulp nodig?'

Ik voelde geen lucht in mijn longen. 'Heb je... gezien...'

Nu scheen hij met zijn zaklantaarn over de snelweg. 'Ze zijn pleitte. Man, ze scheurden weg.' Hij liep naar me toe. 'Volgens mij hebben ze je goed te grazen genomen, hè? Tjongejonge.'

Ik begon te wankelen. De trucker ving me op. *Kom op, maat, zo te zien heb je wel genoeg lol gehad*, hoorde ik zijn stem weergalmen, terwijl mijn bloed op zijn laarzen spatte.

ZESENTWINTIG

Ik droomde net dat ik genadeloos in elkaar werd getrapt, toen het kloppen begon. Het klonk steeds harder, tot ik besefte dat ik al op de deur af was gesprongen. Ik was terug op mijn motelkamer.

'Wie is daar?' riep ik met dikke tong.

'Archer,' zei de sheriff van de andere kant van de deur. 'Te laat voor de autopsie.'

Ik knipperde met mijn ogen tegen de middagzon, terwijl hij de kamer binnen stapte.

'Meestal wanneer een van mijn mannen maandagochtend niet komt opdagen, geef ik hem de zak,' zei hij. 'Maar ik dacht... godallemachtig, Yeager. Je ziet eruit alsof iemand je door de gehaktmolen heeft gehaald.'

Ik ging op het bed zitten, nog altijd volledig gekleed. Mijn kleren zaten onder de aangekoekte aarde en bloed. Op de lakens zat nog meer.

'Twee kerels zijn me een kilometer buiten de stad in mijn nek gesprongen.'

'Heb je hun gezicht gezien?'

Ik schudde mijn hoofd. 'Maar het zou me niet verbazen als Clyde, de volgende keer dat je hem ziet, een gebroken neus heeft.'

'Clyde?'

'En Tippet... Die schoot me bijna mijn kop van mijn romp met een geweer.'

'Waarom zouden ze jou nou in je nek willen springen?'

'Blijkbaar is dat de manier waarop Tippet graag bewijsmateriaal verzamelt.'

Hij zette grote ogen op. 'Mike, er is iets niet oké met je nek.'

Ik voelde onder aan mijn schedel. Mijn haar voelde aan alsof het met motorolie was ingevet. Toen ik in de spiegel keek, zag ik dat mijn oren ook hadden gebloed. Er liep een venijnige rode haal over mijn hals, van de ketting. Dat verklaarde de rauwe keel.

'Het gaat prima,' zei ik. 'Ze hebben alleen bijna de longen uit mijn lijf geramd.'

'Je ziet er verdomme niet bepaald prima uit.'

'We kunnen óf onze tijd verdoen met me in een ziekenhuisbed te leggen, óf we kunnen doorgaan met de zoektocht.' Ik draaide de kranen van de wasbak in de badkamer open. 'Wat vind je belangrijker?'

Hij bleef even stil. 'Ik wacht buiten,' zei hij.

'Hoe ben je eigenlijk in het motel teruggekomen?' vroeg Archer, die nu aan het stuur zat. 'Je auto staat nog steeds bij de kerk.'

'Een trucker heeft me teruggebracht,' zei ik. 'Volgens mij heeft hij het incident niet aangegeven.'

'Niet dat ik weet. Hoe zit het met het feit dat Tip je probeert kwijt te raken?'

'Daar ben ik nog steeds niet achter,' zei ik. 'Is Rosario vanmorgen op het werk verschenen?'

Hij schudde zijn hoofd. 'Maar laat de bezorgdheid om Ada voorlopig maar aan mij over. Op dit moment wil ik van jou weten hoe we het gaan aanpakken.'

We reden zwijgend door.

'Het klopt allemaal van geen kant,' zei hij. 'Tippet is een topschutter. Hij zou je van een rijdende trein kunnen schieten.'

'Dan was hij er kennelijk niet op uit om me dood te schieten.'

Hij schudde ongelovig zijn hoofd. 'Het klinkt gewoon niet als de vent die ik ken.'

'Heeft hij een zilveren gesp met daarop het logo van Winchester?'

'Dat meen ik me te herinneren.'

'Misschien ken je hem niet zo goed als je dacht.'

We reden op een gebouw af met een laag dak en in de kleur van babyaspirine. Op een verweerd bord aan de gevel was een tweetal kinderen uit de jaren vijftig afgebeeld.

SIEGFRIED LUND, ARTS
Pediatrie

'Ik dacht dat we op weg waren naar een autopsie,' zei ik.

'Dat is ook zo,' zei hij. 'We zijn er.'

In de wachtkamer, volgepakt met kinderen en bezorgde moeders, rook het naar kamferspiritus en appelsap.

'Goedemorgen, sheriff!' riep de zuster toen we door de draaideur binnenstapten. 'Dokter Lund vroeg of u even wilde wachten...' Op dat moment waren we de gang al door. Archer duwde de deur van een onderzoekskamer open. Een jongetje van vijf zat op de tafel en gilde als een speenvarken. De man die een naald bij zijn arm hield, was dokter Siegfried Lund.

Hij was een lange, broze man, helemaal verfomfaaid, van zijn gympen tot de pluim woeste grijze haren op zijn hoge voorhoofd. Hij was misschien één meter tachtig, maar door zijn houding leek hij veel kleiner. Door al die jaren over peuters heen gebogen te moeten staan, was zijn rug waarschijnlijk voor altijd kromgetrokken. De dikke zwarte bril van dokter Lund wekte de indruk dat hij die vlak na de oorlog voor een koopje in een uitdragerij had aangeschaft. Zijn ogen achter die glazen waren mild, dromerig en blauw. Lunds sleetse, rafelige button down tweed overhemd verleende hem het air van het soort verstrooide Engelse professor die wel de naam van Shakespeares Ierse setter wist, maar zijn eigen sokken niet zelf kon vinden. Ik zou hem niet aangezien hebben voor een kinderarts, of een lijkschouwer. Kennelijk was hij dat allebei.

'Zeg, Jasper,' zei dokter Lund. 'Heb je niet net tegen je moeder gezegd dat je al je prikken kon incasseren zonder te huilen?'

'Eh... ja.' De jongen snoof. 'Maar ik denk dat ik misschien jokte toen ik dat zei.'

'Geen schande, hoor,' zei hij. 'Eerlijk gezegd, zou ik ook jammeren als een speenvarken als iemand een naald in mijn achterwerk stak.'

Jasper giechelde. Lund wisselde een knipoog met de moeder van het jongetje. Toen hij opkeek en ons zag, verdween zijn glimlach. Snel excuseerde hij zich en sloot de deur achter zich.

'Hoi, Sig,' zei Archer.

'Verdorie, Rafe. Jullie horen niet in dit deel van de praktijk. Die kinderen hebben evenveel recht op hun privacy als iedereen.' Hij wierp me een doordringende blik toe. 'Dus dit is dat wonderkind van je.'

Archer knikte. 'Mike wilde uit de eerste hand een blik op het lichaam werpen.'

Lunds hoofd schoot omhoog als de kop van een bejaarde jachthond. 'O, is dat wat Mike wil? Nou, dan is hij een buitenbeentje. Misschien moest Mike de autopsie dan maar doen en mij niet van mijn eigen werk houden.'

'Kom, Sig, ga niet zo tekeer.'

Maar Lund was al halverwege de stalen deuren. 'Ik zou best een eersteklas FBI-agent kunnen gebruiken om me in te wijden in de fijne kneepjes van mijn forensische werk, echt waar.'

Hij duwde de klapdeuren open en verdween.

'Let maar niet op hem,' zei Archer, toen we hem achternagingen. 'Hij is nogal snel op zijn teentjes getrapt. Het is een brave borst.'

'Ik moet de eerste lijkschouwer of medisch specialist nog tegenkomen die blij is me te zien,' zei ik. 'Hij heeft overdag toch een interessante baan. Hij moet wel barsten van de energie.'

'Niks ervan, hij doet het kalmer aan. Vroeger bracht hij ook nog baby's ter wereld. Ooit was Sig Lunds gezicht het eerste wat ieder kind in Dyer County te zien kreeg. Het is een wonder dat ze niet van schrik in de baarmoeder terug schoten.'

We kwamen lachend de dubbele deuren door. Het was nu koud en er hing de stank van formaldehyde. Dale Dupree lag op de stalen tafel.

Hij was inmiddels tweeënzeventig uur dood. Het grootste deel van het bloed was weggestroomd, maar enkele wonden waren vanzelf geheeld toen de aderen in elkaar schrompelden. Aan de linkerkant van zijn lichaam zag je de postmortale lijkbleekheid die klopte met de foetushouding op de foto's van de moordenaar. Nu lag hij op zijn rug. Lund had de rigor mortis doorbroken om ruimte te krijgen voor de Y-vormige incisie van de autopsie. In een hangende metalen schaal, zoals je wel eens bij de slager ziet, lag het hart van Dale Dupree: het woog 325 gram. De verwondingen van de dode man waren aan de randen opgezet, beschadigd door de druk van het lemmet. Het ontblote weefsel had de kleur van kalfslever. Voor de rest was Dales huid van een mottig geel, dermate strakgetrokken dat de haren op zijn armen en benen rechtop stonden, alsof ook hij de kou in die gekoelde autopsieruimte voelde.

'Moet je hem nou toch zien.' Archers adem kwam wit naar buiten. 'Zelfs te groot voor de tafel.'

'Toen hij werd geboren, woog hij tien pond.' Lund trok zijn geplastificeerde schort aan. 'Stuitligging, weet je wel. Het was een dubbeltje op zijn kant. Ik herinner me nog dat zijn moeder zei: "Hij is het enige wat ik op de hele wereld heb, dokter. Het enige wat ik nog heb, nu mijn man is overleden." En dat was ook zo, Rafe. Hij was als baby een klein wonder.' Lunds gezicht vertrok van verdriet. 'Jezus, kijk nou toch wat ze met onze jongen hebben gedaan.'

'Dat is hij niet, Sig. Dat is niet de baby die je op de wereld hebt geholpen. Dat is niet Dale.'

'Jawel.' Zijn waterblauwe ogen vulden zich met tranen. 'Jaar na jaar worden we ouder en onze baby's blijven maar doodgaan. Dat hoort niet zo, Rafe. Dat is niet zoals de natuur het heeft bedoeld.'

'Misschien niet,' zei Archer. 'We moeten toch ook de aarde bewerken.'

'Graven delven, bedoel je.' Lund veegde zijn ogen droog. Toen keek hij naar mij. 'Wat bent u in godsnaam aan het doen?'

'Ik moet foto's nemen.' Ik stak de cameratas omhoog. 'Als referentie.'

Hij schudde verbijsterd zijn hoofd. 'Niet te dicht bij het lichaam staan en loop me niet in de weg.'

Lund trok een paar handschoenen aan: van zwart rubber, voor het zware werk. Ik stelde mijn 35mm-camera in en we gingen alle twee aan de slag.

126

'Wat zou ik eigenlijk over het hoofd gezien kunnen hebben, agent Yeager? Zou u me dat kunnen vertellen?'

'Ik ben ervan overtuigd dat uw voorlopige verslag uitstekend is, dokter Lund. Ik probeer er alleen maar een idee van te krijgen hoe het slachtoffer was onthoofd.'

'Twee snijvlakken,' zei hij. 'De ene in de schouder, van bovenaf. De andere terwijl Dale op zijn buik lag.'

'Over wat voor mes hebben we het dan?'

'Een smal snijvlak,' zei hij. 'Minimale bloeduitstorting van druk. Het wapen is als niervet door dat bot gegaan. Het zou zoiets moeten zijn geweest als een operatiemes of iets wat ze in het leger gebruiken.'

'Een samoeraizwaard?' vroeg Archer.

'Verwant aan een Japans zwaard, ja. Als jij er een voor me kunt vinden, zal ik meer zekerheid hebben.'

'Dokter,' zei ik. 'Kunt u me iets vertellen over die steekwond...'

'...in de hals... Inderdaad, die had ik zelf ook bijna over het hoofd gezien.' Lund streek met zijn pink over de randen van de wond. 'Een puntgave incisie, minimale frictie. Het is daar naar binnen gegaan, vlak onder de axis vertebrae – dicht bij de basis van de schedel.'

'Een neerwaarts gerichte steek?'

'Opwaarts. Aan de hoek te oordelen, zou ik zeggen dat die Dale de adem heeft afgesneden alsof er een schakelaar werd omgedraaid.'

'Met andere woorden: een pijnloze dood.'

'Relatief gezien.'

'Gesteld dat dat waar is, hoe groot zou de belager dan ongeveer zijn?'

Hij keek me aan. 'Eén meter tachtig, iets groter, aan de hoek te oordelen.'

'Ik dacht dat je me vertelde dat het iemand van dezelfde lengte was als Pete,' zei Archer.

'Dat zei jij, Rafe. Ik zei "misschien".' Lund schudde zijn hoofd. 'Als je nou eens naar me zou luisteren, zoals vroeger.'

'Zelfs als het iemand van één meter tachtig was,' zei ik, 'dan zou de moordenaar nog geen veertig centimeter van hem af hebben gestaan.'

Archer keek tartend. 'O ja? En?'

'Als je bedenkt hoeveel kwaad bloed er tussen die twee vloeide,' zei ik, 'zou Dale Pete ooit zo dicht bij hem in de buurt laten komen?'

Geen van hen zei iets, maar zo te zien was dokter Lund vreemd genoeg opgelucht.

Ik boog me over de verwonding. 'De diameter lijkt me wat groot voor een ijspriem. Wat denkt u, dokter? Een schroevendraaier?'

'Iets minder grof. De punt moet van een hoogwaardig metaal zijn geweest. Ongeveer negeneneenhalve millimeter dik – en hol, zoals een injectienaald. Er zou een straal vloeistof uit de punt gespoten kunnen zijn... Wat zou jij zeggen, Rafe? Lijkt dat niet op iets wat jij ooit tijdens je omzwervingen bent tegengekomen?' Hij wierp de sheriff een veelbetekenende blik toe.

Archer beantwoordde die met een vermanende uitdrukking in zijn ogen. 'Het lijkt erop.'

Ik kreeg het gevoel dat er zojuist een gecodeerde boodschap tussen de beide oude mannen was uitgewisseld. 'Ik begrijp dat u een paar ideeën hebt over het wapen.'

Lund knikte zwijgend, terwijl hij een stalen la opentrok, waar hij door een rekje met gereedschap rommelde tot hij het juiste exemplaar had gevonden. Koel operatiestaal glansde in zijn handen: een dun buisje, een prachtstukje vakmanschap, met een holle, driekantige punt aan het eind.

'Ze noemen het een trocart,' zei hij. 'Gewoonlijk wordt zoiets gebruikt om de weg vrij te maken voor onderzoeksinstrumenten, bij verloskundige ingrepen of operaties aan de buikholte. Wat ze bij Dale hebben gebruikt, had waarschijnlijk een dikkere schacht.'

'Waar zou de verdachte die vandaan hebben?'

'O, uit een handel in medische apparatuur, denk ik. Niet zo eenvoudig voor een normaal mens. Maar dat het een trocart is, daar durf ik mijn hoofd onder te verwedden.'

Archer keek op zijn horloge. 'Zijn we hier bijna klaar, Yeager?'

'Nog heel even,' zei ik. 'Dokter Lund, zou u zijn handen om zijn luchtpijp willen leggen?'

'Zou ik wát?'

'Ik wil zijn handen zien ten opzichte van het letsel van de onthoofding.'

Zwijgend vouwde hij Dales handen samen bij de halsstomp. Nu zag ik het slachtoffer vanuit het gezichtspunt van de moordenaar, door de lens van de camera. Ik zoomde in op de handen. De opgezwollen rechterpols met de afdruk van de handboei. De linkerhand waarmee mijn kin een tik had gekregen.

Naar mijn gevoel klopte er iets niet aan het plaatje. Toen zag ik de afdruk in zijn pink. 'Dokter, wie heeft er behalve u verder nog toegang tot het lichaam gehad?'

'Niemand. Althans, niet sinds Tippet hem hier heeft afgeleverd.'

'En u hebt niets verwijderd.'

Hij keek me vorsend aan. 'Nee.'

'Dank u,' zei ik. 'Ik denk dat we genoeg weten.'

Archer rilde. 'Sig, we danken je voor je tijd. We zullen je nu niet verder van je eigen werk houden.'

Lund kwam dicht bij me staan. 'Hé, wat is dit?' Hij trok zijn rubberhandschoen uit en drukte een ijskoude handpalm tegen de onderkant van mijn nek. 'Ik hoef u niet te vragen of dat pijn deed.'

'Het is niets,' zei ik. 'Ik had een... kleine aanvaring gisteravond. Ik ben ervan overtuigd dat er geen naweeën...'

'Hmmm,' zei hij. 'En waar had u ook alweer geneeskunde gestudeerd?' Hij keek in mijn rechteroor. 'Laten we een warmere plek opzoeken.'

Archer kuchte. 'We zijn met een lopend onderzoek bezig, Sig. Op dit moment hadden wij bij een school moeten zijn.'

'Dat wonderkind van jou heeft een lichte hersenschudding,' zei Lund. 'Mogelijk zelfs een haarscheurtje in zijn schedel. Als jij hem wilt laten rondlopen met bloedende oren, is dat jouw zaak. Maar ik kan me niet voorstellen dat je op deze manier veel aan hem zult hebben.'

'Zeg, nou moet je verdomme ophouden...'

Lund kreeg hem met één blik klein. 'Ga even in de wachtkamer zitten, Rafe. Lees wat tijdschriften over kinderopvoeding.'

Archer wierp me een strenge blik toe, alsof hij me ervan verdacht dat ik mezelf met opzet had verwond. 'Ik zweer het je, Sig. Je zit te tutten als een oud wijf.'

De sheriff marcheerde weg. Zodra de deur dichtviel leek het gezicht van dokter Lund te ontspannen. Hij wenkte me een onbezette onderzoekskamer binnen.

'Denkt u echt dat ik een schedelfractuur heb?' vroeg ik.

'Dat moet haast wel.' Hij deed de deur dicht. 'Het lijkt wel of iemand met een kei op uw hoofd heeft geslagen. Een baksteen misschien. We gaan voor de zekerheid even röntgenfoto's nemen.'

'Zou u niet liever naar uw patiënten teruggaan?'

'Op dit moment bent ú mijn patiënt, Mr. Yeager. En volgens mij een patiënt die flink heeft geboft. Wilt u even uw hemd uittrekken? Ik zou graag willen zien wat er verder nog is gebeurd tijdens die "kleine aanvaring" van u.'

Ik voelde me een sukkel, terwijl ik me uitkleedde in een kamer met leeuwtjes op het behang. Maar het had er alle schijn van dat dokter Lund geen genoegen zou nemen met 'nee'.

ZEVENENTWINTIG

Een uur daarna trof ik dokter Lund op de afdeling radiologie, waar hij naar een reeks röntgenfoto's tuurde.

'U hebt geen schedelfractuur,' zei hij. 'Ik zou die gekneusde rib intapen, als ik zou denken dat de geringste kans bestond dat u het zou laten zitten. Hebt u last van die hechtingen?'

Ik voelde aan het verband. 'Ik zal blij zijn wanneer mijn haar weer aangroeit. Ik heb sinds mijn academietijd geen stekeltjeshaar meer gehad.'

'Daar hebben ze u zeker leren vechten, hè?'

'Dankzij de FBI had ik een carrière. Mijn vader was degene die me leerde vechten.'

Er leek hem een licht op te gaan. 'Ik had naar die oude breuken van u willen vragen. Degene die ze heeft gezet, heeft zijn werk goed gedaan.'

'De dokter zette me in het gips en stuurde me naar huis terug. Als u dat goed werk wilt noemen, ga uw gang.'

Zijn mond viel open, terwijl hij net deed of hij de röntgenfoto's sorteerde. 'U leek me... erg geïnteresseerd in Dales handen. Wat zag u toen u ernaar keek?'

'Het gaat om wat ik niét zag. Dales ring van het Korps Mariniers ontbreekt aan zijn pink. U hebt die niet toevallig tussen de persoonlijke bezittingen van het slachtoffer gevonden?'

'Nee.' Hij trok een wenkbrauw op. 'Hij droeg die ring altijd. Ik heb begrepen dat die van zijn vader is geweest. Maar hoe wist u dat u moest zoeken naar iets wat er niet is?'

'Tja, onder andere omdat hij er bijna mijn kaak mee had gebroken. Maar de ring stond ook op de foto's.' Ik liet even een stilte vallen. 'De foto's die de moordenaar heeft opgestuurd. Archer heeft ze vast wel aan u laten zien...'

'Foto's.' Lund verbleekte. 'Van de moordenaar.'

'Kijkt u maar.' Ik graaide in mijn jack.

De foto's waren verdwenen.

'Ik snap er niks van,' zei ik. 'Ik had durven zweren –'

'Verlies van kortetermijngeheugen is normaal na een hersenschudding. Zie het maar als een voorproefje van ouderdom.' Lund zocht op zijn bureau. 'Vandaar dat ik mijn receptenboekje niet schijn te kunnen vinden...'

Die foto's konden onmogelijk uit mijn jack zijn gevallen. Toen ik aan de wandeling begon, had ik hem dichtgeritst en zelfs de kraag vastgeknoopt. Toen schoot me te binnen dat ik er ook het negatief uit de Sweet Charity in had opgeborgen.

Lunds gezicht klaarde op toen hij het boekje vond. 'Daar ben je, kleine duvel.'

'Dus u hebt Dale Dupree als kind onder behandeling gehad,' zei ik.

'Mr. Yeager, er is de afgelopen veertig jaar geen kind in Dyer County geboren dat ik niet onder behandeling heb gehad.'

'Kunt u me dan vertellen hoe hij aan dat litteken op zijn hoofd is gekomen?'

Lund staarde me een paar seconden aan.

'U hebt het over de fractuur bij zijn linkerslaap,' zei hij. 'Als ik het me goed herinner, woedde er een bosbrand, in de bergen.'

'Bij het zomerkamp, bedoelt u.'

'Ergens in die buurt. Hij is verdwaald toen hij daar rondliep, meen ik.'

'U herinnert zich de locatie van de verwonding, maar niet hoe het is gebeurd?' Ik schudde mijn hoofd. 'Was er nog iemand bij hem tijdens zijn wandeling door de natuur? Pete Frizelle, bijvoorbeeld, of de zusjes Archer?'

'Het is lang geleden.' Hij verstrakte. 'Hebben deze vragen enige relevantie?'

'Dat denk ik wel. Gisteren zag ik dat Martha ook een litteken op haar hoofd heeft – vergelijkbaar met dat van Dale, maar dan onder aan de schedel. Ik heb ook een recente foto van Mary Dupree gezien, waarop geheelde brandwonden op haar benen zichtbaar zijn. Enkele zien er heel oud uit. Dus vertelt u mij, dokter: vindt u dat er sprake is van enige relevantie?'

Hij keek me recht aan. 'Nee.'

'U geeft uw woord als arts dat geen van deze vier personen als kind is getraumatiseerd?'

'Zoals ik al zei: het is allemaal lang geleden gebeurd.' Hij krabbelde weer verder in zijn boekje. 'Ik heb Dale en de anderen als kind onder behandeling gehad. Maar kinderen – het spijt me dat ik het zeg – groeien altijd op.'

'Niet degenen die doodgaan.'

Hij hield op met schrijven. 'Wat wilt u precies van mij, Mr. Yeager?'

'Een eerlijk gesprek zou fijn zijn. Als hier sprake is van een patroon van mishandeling, moet ik dat weten. Toen u Cassie onderzocht voor haar verhoor in verband met de voogdij, hebt u toen enig bewijs van mishandeling aangetroffen?'

'Absoluut niets van dat al.'

'Mag ik de aantekeningen van uw onderzoek zien?'

'Als u met een gerechtelijk bevel komt, zal ik daar gaarne gehoor aan geven.'

'Afgesproken,' zei ik. 'Om tijd te besparen, zal ik er ook een meenemen voor Espero Rosario.'

'Espero?'

'Op zijn overlijdensakte staat uw handtekening,' zei ik. 'Ik vroeg me af welke conclusies u hebt getrokken.'

'Onrechtmatige dood,' zei hij. 'Trauma, veroorzaakt door meervoudig letsel. Hoogstwaarschijnlijk is hij een week eerder overleden dan het lichaam werd gevonden.'

'Waar werd het lichaam aangetroffen?'

'Op het zandpad naar huize Rosario. Dat heb ik tenminste gehoord.'

'Met andere woorden: opzettelijk neergelegd,' zei ik. 'Wat voor gevoel krijgt u daarbij?'

Lund zette zijn bril af. 'Ik denk dat ik liever dood was geweest dan dat jongetje op mijn tafel te zien liggen.'

'Ondanks dat houdt u uw mond,' zei ik. 'Ik zag de blik die u tijdens de autopsie met Archer wisselde. Er is hier iets onfris gaande. En ik heb het idee dat u me dat best wilt vertellen.'

Hij bleef een hele tijd zwijgen.

'Misschien,' zei hij. 'Maar u stelt niet de juiste vraag.'

'Goed. Wat was volgens u de exacte oorzaak van Espero's overlijden?'

Lund deed de deur van zijn praktijk dicht. 'Dat kwam niet doordat er met hem gezeuld was,' fluisterde hij. 'Die verwondingen waren van na zijn dood. Ze hadden Espero laten leegbloeden.'

'Hoe hadden ze dat gedaan?'

'Niet met een truck,' zei hij. 'Met een trocart. Zeer wel mogelijk dezelfde die ze op Dale Dupree hebben toegepast.'

'Hebt u dat ook in uw verslag gezet?'

Hij wierp me een uitgebluste blik toe. 'Ik heb het tegen Rafe gezegd. Ik kan alleen maar aannemen dat hij met de Rosario's heeft gepraat, want de volgende dag trokken ze de toestemming voor een autopsie in.'

'En daarmee was het afgelopen.'

'Kennelijk.'

'Wacht eens even. U vertelt me dat sheriff Archer persoonlijk het onderzoek naar de dood van een kind heeft afgesloten? Waarom in godsnaam?'

'Dat mag u hem vragen. Ik denk niet dat hij daar antwoord op zal geven. U zult tot de ontdekking komen dat sheriff Archer de wet in zijn vestzak bewaart.'

'Zo te horen is hij hier ook zo langzamerhand de lijkschouwer.'

'Die indruk zou men kunnen krijgen.' Hij scheurde het recept uit het boekje. 'Ik kan u niet helpen, Mr. Yeager. Ik verwacht niet dat u begrijpt waarom niet. Maar ik zal u een suggestie doen. Zoek de antwoorden niet langer onder de doden.'

'Eigenaardig om zoiets uit de mond van een lijkschouwer te horen.'

'Dat is maar een parttime bezigheid. Ik was allang kinderarts voor Archer me als lijkschouwer aanstelde.' Hij gaf me het velletje papier. 'Zorg goed voor uw hoofd. Dat is niet zo één, twee, drie te vervangen.'

Er werd op de deur geklopt. De zuster gluurde naar binnen.

'Dokter Lund, Mrs. Cantrelle wil niet dat ik haar dochtertje een prik geef. Ze zegt dat alleen u...'

'Dokter, alstublieft,' zei ik. 'Als u iets weet...'

'Let op dat Spence het recept aandachtig leest,' zei hij. 'Hij is niet meer de jongste. En oudemannenogen zijn zelden te vertrouwen.'

Even later pakte een bedeesd meisje met bruin haar hem bij de hand.

'Hé, hallo, juffie.' Hij boog zich voorover. 'Als jij niet tien centimeter bent gegroeid sinds ik je voor het laatst heb gezien.'

ACHTENTWINTIG

Archer zat buiten met een woeste schittering in zijn ogen in zijn patrouillewagen.

'Ik werd gek van die rotkinderen,' zei hij toen ik instapte. 'Heeft dokter Lund je goed opgelapt?'

'Gaat wel.' Ik ving zijn blik. 'Er is iets gebeurd. Wat is er?'

'Er is zeker iets gebeurd.' Hij startte de motor. 'We hebben Pete Frizelle te pakken. De motorpolitie van Arizona heeft hem even ten westen van Virgin River Canyon klemgereden.'

'Een heel eind van Reno,' zei ik. 'Was hij alleen?'

Archer knikte. 'De koffer van Mary stond op de passagiersstoel.' Uit zijn ooghoek keek hij me oplettend aan. 'Nooit een agent tegengekomen die zo weinig blij was dat die man was gepakt.'

'Ik vroeg me alleen maar af wat hem terug gelokt kan hebben.'

'Hij is hier morgen, dus vraag het hem zelf.' Hij nam een adempauze. 'Hoor eens, Mike. Je zult je werk wel doen, door alles van alle kanten te bekijken en te zorgen dat alle puntjes op de i staan. Dus wil ik best met je meegaan door overal voor open te staan, tot op zekere hoogte. Maar nu ligt die hoogte achter ons en is het tijd om tot actie over te gaan. Snap je?'

'Sheriff...'

'Ja?'

'Je hebt gelijk. Het is tijd voor actie.' Ik wees naar rechts. 'Vind je het erg om me bij de kerk af te zetten? Ik moet mijn auto ophalen.'

'Jezus, we zijn al een uur te laat voor de school. Inmiddels heb ik het hele land overhoop laten halen door ondergeschikten.'

'Dan breng ik zelf wel een bezoekje aan de school. Als jij gek wordt van de kinderen...'

'Ja, oké,' zei hij. 'Verdoe niet nog meer tijd, hoor je? Om vier uur moeten we de plaats delict uitkammen.'

'Ik zal er zijn.'

We draaiden de parkeerplaats van de kerk op. Daar stond mijn Nash, in z'n dooie eentje.

'Ik heb met Tip gepraat terwijl jij je hoofd liet behandelen.' De sheriff schraapte zijn keel. 'Het schijnt dat hij gisteravond gedetacheerd was om te gaan zoeken.'

'Had je nou echt verwacht dat hij je iets anders zou vertellen?'

Hij keek dreigend. 'In tien jaar tijd heeft die knul me nog nooit een aperte leugen verteld. En ik moet de man nog tegenkomen die mij zand in de ogen zou kunnen strooien.'

En met die woorden reed hij weg.

NEGENENTWINTIG

Even ten zuiden van Courthouse Square vond ik de brok sintel die ze naar mijn hals hadden geslingerd en die nu in de berm van de snelweg lag. Twee stel remsporen leidden ernaartoe: eerst de witte Chevrolet pick-up en daarna de grote vrachtwagen met oplegger. Ik volgde het spoor van grind tot aan de yuccaboom waaraan ik me tijdens de vechtpartij had vast-geklampt. Door het schot was een van de takken finaal versplinterd. Dat had mijn hoofd kunnen zijn.

De aarde was een omgewoelde massa zand en grind. Absoluut nergens een spoor van de foto's van Dupree. Uiteindelijk vond ik in de beschut-ting van een grote kei een tamelijk duidelijke laarsafdruk: een spitse neus en een hoge hak. Gloednieuwe cowboylaarzen, precies zoals de laarzen die de ongeziene klant van Mary had aangehad.

Degene die in mijn kantoor had ingebroken, was zorgvuldig te werk ge-gaan, bedacht ik, terwijl ik de deur van het slot deed. Hij was finaal over de as heen gestapt die ik had uitgestrooid, waardoor er alleen een flinter-dunne ronde afdruk van de hak van een laars op de drempel was achter-gebleven. Alweer cowboylaarzen.

'Administratie,' klonk een lijzige stem in de telefoon op mijn kantoor.

'Sorry, ik probeerde... Is dit niet het toestel van brigadier Rosario?'

'Ze heeft zich vanmorgen ziek gemeld, agent Yeager. Volgens mij is dat terecht. Wat kan ik voor u doen?'

'Ik heb geprobeerd om rechercheur Tippet op te sporen,' zei ik. 'Kunt u me de locatie van zijn voertuig vertellen?'

De man grinnikte. 'Hij heeft ons op het hart gedrukt dat hij niet wil dat we als een kloek voor hem zorgen.'

'Dan zal ik zijn gsm wel bellen. Hebt u het nummer?'

Hij had het nummer niet. De telefoniste evenmin. Ik haalde het bu-reau overhoop, biddend dat Ada niet al te ijverig bezig was geweest met het verwijderen van Tippets eigendommen. Toen ik mijn hand achter in de dossierla stak, voelde ik iets wat tussen de schuif vastzat. Uiteindelijk wist ik het los te krijgen.

Het was een blanco pakje met bewijsmateriaal. Het bevatte een meter oude Super-8mm-film vol krassen en met een muffe lucht. Het was te donker om te bekijken, zelfs als ik het tegen het licht hield. NEG. NOG AF-DRUKKEN, stond op een etiket gekrabbeld dat het lab erop had geplakt. Tippet had er vast geen hoge prioriteit aan toegekend; het briefje was gedateerd op 29 oktober, ruim twee weken nadat hij het voor analyse had verzonden. Ik bewaarde de strook voor later en groef verder. Uiteindelijk ontdekte ik een recente telefoonafrekening in de prullenbak. Na tien minuten met een medewerker van klantenservice, een groentje dat zich het vuur uit zijn sloffen liep toen ik 'FBI' zei, had ik de uitgaande gesprekken van Jackson Tippet van de afgelopen tweeënzeventig uur.

Op één na waren al zijn gesprekken met een privénummer in de stad geweest. Het eerste was op 31 oktober om 16.46 uur gepleegd. Dat moest het telefoongesprek zijn dat hij buiten de Silver Star had gevoerd. Datzelfde nummer had hij nogmaals op zaterdag gebeld, om vijf over zeven 's morgens, waarschijnlijk vlak nadat hij bij de woonwagen van Dupree was aangeland. Het langste gesprek had plaatsgevonden op zondag, om 22.50 uur, bij benadering een kwartier nadat ik op Highway 313 was geattaqueerd.

Ik toetste het nummer in. GEBLOKKEERD flitste er op de nummeridentificatie, terwijl een stroperige stem antwoordde. 'Ja?'

Ik hield mijn adem in. Op de achtergrond hoorde ik een vervormde stem: '*Cliënt wacht op financiële afd–*'

'Tip?' zei hij. 'Hoe haal je het in je hoofd om me vanuit je kantoor te bellen? Wil je de hele wereld laten weten... hallo?' Ik kon zijn neusvleugels horen trillen.

'Zakkenwasser,' zei hij, terwijl met een klik de verbinding werd verbroken.

Ik probeerde het andere nummer.

'Freebairn and Son,' klonk de ijle stem aan de andere kant.

'Ja, met speciaal agent Yeager van de FBI. Zou ik Mr. Freebairn kunnen spreken?'

'Daar spreekt u mee.'

'Sir, ik ben wat administratie aan het nalopen. Ik heb begrepen dat u zaterdagavond een verklaring hebt afgelegd inzake het onderzoek naar de zaak-Dupree?'

'Nee, ik vrees dat u zich vergist.'

'Ik beschik over een bevestiging dat u met rechercheur Tippet hebt gesproken om' – ik keek op de telefoonrekening – 'twintig over drie op 1 november.'

'Ik heb met een van de mannen van Rafe gesproken. Ik weet niet om hoe laat. Maar dat had niets van doen met Dale.'

'In verband waarmee dan wel?'

'U zei net dat u het een en ander aan het nalopen was. Weet u dat dan niet?'

'Natuurlijk. Ik doe alleen mijn werk en...'

'Ik zweer het je: het is bij jullie altijd hollen of stilstaan.' Hij verhief zijn stem, ongedurig. 'Al drie weken lang dien ik mijn klacht in, en geen woord, tot nu toe. Volgens mij weet die oude Rafe niet meer hoe hij met vrienden en buren moet omgaan.'

'Je zou kunnen zeggen dat dat de reden is waarom ik bel. Wat waren de bijzonderheden over de inbraak?'

'Ik heb alles al aan die rechercheur verteld. Hij is hier zaterdag twee volle uren geweest en hij heeft het hele huis overhoopgehaald. Ik kon absoluut niet werken.'

Ik had, terwijl hij aan het woord was, een en ander genoteerd, maar nu hield ik daarmee op. Op de hoogst belangrijke eerste dag van een belangrijke onderzoek in een moordzaak – terwijl de verblijfplaats van Cassie onbekend was, terwijl ze alleen mij als verdachte hadden – vond Tippet kennelijk dat alles moest wijken voor een ordinair geval van inbraak.

'Mr. Freebairn, ik weet dat dit frustrerend is. Maar zou u me alstublieft willen vertellen wat er werd vermist?'

Hij zuchtte. 'Ach, niets wat niet vervangen kan worden, volgens mij. Het is alleen zo'n ellende om met de verzekering te maken te krijgen. Een paar emmers van roestvrij staal, een intubatie... elektrisch hechtapparaat, met garen en hechtnieten. En ook nog tien liter formalinevloeistof, diverse trocarts, een Porti-Boy...'

'Pardon? Zei u net trocarts?'

'T-R-O-C-A-R-T-S. Praat ik soms onduidelijk?'

'Is dit een firma van medische benodigdheden?'

'Dit is een begrafenisonderneming,' zei hij. 'Weet u niet eens met wie u spreekt?'

DERTIG

Ik stond al bijna een minuut op de deur met het bordje MEDIARUIMTE te trommelen voor er eindelijk een kwieke agent langs kwam kuieren.

'Kan ik u helpen?'

Ik knikte. 'Ze hebben me verteld dat ik hier negatieven zou kunnen bekijken.'

'Dan hadden ze gelijk.' Hij draaide de deur van het slot. 'Neem me niet kwalijk dat ik u heb laten wachten. We hebben hier heel wat gevoelig materiaal liggen.'

In het vertrek werden de muren volledig in beslag genomen door stalen rekken met cassettes. Een rij monitoren vertoonde beelden van de volledige afdeling: arrestantencellen, verhoorkamers en het depot van geconfisqueerde goederen. Twaalf gloednieuwe opnameapparaten ratelden er zachtjes op los.

'Uw sheriff lijkt graag te weten wat er onder zijn dak gebeurt,' merkte ik op.

'Hij is de enige niet.' Hij ging zitten. 'Mooi, wat hebt u daar?'

Ik gaf hem de strook film uit Tippets bureau. Hij vertrok zijn gezicht.

'Daar kan ik niet veel mee,' zei hij. 'Ik heb sinds de inboedelverkoop van mijn grootvader geen Super-8-projector meer gezien.'

'Hebt u dan een hogeresolutiescanner? En wat spullen om foto's mee te bewerken?'

Hij had duidelijk geen trek in waar dit toe ging leiden. 'Ik denk van wel.'

'Mooi, scan het dan maar in. Zorg ervoor dat het licht en de kleur goed in balans zijn. Ik wil dat hele ding beeldje voor beeldje zien.'

'Beeldje voor beeldje?'

'Dat zei ik, ja.'

DE TOEKOMST VAN DYER COUNTY IS HIER VEILIG, stond er op het bord boven de poort van de Dyer County Scholengemeenschap. Aanvankelijk maakte het geheel een pittoreske indruk: een beschut hofje, bestaande uit gebouwen uit de Spaanse renaissance. Pas toen ik de poort met de metaaldetectoren door was, realiseerde ik me hoeveel het er weg had van een gevangenis. Langs de muren geen vaandels of sporttrofeeën. In plaats daarvan hingen er foto's.

Het waren ingelijste foto's van de voltallige leerlingen van ieder jaar, en die gingen terug naar 1920. Die eerste klas bestond uit slechts een paar ernstig kijkende kinderen, die om een oude ponderosa waren opgesteld. Sindsdien was de opstelling altijd dezelfde gebleven; gymnasiasten voor-aan, hbs'ers achteraan en de onderbouw in het midden. Altijd en eeuwig bij die boom. Ik was er bijna van overtuigd dat ik die twee ondernemen-de jongeheren achteraan in de klas van 1948 kende. Ook als jongetje had Siegfried Lund al van dat woeste haar gehad, en de kleine Rafe Archer die mond met die cupidoboog.

Er was na 1968 een hiaat in de opstelling, op de plaats waar de twee gangen samenkwamen. Aan de andere kant van de gang hing de foto van de leerlingen uit 1979.

Er was geen vergissing mogelijk: een leemte van elf jaar. In de tweede rij op de foto uit 1979, tussen de tieners en kleinere kinderen in, stond het kwartet: Peter, Dale, Mary en Martha. De onschuld van op de foto van dat zomerkamp waren ze al kwijt. Ze vormden een stuurs en afstandelijk groepje apart. Dale had een diep, nauwelijks geheeld litteken op zijn slaap. Pete had zijn arm nog in een mitella. En de tweeling keek niet in de ca-mera. Ergens tussen de zomer van 1977 en de lente van 1979 was hun jeugd hun ontstolen.

De bel luidde, waarna de gang volstroomde met kinderen uit twaalf klassen.

'Ga jij toch met je Barbies spelen!'

'...ik moet iemand zien te vinden...'

'Joh, die is maf!'

'Hé, homo!'

'Slettebak!'

'Zak tabak.'

'Poeh!'

'Lazer toch op...'

Toen waren de kinderen in een kakofonie van echo's verdwenen.

'Dat lijkt wel een beetje op een springvloed, hè?'

Dorothy Corvis stond vlak naast me en ze glimlachte.

Het klaslokaal van Dorothy, leeg tijdens de uittocht voor de lunch, was een chaos vol interessante rommel. Er hingen schildersezels, handpoppen en muziekinstrumenten aan de muur, evenals haar diploma's van Stanford – cum laude, zag ik. Dorothy plofte achter haar bureau neer, waarna ze ge-baarde naar een stoel die ongeveer drie maten te klein was voor mijn kont.

'Zo meteen breekt de hel weer los.' Ze schudde een koppige haarpiek uit haar gezicht. 'We hebben misschien nog vijf minuten voor mijn kinderen weer komen binnenstormen, onder de suiker en... Wil je thee? Iets anders?'

'Een grotere stoel misschien.'

Ze lachte. 'Je voelt je hier waarschijnlijk net een reus. Het spijt me, meestal heb ik alleen maar klein bezoek. Hier, neem mijn stoel maar.'

'Laat maar,' zei ik. 'Helaas kan ik niet lang blijven.'

'Daar ga je weer: alweer bang.' Ze keek me met vriendelijke ironie aan. 'Oké, ik zie dat je gestresst bent. Wat wil je van me?'

'Gisteravond vroeg u naar Robbie. Is hij volgens uw ervaring een kind dat van alles verzint?'

'Ik zou zeggen dat hij veel fantasie heeft. Wat bedoel je met "van alles verzint"?'

'Tja... Wat bedoelt u met "veel fantasie"?'

'Hij is een geboren acteur,' zei ze. 'Rob zou de hoofdrol in de opvoering krijgen... Tot zijn ouders er een stokje voor staken.'

'Wat zou hij voor rol spelen?'

'De Rattenvanger van Hamelen. Hij is degene die vroeg of we dat konden opvoeren. Hij heeft onder andere geholpen bij het vinden van het draaiboek. Nu zitten we opgescheept met twaalf muizen, en er is niemand die ze het dorp uit kan voeren.'

'Ik dacht dat het ratten waren.'

'Je kunt niet van zulke mooie kinderen vragen dat ze ratten spelen.' Ze schudde verwijtend haar hoofd. 'Maar waarom vroeg je of hij dingen verzint?'

'Een paar dingen die hij zei, leken me nogal ongewoon. Heeft hij het ooit gehad over een stuk speelgoed of een spel dat "Schaduwvanger" heet?'

Ze schudde haar hoofd. 'Dat is nieuw voor me. Wat was hij precies aan het doen?'

'Hij had een robot, de Schaduwvanger geheten, die kinderen stal. En de kinderen probeerden te vluchten. Het gezicht van de robot was eraf gesmolten.'

'Zijn de kinderen weggekomen?'

'Hij zei tegen me: "Ze gaan op het laatst altijd dood".'

Haar gezicht betrok. 'Dat... is zo te horen geen speelgoed of spel dat ik ken.'

'Dat dacht ik ook. Kunt u er misschien uw licht over laten schijnen?'

'Je weet dit waarschijnlijk al,' zei ze. 'Voor sommige kinderen zijn zulke spelletjes net als terugkerende nachtmerries. Ze spelen ze net zolang uit tot ze er een uitweg uit vinden. Kreeg je de indruk dat hij het gevoel had dat hij in gevaar verkeerde, tijdens dat spel? Dat dat monster een persoonlijke dreiging voor hem vormde?'

'Eerder alsof hij zichzelf de rol van beschermer had toebedeeld. De figuur waarop jacht werd gemaakt, was een barbiepop.'

'Een blonde barbiepop?'

'Eentje met rood haar.'

'Dat is niet Barbie, maar haar beste vriendin Midge. Niet dat jij geacht wordt zulke dingen te weten. Tenzij je zusjes hebt gehad.'

'Mijn zusjes moesten hun poppen van de schillen van maïskolven maken,' zei ik. 'Dus Midge moet kennelijk Cassandra voorstellen.'

Ze knikte. 'Hij beschermt haar nogal. Het zou kunnen dat hij op die manier zijn gevoelens van hulpeloosheid over haar ontvoering probeert te verwerken. Door die angsten om te zetten in een monster.'

'En als het monster nou eens echt is?'

'Het monster is altijd echt.' Ze keek me verbaasd aan. 'Die poppen van maïsschillen van je zusjes... Dat was toch een grapje, hè?'

'Nee, niet voor hen,' zei ik. 'Miss Corvis, denkt u dat Robbie een reden had om bang te zijn voor Cassandra?'

'Dorothy,' zei ze. 'Sorry. Noem ik jou detective, of agent, of... Wat eigenlijk?'

'Mike is prima,' zei ik. 'Ik zal het uitleggen. Ik probeer erachter te komen of Cassie kan hebben geweten wat haar zou overkomen. Of er de laatste dagen een belangrijke verandering in haar gedrag was.'

'God, ja.' Ze knikte. 'Tijdens dat hele vreselijke rechtbankgebeuren barstte ze een uur voor haar moeder of vader kwam opdagen in huilen uit. De meeste dagen was ze zo overstuur dat ze haar eten niet kon binnenhouden.'

'Leek het of ze contact met haar ouders uit de weg ging?'

Ze schudde haar hoofd. 'Het had niets te maken met ieder van hen afzonderlijk. Zelfs niet met de nieuwe vriend van haar moeder. Ik denk dat het gewoon door de hele situatie kwam, door de wetenschap dat ze ruzie maakten om haar. Ze is een heel gevoelig meisje. En je weet dat kinderen altijd denken dat alles hun schuld is.'

'Je denkt niet dat Dale haar mishandelde.'

Ze leek het antwoord zorgvuldig te overwegen. 'Niet welbewust. Maar met hem ging het echt bergafwaarts. Hij kon absoluut niet voorkomen dat dat oversloeg op haar.'

'Weet je, laatst, na onze vechtpartij, zei hij iets heel vreemds. Hij vroeg of ik...'

'Hoorde je een baby huilen?'

'Hoe wist je dat?' vroeg ik. 'Wat heeft het te betekenen?'

'Cassie vertelde dat hij dat altijd vroeg wanneer hij zich had bezeerd. Wat de betekenis ervan betreft... Soms, wanneer kinderen worden gekwetst, bouwen ze een muurtje vanbinnen. Al die pijn en woede gaat net zolang over dat muurtje... tot het bijna een tweede identiteit wordt.'

'Je bedoelt disassociatie. Dat ze vertellen dat een ander kind wordt gekwetst, tot je erachter komt dat-ie het zelf is.'

Ze knikte. 'Wanneer de vader van Cassie pijn voelde, hoorde hij een baby huilen. Hoogstwaarschijnlijk had hij niet door dat hij zelf die baby was.'

'Dus je bent van mening dat Dale het slachtoffer was van kindermisbruik?'

'Uitgaande van dat beetje wat ik heb meegemaakt, ja. Maar hij deed zijn best om Cassandra daar niet mee te belasten. Dat is belangrijk.'

Ik knikte. 'Zag je dat het beter met haar ging toen de hoorzitting voorbij was?'

'Ze was een heel stuk rustiger. Maar beter?' Dorothy stak haar handen omhoog. 'Ze wilde niet eten waar iemand bij was. En dit deed ze erg vaak' – Dorothy legde haar hand over haar lippen – 'als ze moest praten.'

'Wat zegt dat jou?'

'Kinderen vatten een aanwijzing vaak letterlijk op. Ik vermoed dat iemand tegen haar had gezegd dat ze haar mond dicht moest houden.' Ze stak haar hand in haar bureaula en haalde er een tekening uit. 'Ik wilde je dit laten zien. Het is een zelfportret dat Cassie voor me heeft getekend.'

De tekening was, vond ik, behoorlijk goed voor iemand van zeven. Cassie had zichzelf staande op een gazon getekend en ze had een bruine pup in haar armen. Ze had haar eigen trekken heel precies uitgebeeld: groen voor haar ogen, rood voor haar rossig blonde haar. Maar er mankeerde iets aan.

'Er is geen mond,' zei ik. 'Wanneer heeft ze dit gemaakt?'

'Donderdag. Vandaar dat ik het raar vond dat je zei dat de Schaduwvanger geen gezicht had. Toen ik aan Cassie vroeg wat er met haar mond was gebeurd, zei ze: "die heb ik voor een pup geruild."'

'Ze ruilde haar zwijgen voor het leven van haar pup,' zei ik. 'Aan wie heb je dit verder nog verteld?'

'Aan de hoofdonderwijzer. Hij snapte het niet. "Kinderen tekenen altijd rare plaatjes, bla-bla-bla." In elk geval hoor ik een afspraak te hebben met de kinderbescherming... Wauw.' Dorothy sloeg een hand voor haar gezicht. 'Dat zou vandaag gebeuren.'

'Dus daarom nam ze de pup mee naar school?'

'We konden haar er niet toe krijgen om het beest los te laten. Ze hield die arme Belle de hele dag vastgeklemd.' Ze schudde treurig haar hoofd. 'Vlak voor ze in de schoolbus stapte, zei Cassie iets wat mijn hart bijna brak. "Ik geloof niet dat ik vandaag mijn papa te zien krijg."'

'Zei ze dat?'

'Ja. En ik bleef maar stommiteiten tegen haar zeggen als: "Natuurlijk wel. Hij zal je vast wel komen ophalen." Ik blijf maar denken... Ik hoop dat ze niet weet wat er met haar vader is gebeurd.'

Ze keek me een hele tijd aan, indringend, om mijn zwijgen te peilen. 'Afijn, fijn dat je langskwam,' zei ze ten slotte.

Even later klonk er hard gestamp van voeten op het plafond. 'Mooi. Over precies dertig seconden is dit lokaal weer vol kinderen, klaar om een verhaal te horen. Dus tenzij je wilt blijven om me te helpen met voorlezen uit *Vrij baan voor jonge eendjes...*'

'Morgen misschien.' Ik stond op, blij om bevrijd te zijn uit dat piepkleine stoeltje. 'Dat draaiboek dat Robbie voor je had gevonden voor jullie rattenvangerstuk – daar heb je niet toevallig een exemplaar van?'

'Ja, hier.' Ze gaf me een aan elkaar geniet bundeltje. 'Mag ik je een vraag stellen?'

'Brand maar los.'

'Wat is er met je nek gebeurd?'

Ik voelde aan het verband. 'Ik heb me gesneden bij het scheren.'

Ze lachte niet. 'Laat eens kijken.'

'Het is niets.' Ik deed een stap achteruit. 'Ik voel er amper iets van.'

Terwijl ze achterover leunde, kwam er een uitdrukking van stille compassie in haar ogen. 'Je bent zoiets niet gewend, hè?'

'Er is wel eerder met me gesold.'

'Dat heb ik gemerkt.' Ze glimlachte, ietwat treurig. 'Wat ik bedoel is: je bent het niet gewend dat iemand het erg vindt.'

De kinderen kwamen de trap af gestommeld, schreeuwend en joelend, terwijl ze langs ons heen schoten.

'Ik denk het niet,' zei ik.

EENENDERTIG

...en de rattenvanger zei tegen de rijke mensen: Jullie zijn GIE-
RIG. Ik heb jullie gered van de ratten die jullie baby's hebben
gebeten en al jullie melk hebben opgelikt. En dan is dit de manier waarop jullie me belonen! O, wat zal ik jullie dat betaald
zetten! Ik zal jullie een schat afpakken die al jullie goud waard
is. Jullie kinderen zullen me voor altijd dienen in mijn koninkrijk aan de voet van de bloederige berg, terwijl jullie alleen maar
steeds ouder en dikker worden, en spijt zullen krijgen. Ja. Hadden jullie maar moeten opletten.

Ik was zo verdiept in Robbies monoloog dat ik bijna de medewerkster
van het gerechtshof omverliep toen we allebei het voorplein overstaken.
'Niet zo vlug, woesteling!' Ze lachte en klopte op haar weelderige borst.
'Zo bezorg je een oud mens nog een hartaanval. Waar zit jij met je neus
in?'
'De vrekken van Hamelen,' zei ik. 'Ik ben blij dat ik u tegen het lijf
loop. Die bosbrand in 1978: hebt u misschien dossiers van een onderzoek...'
'Ik kan je wat oude kranten opsturen – kopieën, althans.' Ze trok een
wenkbrauw op. 'Of misschien moet ik je juist straal negeren. Het schijnt
dat je met de tegenpartij heult.'
'Wat bedoelt u?'
'Hmmm. Jullie politiemannen glimlachen zondagochtend allemaal als
engeltjes.' Ze schudde haar hoofd. 'Straks moet die vriend van je, die Mr.
Archer, nog personeelsadvertenties gaan lezen als hij doorgaat met die
rotgeintjes van hem.'
'Rotgeintjes?'
Ze wees naar de krantenautomaat.

BRAND IN SWEET CHARITY
*Enige legale bordeel van Dyer County bij brand door kortsluiting
in de as gelegd*

'Er worden nog geen honderd woorden aan gewijd,' zei ik tegen Peggy via de telefoon in mijn kantoor. 'Niet eens een foto. Intussen wordt er met geen woord gerept over de inval door de sheriff van die ochtend.'

'Wat maak je daaruit op?' vroeg Peggy. 'Afgezien van het feit dat die sheriff van jou een vinger in de pap heeft bij de krant.'

'Archer deed dat om Pete naar Dyer County terug te lokken. Zijn moeder is – was, moet ik zeggen – nota bene de eigenares van het bordeel. En het heeft voorbeeldig gewerkt. Pete is door de politie van Arizona aangehouden, terwijl hij nota bene acht kilometer onder de maximumsnelheid reed, in een Jaguar XK, een felgroene.'

'Hij is nu eenmaal een stuk schorem met weinig smaak. Wat dan nog?'

'Volgens zijn opsporingsbevel moesten ze uitkijken naar een witte Chevrolet Silverado,' zei ik. 'Iedereen had hem vrijdag in een witte Chevrolet zien rijden. Net zo'n auto waarin mijn belagers van gisteravond reden.'

'Tussen haakjes: hoe komt het dat je niet dood bent?'

'Kennelijk wilden ze geen dode FBI-agent, zelfs niet eentje die uit de gratie is geraakt. Het ging ze alleen om de foto's.' Ik hoorde Peggy zuchten. 'Waarom maakt iedereen zich toch zo verdomde bezorgd om mijn hoofd? Je zou bijna denken dat ik nog nooit eerder een oplawaai op mijn knar had gehad.'

'Tja. Nou ja, het is jóúw knar. Dus...' Ze zweeg even. 'Wat is volgens jou het verband met die zoon van Rosario?'

'Ik heb een paar theorieën. Dit is niet het gedrag van een zedendelinquent in paniek. De planning, de wapens die ermee zijn gemoeid... Alles wijst erop dat de slachtoffers waren uitgekozen met een overkoepelend doel in gedachten. Geen *crime passionnel*. Eerder– Peg, mijn andere toestel gaat over. Kan ik je vanavond terugbellen?'

Ze aarzelde even. 'Natuurlijk. Praat maar met Yoshi, mocht ik er niet zijn. Oké?'

'Hoezo, ben ik soms niet goed genoeg meer voor het luisterend oor van de baas?'

'Dat is het niet. Maak af wat je me wilde vertellen, Mike. Het is geen *crime passionnel*.'

'Meer een afrekening met de rattenvanger,' zei ik. 'Laat maar zitten. Die hou je te goed.'

Ik verbond mezelf door met de tweede lijn. Op het schermpje verscheen het nummer van een telefooncel in oost-Dyer.

'Agent Yeager?' zei de vrouw aan de andere kant.

'Ada,' zei ik. 'Waar ben je? Ik heb geprobeerd je te bellen.'

'Ja. Dat moet je niet meer doen. Kun je bij me langskomen? Ik ben thuis.'

'Heb je iets gevonden, Ada?'

Ze gaf geen antwoord.

'Ik ken hier de weg niet,' zei ik. 'Kunnen we elkaar niet op het bureau treffen?'

'Nee. Toe nou. Het is beter dat je hiernaartoe komt. Gisteravond reden hier een paar lui langs. Mijn broers hebben ze verjaagd, maar ik denk dat ze terug zullen komen. Kom je?'

'Natuurlijk,' zei ik.

'Snel?'

Ik keek op de klok. 'Ik moet om vier uur ergens zijn. Als het dringend is, zal ik het wel afzeggen. Maar dan gaan bepaalde mensen misschien denken dat er iets aan de hand is. Snap je wat ik bedoel?'

'Ja,' zei ze. 'En of ik het snap.'

Ik nam even een adempauze. 'Ik kom er nu aan. Zijn er mensen bij je?'

'Mijn familie.' Er klonken stemmen, waarop Ada zei: '*Sí, sí, es él.*' En tegen mij: 'Mr. Yeager, er loopt een grote zwarte hond in de tuin, maar hij bijt niet. Tot zo.'

Ze hing op. Volgens de plattegrond aan de muur woonden de Rosario's in het oostelijke deel van Dyer County, hoog in het voorgebergte van de Sangre de los Niños.

'Jullie kinderen zullen me voor altijd dienen,' mompelde ik, 'in mijn koninkrijk aan de voet van de bloedige berg.' Dat stond zwart-op-wit in Robbies monoloog uit het stuk.

TWEEËNDERTIG

'*...naam is Buford Warburton en ik heb deze advertentie goedgekeurd,*' klonk
een zware, lijzige stem uit mijn autoradio. Er volgde een storing toen ik
over de wegen langs de ravijnen manoeuvreerde. '*...riff* Archer wil dat de
handhaving van de openbare orde in de vorige eeuw blijft steken. Sluit u
met mij aan bij... als uw sheriff zal ik u voorgaan... toekomst voor onze
kinderen. Of mijn naam is niet...'

'...Kontlikker,' vulde ik aan. Dat ik die stem weer op de radio hoorde,
was daar een simpele bevestiging van. Zodra ik hoorde dat de luidspreker het ministerie van Financiën aanriep, schoot het me weer te binnen
dat Archers voornaamste tegenstander in het rappèl in tweedehands auto's handelde.

De sheriff had me met klem aangeraden om op de snelweg te blijven
en naarmate ik verder door het oostelijke gedeelte van Dyer County reed,
ging ik daar steeds meer in geloven. De route naar de ranch van de Rosario's had simpel genoeg geleken, op de plattegrond althans. Maar zo'n
plattegrond vertelt je niet welke wegen sinds de afgelopen winter zijn weg-
gespoeld. Of wat voor wezens zich tussen de ranke pijnbomen schuil-
houden, wachtend tot ze je het vlees van je botten kunnen rijten. Zodra
je Highway 313 af ging, leek het alsof je over een mierenheuvel navigeer-
de. Ada had me verteld dat ik moest uitkijken naar een grote zwarte hond.
In alle tuinen in de omgeving hadden ze grote zwarte honden. Eén vervallen schuur bleek het domein van een familie dobermanns te zijn. Er
zijn van die plekken waar je niet stopt om de weg te vragen, als je leven
je lief is.

Vanaf een afstand waren de Sangre de los Niños spectaculair. Nu waren ze zo dichtbij dat ze er dreigend uitzagen. Rode rotswanden helden
over de weg heen en konden me elk moment onder een honderd miljoen
jaar oud brok steen verpletteren. In de wand waren diepe rotstekeningen
van indianen gekerfd, die slangen en jagers voorstelden, en wat leek op
antilopenkudden. Ik reed door een gedeelte van Dyer County dat in een
ander tijdvak leek te horen.

DEZE KANT UIT VOOR ZOMERKAMP CATHEDRAL LAKE! vermeldde een
verweerd bord links van me. EEN SERVICE VAN DE VERENIGDE SHERIFFS

VAN DYER COUNTY. Ik reed ernaartoe om het beter te kunnen bekijken. De oude zandweg was smal en overwoekerd met struikgewas, maar er liep een spoor van verse wielafdrukken. Na een korte aarzeling reed ik verder in de richting van de top.

Vijfentwintig jaren hadden de littekens van de brand nauwelijks kunnen uitwissen. Zwartgeblakerde dennen en ponderosa's staken als ijzeren pinnen boven het lage struikgewas uit. Het grootste deel van de blokhutten was allang afgebrand of weggerot, maar het granieten geraamte van het hoofdgebouw stond nog overeind. Terwijl ik stapvoets door de open vlakte reed, zag ik zeldzame overlevers, zoals een oranje zwemvest en een omgegooide koffiekan. HIER INTEKENEN VOOR ACTIVITEITEN stond er op een omgevallen bord te lezen, dat half in as en puin was begraven. Maar activiteiten, ho maar: Cathedral Lake Camp was zo dood als een pier.

Vervolgens kwam ik bij het meer.

Net wat de vrouw van het gerechtshof had gezegd: het meer was een verloren zaak; een droge zoutbedding met een diameter van nog geen kilometer. De oude zeilboot van Martha's foto was er nog, nu compleet bedolven, met uitzondering van de mast en de voorsteven. Ik stapte uit de auto en klauterde over de steile oevers. Een meter of vijf boven de bodem struikelde ik over een blootliggende afvoerpijp en maakte bijna een duikeling. Op het laatste nippertje hervond ik mijn evenwicht en half glijdend, half vallend daalde ik neer in een waterval van grind.

Fantastisch, dacht ik. Hoe kom ik nou weer omhoog?

Pas toen ik mijn voeten over het zand hoorde knerpen, realiseerde ik hoe stil het rond de riviervallei was, alsof je over het maanoppervlak liep. Het spoor van een stel zware laarzen voerde me naar de zeilboot. Vijfentwintig jaar van zon, zand en wind hadden hem kaalgeslagen als drijfhout. Behalve een verse veeg op de ra van de mast. Die had de vorm van een handpalm, met twee kleinere plekjes als vingerafdrukken aan de onderkant. Straalsgewijs uitlopende vegen, voldoende vergelijkingsmateriaal met gedeeltelijke of latente sporen. Met mijn duimnagel schraapte ik langs de rand. Die bladderde af als olieachtige verf.

Voorzichtig stopte ik een monster in mijn zak voor een latere analyse. Daarna, toen ik nog wat beter keek, zag ik dat er initialen in de mast waren gekerfd:

D.D.
M.A.
M.F.A.
P.F.

Dale Dupree, Martha Archer, Mary Frances Archer en Pete Frizelle. In een impuls veegde ik wat zand weg van de mast. Daar zaten fijne krasjes in die een vijfde stel initialen geweest hadden kunnen zijn – of niet. Iemand had ze met een mes doorgekrast.

'Vier kwamen thuis,' zei ik.

Bij het horen van mijn eigen stem huiverde ik even, alsof ik iets had wakker geschud wat ik beter had kunnen laten doorslapen. Het volgende moment werd ik opgeschrikt door het geluid van de grendel van een vuurwapen.

'Verroer je niet.' Hij was een jaar of achttien, potig en hij had felle donkere ogen en sliertig zwart haar. Het vuurwapen, een vooroorlogs repeteergeweer, was een centimeter of twee boven mijn neus gericht.

'Zou ik soms even lucht mogen happen?' In die valkuil was ik een weerloze prooi. Gelukkig knikte hij en ik klauterde, heel langzaam, naar grondniveau. In de kille wind was het al ver onder nul, maar toch had die knul geen jack aan. Hij liep op blote voeten. 'Heb je het niet koud?'

'Een beetje,' zei hij. 'Ada zei dat je naar het huis zou komen. Ik wil je niet beledigen, maar er loopt hier de laatste tijd raar volk rond.'

'Waar is Ada?'

'Waar wij naartoe gaan.' Hij keek over zijn schouder. 'Is iemand je gevolgd?'

Ik schudde mijn hoofd. 'Hoe heet je?'

'Raymundo,' zei hij. 'Oké, lopen.'

'Ik verzet geen stap onder bedreiging van een vuurwapen, Raymundo.'

Hij liet de loop zakken, maar zijn blik bleef op me gericht. 'Jij rijdt,' zei hij.

We gingen naar mijn auto en reden terug naar de hoofdweg. Raymundo wees de weg: een knikje hier, een gebaar daar. Ik had op eigen houtje nooit de weg kunnen vinden.

'Je bent zeker de broer van Ada?'

'Stiefbroer,' zei hij. 'Mijn moeder is een Paiute uit het zuiden. Lang geleden was dit land allemaal van ons. Vroeger waren hier een heleboel van mijn rode broeders en zusters. En er was meer te eten dan we op konden. Nu hebben we amper genoeg water voor onze paarden.'

'Ben je trots op je zus... dat ze voor de sheriff werkt en zo?'

'Vroeger wel.'

'Waarom nu niet meer?'

'Hier rechtsaf.' Zijn brede gezicht gloeide op in het middaglicht. 'Toen ik voor het eerst naar het gezicht van mijn neefje keek, keek sheriff Archer naar me terug.'

Ik knikte. 'Vooral rond de mond zie je de gelijkenis heel goed. Dat viel me op toen ik de foto van Espero bekeek.'

Hij liet enige belangstelling blijken. 'Wat voor foto?'

'De foto in de kerk,' zei ik. 'Het rare eraan is... Espero's ogen keken niet naar de camera. Weet jij wat er met hem aan de hand had kunnen zijn?'

'Afgelopen voorjaar kreeg hij last van nachtmerries. Ada was de enige die hem rustig kon houden, maar zij was 's avonds altijd aan het werk. Een paar weken geleden begon hij weg te lopen.'

'Dus jij hebt de zwarte SUV gezien op de dag dat hij werd vermist?'

'Ja, dat was ik. Ik paste op hem in de voortuin. Ik lette vijf minuten even niet op.'

'Wat was je aan het doen toen hij wegliep?'

'Wat bedoel je daar verdomme mee?'

'Heb je hem daadwerkelijk zien weggaan?'

'Ik zat achter de schuur een joint te roken, oké? Toe maar, arresteer me maar als je dat leuk vindt.'

'Kalm nou maar, Raymundo. Je lette vijf minuten niet op...'

Hij knipte met zijn vingers. 'Zomaar... patsboem. Ik ben als een speer de straat op gerend. Geen Espero. Dus stappen we weer in de truck en rijden rond. En daar staat die SUV, geparkeerd bij de ingang van de kinderwei. We rijden er even achteraan in de richting van de afgrond, dan is hij opeens weg. Ada stuurde een, je weet wel... een opsporingsbevel uit, maar dat heeft ze later ingetrokken toen ze erachter kwam dat 'ie van zo'n rijke tante was.'

'Welk rijke tante?'

'De vrouw van de dominee,' zei hij. 'De dochter van de sheriff. Ze zei maar steeds:' – zijn stem steeg tot falsethoogte – "Ik was bang. Ik was bang dat ze me zouden aanhouden." Hoe kon ik nou weten wie ze was? Die trut heeft Espero waarschijnlijk meegenomen. Alleen is Ada zo slap, die gaat gewoon als een hondje met haar pootjes in de lucht liggen.'

'En jij was erbij toen ze Espero's lichaam vonden.'

Raymundo knikte. 'En er zat geen druppel bloed meer in hem. Pervers.' Hij snoof de lucht in. 'Er is iets mis. Zet de auto aan de kant.'

Ik remde. 'Wat voor nachtmerries had Espero eigenlijk?'

'Over een man,' zei Raymundo. 'Een man zonder gezicht.'

'Wil je me vertellen –'

'Godskolere.' Raymundo sperde zijn ogen open. Er klonk een laag gedreun onder de wielen. Het stuurwiel trilde ervan.

'Wel godverdomme,' zei hij. 'De paarden.'

Het volgende moment hadden ze ons ingesloten, in volle draf over de weg langs het ravijn. Een bewegende muur van vlees en hoeven, en het wit van ogen die waren van blinde paniek teruggerold. Met achter zich aan dikke stofwolken. Of...

'Rook!' schreeuwde Raymundo. 'O, jezus, brand...'

Hij sprong de auto uit en rende tegen de horde in, in de richting van de zwarte rookkolom die boven de haag van jeneverbesstruiken uit steeg. Ik drukte verwoed op de claxon, maar ik kon met geen mogelijkheid om de in paniek geraakte paarden heen. Inmiddels hoorde ik gegil.

DRIEËNDERTIG

De hele familie was uitgerukt om de vlammen te lijf te gaan. Een hele muur van de ranch was weggeslagen en flarden aluminium van bouwmateriaal lagen kriskras tussen de dorre graspollen. Kinderen huilden. Toen ik langs de stal liep, zag ik een oude man die, in een deken gewikkeld, over de grond rolde. Ada's grote zwarte hond lag jankend op zijn zij.

Ik greep een man van een jaar of vijftig bij de arm. 'Hebt u de brandweer gebeld?'

Hij huilde alleen maar en wees.

Raymundo rende op het brandende huis af. Vlak voor de veranda kreeg ik hem te pakken. Zelfs op vier meter afstand was de hitte zo hevig dat je er bijna van knock-out ging.

'Laat me los!' schreeuwde hij. 'Ada is daarbinnen! Ze is –'

'Dan gaan we samen,' zei ik.

Ik trok mijn jack uit en we rukten allebei ons hemd van ons lijf om die als een masker om ons gezicht te wikkelen. Nadat ik nog eenmaal frisse lucht had ingeademd, renden we naar binnen.

Zodra de rook toesloeg, zwollen mijn ogen op tot spleetjes en kon ik nog maar ternauwernood blijven ademen. Het vuur had de zitkamer nog niet bereikt, maar er kwam een gemene stank uit de keuken, waar de vlammen op hun allerheetst waren. Raymundo greep me beet en wees met zijn gestrekte vinger in de richting van de vestibule. Er lag een slanke gestalte op haar buik: Ada. Ik gooide mijn jack over haar heen, waarna we haar ieder aan een kant oppakten. Ze kon nog geen vijftig kilo hebben gewogen, maar met al die rook was het alsof we een baal graan een berg op sjouwden. Half rennend, half struikelend bereikten we de veranda. Daar stonden twee mannen te wachten om haar van ons over te nemen.

'Blijven rennen,' zei ik hijgend. 'De gasleiding...'

We krabbelden nog een meter of twintig verder voor we op de grond vielen. Een gloeiende vuurbal werd uit het huis gelanceerd, waardoor om ons heen opnieuw gekrijs oplaaide. Een oorverdovend geknars van staal op staal. Een afgerukt stuk van een boiler werd op nog geen vijf meter van mijn hoofd tegen de grond gekwakt. Nog steeds vlogen delen van het brandende huis op de grond, terwijl ik op agent Rosario af kroop. Nu pas zag ik wat het vuur met haar had aangericht. Stukken huid van haar arm lieten los als gaar vlees.

'Ada,' zei ik. 'Ik ben Mike.'

'Mister... Yeager.' Ze ademde nog maar amper. *'Usted aquí'*

'Ik ben hier.'

'No quiero morir,' zei ze. 'Maar ik ga... mijn schatje te zien krijgen.' Ze probeerde te glimlachen. 'Tekeningen... achterin. Onder zijn... *asiento.'*

'Ada, er gaat niemand dat huis nog binnen,' zei ik. 'Alles wat er in de kamer van je zoontje was, is er nu niet meer.'

'Nee, nee...' ze hoestte. *'No para nada.* Alsjeblieft... Niet voor... niets.'

Haar stem stierf weg. De adem ontsnapte uit haar lichaam. Raymundo huilde. En nu het te laat was voor brigadier Rosario, waren er plotseling overal zwaailichten van ambulances.

Ze zetten een zuurstofmasker op Ada's gezicht, maar ze ademde niet meer. Een van de ziekenbroeders vroeg of ik hulp nodig had, waarop ik hem afwimpelde. Toen ik steun zocht aan Ada's gedeukte jeep, viel mijn oog op het kinderzitje in de wagen.

Asiento. Achterin. Het portier zat op slot. Ik liep naar de achterkant van de ambulance op het moment dat ze Ada's brancard omhoog tilden.

'Weg, weg.' De brancardier gebaarde dat ik uit de weg moest.

'Geef me haar autosleutels,' zei ik.

'Nee. Geen denken aan, godverdomme.'

'Wat is er aan de hand?' De brandweercommandant liep op ons af: een grofgebouwde kerel in een gele jas.

'FBI,' zei ik. 'Ik assisteer bij het onderzoek naar de moord op Dupree. Brigadier Rosario was in het bezit van bewijsmateriaal.'

'Bent u op zoek naar de moordenaar van Dale?'

Een paar brandweermannen draaiden zich naar me om.

'Ja.' Ik wees naar Ada. 'Dat was zij ook.'

Hij wendde zich tot de ambulancebroeder. 'Geef hem de sleutels.'

Even later lagen de sleutels in mijn hand, nog warm van Ada's lichaam.

'Zorg dat u de schoft vindt die onze Dale heeft vermoord,' zei hij. 'En hang hem daaraan in de hoogste boom die je kunt vinden, hoor je?'

Toen keerde hij terug naar de vlammen. De deuren van de ambulance werden gesloten.

'Ga maar met ze mee,' zei ik tegen Raymundo. 'Je moet bij Ada blijven.'

'Ik had hier eerder moeten komen,' zei hij. 'Ik had niet zo lang weg moeten blijven.'

'Daar kon jij niets aan doen,' zei ik.

De ziekenbroeders lieten Raymundo instappen. Even later reed de ambulance weg.

Ik deed de achterdeur van de Cherokee open, waarna ik ondanks de rook een zweem van haar parfum opving. Cederhout en kaneel. Onder het zitje van Espero lag een paars losbladig cahier met spiraalrug, met op het kaft allemaal stickers van de Powerpuff Girls. Op de voorkant stond met grote, slecht gevormde letters geschreven: C.S.D.

Cassandra Sarah Dupree.

VIERENDERTIG

Het werd al donker toen ik Angel Hair Road bereikte. De stank van vochtige kattenbakkorrels sloeg me tegemoet toen ik het vervallen huis van Evelyn Maidstone binnen stapte, buurvrouw van wijlen Dale Dupree. Een man met een bolle buik zat in de woonkamer naar een pornozender op tv te kijken.

'Mr. Maidstone,' zei ik. 'Sorry, maar de deur was open.'

Hij verroerde zich niet. Een vlieg landde even op zijn spaghetti en steeg toen weer op.

Iemand lachte in de duisternis achter me. 'Delbert zegt niet veel sinds het ruimteschip hem heeft teruggebracht.'

Rechercheur Tippet stond tegen de keukendeur geleund, grijnzend als de duivel zelve. Hij droeg cowboylaarzen en een overhemd met lange mouwen.

'Is de sheriff er ook?' vroeg ik.

Hij wees met zijn duim in de richting van de keuken. Toen ik langs hem heen wilde lopen, stak hij nonchalant zijn arm uit. Even dacht ik dat hij me de weg wilde versperren. Toen draaide hij de deurknop om, waarna hij zich naar me toe boog terwijl hij de deur openduwde.

'Waarom kijk je zo naar mijn arm, Yeager?'

'Ik vroeg me alleen maar af of je hem zou weghalen of liever zou willen dat-ie doormidden werd gebroken.'

Hij stapte opzij. Ik hield hem met één oog in de gaten terwijl ik de gele keuken binnenging.

'Ik hoorde dat hij vroeg hoe ze dacht binnen te komen als ze geen sleutel had...'

Evelyn Maidstone had een blauwgespoeld poedelkapsel en ze had een groezelig roze nachthemd aan. Twee langharige katten draaiden rond haar benen terwijl ze wodka in een joekel van een glas schonk. Sheriff Archer stond tegen de keukentafel geleund. Hij zag me, maar hij zei niets.

'...dus eindelijk rijdt hij weg, en zij staat daar met Cassie en... O, mijn god! Ik schrik me dood van je!' Haar laatste kreet was tot mij gericht.

'Sorry, dat ik wat laat ben.' Ik wendde me tot Archer. 'Ik ben net terug uit oost-Dyer.'

Hij stapte langs me heen de woonkamer in. 'Ik wist waar je was.'

'Dan weet je ook dat brigadier Rosario dood is.'

In de schemerige kamer was het moeilijk om iets van zijn gezicht af te lezen. 'Ja, dat hoorde ik.'

'Maar wacht eens, sheriff!' Evelyn kwam achter ons aan gehobbeld. 'Ik vergat je iets te vertellen! Toen Pete die avond ruzie maakte met Mary, zag ik dat hij haar zonnebril van haar gezicht trok. En dat ze een enorme jaap had – hier.' Ze legde haar hand onder haar linkeroog. 'Maar jij weet vast wel aan wie ze dat te danken had.'

'O ja?' Archer leek amper te luisteren.

Tippet schudde zijn hoofd. 'Mrs. Maidstone, zei u gisteren niet tegen mij dat het haar rechteroog was?'

'Helemaal niet.'

'Ik dacht het wel, ma'am. Dat heb ik in de beschrijving gezet die ik aan de politie heb gegeven.'

'O.'

'En ik snap niet waarom Mary Frances een zonnebril droeg, als u hen 's ávonds ruzie zag maken.'

'Dan was het niet 's avonds,' zei ze. 'Maar ik weet dat Mary Frances ruzie had met Pete. Hij probeerde zijn autodak omhoog te krijgen en zij wilde maar steeds dat hij binnen zou komen. Hij trok haar zonnebril van haar neus en toen reed hij weg. En zij ging naar binnen.'

'Je vertelde zonet dat ze geen sleutel had.' Archer wachtte op een reactie.

'Ik denk... dat ik dat waarschijnlijk door elkaar heb gehaald.'

Hij schudde zijn hoofd en liep de deur uit. Tippet liep voorzichtig achter hem aan.

Zelf bleef ik bij de deur staan. 'Hoe laat kan dat zijn geweest, Mrs. Maidstone?'

'Ik ben helemaal in de war.' Evelyn fronste haar voorhoofd. 'Ik heb geen idee wat het uitmaakt, welk oog. Ik weet wél dat Pete wegreed. En dan moet... O, jezus, hoe laat was dat?'

'Halfvijf,' zei een korrelige stem achter me. Het was Delbert Maidstone, zonder één moment zijn blik van zijn pornofilm af te wenden.

'Daar zit een luchtje aan,' zei ik toen ik achter de sheriff aan de oprit af liep. 'Waarom zou Pete op klaarlichte dag Mary en Cassie in het huis achterlaten?'

'Als je het haar morgen vraagt, zal ze je iets anders vertellen,' zei Archer. 'Wat heb je me over die brand te vertellen? Hoofdcommissaris Espy zei dat er een gastank ontplofte.'

'Daar moest het althans op lijken,' zei ik. 'Volgens de familie was die tank de dag ervoor zo goed als leeg. Iemand heeft er waarschijnlijk 's nachts mee geknoeid.' Ik zette mijn kraag op vanwege de kou. 'Net als dat rare ongeluk in de Sweet Charity gisteren.'

Archer bleef staan. 'Ik zie geen pest hier. Tip, ga de auto halen, zodat ik niet in een rattenhol stap.'

Tip ging op zijn strepen staan. 'Sheriff, we hebben agenten bij ons. Ik zal we–'

'Ga die vervloekte auto halen voor die ik die lege kop van je open ram,' brulde de sheriff.

Tip knipperde koortsachtig met zijn ogen, waarna hij zich omdraaide.

Archer was een silhouet tegen de rode lucht. 'Wat heeft Ada je gegeven?'

'Niet nu,' zei ik. 'Na wat er gisteravond op de snelweg is gebeurd, weet ik zo net niet of ik iets op een plek wil bewaren waar Tippet het kan zien.'

'O, je ziet nog steeds spoken?' Hij snoof. 'Je gaat me toch niet vertellen dat het je gelukt is om tijdens dat mysterieuze knokpartijtje de foto's van Dupree kwijt te raken?'

De auto stond met gierende motor achter ons.

'Je hoeft er niet verder naar te zoeken,' voegde hij eraan toe. 'Een motoragent heeft de envelop aan de kant van de snelweg gevonden, precies op de plaats waar je hem hebt laten vallen, volgens mij.'

'En dat negatief van uw dochter?'

'Dat zal wel naar het zuiden zijn gewaaid.' Het leek hem niet te deren. 'Ik ga namelijk niet iemand kwetsen met de vraag hoe hoogst belangrijk bewijsmateriaal zomaar in de wind heeft kunnen wegzweven. Maar ik zou wel willen weten of jouw bazen van de FBI de onzin zouden pikken die je mij probeert aan te praten. Eerst jaag je Sig Lund de stuipen op het lijf door naar de medische gegevens van Dale te vragen –'

'Waarom vind je dat verzoek eigenlijk zo ongepast?'

'Omdat het ongepast ís, verdomde sukkel. Het maakt niets uit hoe Dale dat litteken aan zijn slaap heeft opgelopen. De man is dood. En morgen komt de politiepatrouille van Arizona ons Pete Frizelle brengen, en dan krijg jij een bekentenis. En dan is het uit met de gek uithangen in oost-Dyer. Einde kutverhaal.'

'Wie probeer je te dekken, sheriff?'

'Vraag dat nog eens,' zei hij. 'Ga je gang.'

'Of ben je alleen maar jezelf aan het beschermen?' Ik knikte. 'Omdat je niet wilt dat iemand weet... hoe hulpeloos je bent geworden?'

Nu Archer door de naderende koplampen werd belicht, kon ik de doodsangst in zijn ogen zien. 'Ik dacht dat we het eens waren, Mike.'

'Dat dacht ik ook, sheriff.'

Zijn gezicht stond opeens ijskoud. 'Godverdomme, geen wonder dat dat joch van Madrigal dood is.' Hij banjerde weg, waarna hij zich omdraaide. 'Kom je nog?'

'Ik ga lopen,' zei ik.

'Zoals je wilt.' Het portier werd dichtgesmeten, en de patrouillewagen reed gierend langs me heen, op weg naar Dales huis.

Het was glashelder waarom de moordenaar de moeite had genomen om te voet te komen. Koplampen kon je van een kilometer afstand zien. Maar een man die 's avonds in zijn eentje liep, zou pas worden opgemerkt op het moment dat hij besloot zich te laten zien. Ik was blij met de lange wandeling, omdat ik zo de gelegenheid kreeg het huis van Dale met dezelfde ogen te bekijken als de moordenaar toen hij het in het donker naderde. Daardoor kreeg ik ook meteen de gelegenheid om af te koelen.

De woonwagen stond pas drie dagen leeg, maar het leek wel of de woning al veel langer was verlaten. Aluminium strips lieten los van de ondergrond. Naast een roestig stel halters stond een leeg fietsenrek. Hier zal nooit meer iemand wonen, bedacht ik terwijl ik langs het pad kwam waar Dale zijn reusachtige hand in het cement had gedrukt. Ernaast was de afdruk van Mary's kleinere hand met lange nagels. Dan kreeg je Cassies fragiele afdruk, en de voorpoot van Belle. Ten slotte de minuscule afdruk van een kattenpoot.

De kat zat vanaf de veranda naar me te kijken, een broodmagere zwarte kater met gele ogen. Hij sprong naar beneden en verdween onder de fundering, waarna hij eronderuit gluurde en miauwde.

'Kom maar, kattenbeest,' zei ik. 'Kom dan. Er is niets om bang voor te zijn.' Hij deinsde terug, alsof hij wilde zeggen: Dat had je gedacht, maat.

'Dat is Inky!' Evelyn Maidstone waggelde op me af. De kat verdween. 'Dat is hun kater! Ik wil hem steeds eten geven, maar hij wil maar niet komen. Ik denk dat hij mijn eigen katten aan me ruikt.'

Misschien houdt hij gewoon niet van jouw soort, dacht ik, terwijl ik de drank op twintig stappen afstand rook.

De sheriff stapte de veranda op. 'Evelyn, ga naar huis en val die man niet lastig. Yeager, dit is ter wille van jou, en niet van ons.' Ik gebaarde dat ik er zo aankwam, waarop hij eindelijk weer naar binnen ging.

'Mrs. Maidstone, wacht eens,' zei ik. 'Waar hadden Pete en Mary ruzie over?'

Ze snoof. 'Ik speel geen luistervinkje bij mijn buren.'

'Nee, natuurlijk niet. Maar als ze luidruchtig aan het ruziën waren...'

Ze herschikte haar duster, gerustgesteld. 'Mary Frances wilde kleren voor Cassie meenemen, en Pete zei: "Jezus, we hebben geen plaats. We gaan wel nieuwe kleren voor haar kopen." En hij zei dat hij niet snapte waarom het allemaal vandaag moest gebeuren, en dat ze weer aan de drugs was. Dat was het moment waarop ze... Ik wilde het niet zeggen waar de sheriff bij was, maar die dochter van hem is grof in de mond. Mary zei dat ze zich niet door een puntje, puntje, puntje als Pete de wet liet voorschrijven. Dat was allemaal in het bijzijn van Cassie.'

'Wat deed Cassie terwijl dat allemaal aan de gang was?'

'Ze probeerde te verhinderen dat haar hond onder het huis vluchtte.'

'Ze hebben haar op geen enkele manier tegengehouden?'

Evelyn schudde haar hoofd. 'Ze deden net alsof Cassie er niet was.'

De kat dook weer op en kwam met één poot onder het huis vandaan. Ditmaal was er geen sprake van een vergissing: hij maakte oogcontact met me.

Evelyn lachte. 'Hij denkt dat-ie een mens is.'

Opnieuw schoot Inky weg.

'Nu weet ik het weer!' zei ze. 'De hond zat achter de kat aan, en Cassie zei steeds: "Belle, niet vals doen tegen Inky!" Afijn, de hond wilde z'n bek niet houden en Pete zei op het laatst: "Dit is tien keer niks" – en toen hij reed weg.'

'Zei hij dat precies zo?'

Ze knikte. 'Alleen zei hij niet "niks".'

'Yeager,' zei Archer vanaf de veranda.

'Eén laatste vraag,' zei ik. 'Ik wil dat de sheriff dit hoort. Welke kleur had het voertuig waarin Pete die middag reed?'

Ze knipperde met haar ogen. 'Nou, ik heb rond tien uur een witte pick-up gezien.'

'U zei dat ze ruzie aan het maken waren, terwijl hij het dak omhoogschoof.'

'Ja... Dat was toch ook zo?' Ze hield op. 'Ach ja, het was helemaal geen pick-up. Niet toen hij die middag langskwam. Het was... een kleine groene cabriolet, fonkelnieuw. Vandaar natuurlijk dat hij zei dat er geen plaats was voor Cassies kleren. Er zat geen achterbank in.'

'Dank u wel,' zei ik.

Ze gaf me een weifelend knikje en slofte weg.

'Waar ging dat allemaal over?' vroeg Archer.

Ik kwam bij hem op de veranda staan. 'Het is tijd om het onderzoek te heropenen.'

VIJFENDERTIG

Het team op de plaats delict had het meeste bloed opgedweild, maar er kleefden nog een paar donkere klodders aan de rand van de linoleumtegels. Bijna zwart bloed had het behang doorweekt en er zat een verticale veeg op de vettige afzuigkap. Het patroon was dun en smal, als water door een rietje.

'Dat kwam door de eerste nekslag.' Ik volgde het spoor met mijn vinger. 'Dale zat op zijn knieën voor de keukentafel. Dan moet zijn hoofd hier zijn geweest' – ik hield mijn hand een eindje boven de kale formica tafel – 'en zijn rug was naar de kamer toe gekeerd. Tippet, kom eens even hier.'

Tippet was in de korte gang tussen de wc en de grote slaapkamer. 'Waarvoor?'

'Ik wil dat je me vermoordt.'

Hij keek Archer aan. De sheriff knikte. Tippet rechtte zijn schouders en kwam voorzichtig op me af.

'Oké, ik ben Dale.' Ik ging op mijn knieën zitten. 'Om de juiste hoek ten opzichte van de nek te bereiken, wil de moordenaar me exact in deze houding hebben. Dat doet niemand zomaar op commando. Er moet iets op deze tafel liggen dat ik op ooghoogte wil bekijken. Als dat iets heel gewoons was – eten, of en tijdschrift, wat dan ook – zou Dale er zich gewoon overheen hebben gebogen. Uiteindelijk heeft hij net een vechtpartij achter de rug en zijn hand bezeerd. Bovendien weegt de man bijna honderdvijftig kilo. Maar hij gaat zonder nadenken op zijn knieën zitten. Daarmee gaf hij de moordenaar net genoeg ruimte om het mes neerwaarts te zwaaien.'

Ik keek over mijn schouder. Tippet stond vlak achter me. 'Een betere kans als deze zul je niet krijgen, Tippet.'

Zijn hand was in een strakke vuist gebald. Toen zijn ogen de mijne ontmoetten, trok een vluchtige uitdrukking van verbazing over zijn gezicht, pijlsnel verdrongen door een spottende blik. 'Krijg de pest, Yeager.' Hij stapte een meter achteruit.

'Oké, Mike, ik zie wat je bedoelt.' Traag kroop begrip over het gezicht van Archer. 'Wat denk je dat er op de tafel is gezet?'

'Eerst had ik geen idee,' zei ik. 'Maar nu ben ik er vrij zeker van dat het Cassandra was.'

De sheriff werd lijkbleek. 'Ik hoop voor jou dat je verrekte goed weet wat je zegt.'

'Een paar seconden voor de moord heeft iemand Dale Cassies naam horen schreeuwen,' zei ik. 'De moordenaar kwam binnen, en ineens staat Cassie voor hun neus. Kijk nu eens naar de tafel. Dale was niet bepaald een huishoudelijk type, maar de tafel is schoon. Dat was hij op de foto's ook. Toen de moordenaar binnenkwam, hoefde hij alleen Cassie neer te leggen – bewusteloos, misschien onder invloed van drugs – precies op de plek die voor haar was vrijgemaakt. Dale zag zijn dochter en knielde instinctief neer tot tafelniveau.'

Archer fronste zijn voorhoofd. 'Wat denk jij, Tip?'

Tippet haalde zijn schouders op. 'Wel een heleboel moeite, alleen maar om een man te vermoorden.'

'Maar je zult met me eens zijn dat hij op zijn knieën lag toen hij werd aangevallen.'

Tippet keek naar beneden; dit gesprek beviel hem van geen kanten. 'Daar ziet het wel naar uit.'

'Laat me je dan iets vragen,' zei de sheriff. 'De moordenaar had Cassie al. Waarom moet hij dan Dale doden?'

'Goeie vraag. Kennelijk ging de moord om meer dan alleen de ontvoering van je kleinkind. Denk eens aan het moment van Dales dood. Het kind ligt op de tafel, als een lam op het altaar. Het slachtoffer zit op zijn knieën vóór dat altaar. Als een offerritueel.'

'Dat is allemaal giswerk,' merkte de sheriff peinzend op, 'dat het is gebeurd op de manier waarop jij beweert.'

'Afgezien daarvan,' zei Tippet. 'Hoe is hij dan binnengekomen en naar buiten gegaan zonder voetsporen achter te laten? Dat kon alleen door de keukendeur. De voordeur is geblokkeerd door de tv.'

Ik keek de gang in. 'Door de ramen?'

'Laten we maar eens gaan kijken,' zei de sheriff.

Dales huis had iets huiveringwekkend bekends. Zonder de kasten te hoeven openen, wist ik dat de glazen voor het grootste deel afkomstig waren van Taco Bell. Dat de breedbeeld-tv amper groot genoeg was om de grapefruitvlekken op het kleed te bedekken. Ik wist dat de aflossing voor de televisie twee termijnen achterliep en dat het meubilair huurkoop was. Ik wist dat Dale in betere tijden plannen had om de woonwagen uit te bouwen, zodat ze een kinderkamer voor hun jongste kind zouden hebben, een project dat nooit van de grond was gekomen. Ik wist dat hij het nooit over zijn hart had kunnen krijgen om de nummers van *Cosmopolitan* van zijn vrouw weg te gooien. Ik wist dat Dale foto's van zijn maten bij het Korps Mariniers in een schoenendoos bewaarde, en dat daar een paar bij waren die hij niet zonder droge ogen kon bekijken. Dat hij 's nachts meestal sliep met een fles Coors bier in zijn hand.

Ik wist die dingen, omdat het in het huis waarin ik opgroeide net zo was.

'Dit is de weg die de moordenaar heeft gevolgd,' zei ik. 'Het bloedspoor wordt voorbij de badkamer kleiner. Hij heeft zich waarschijnlijk onder de douche afgespoeld.' Ik deed het keukenkastje open. Er stond een fles afwasmiddel in en een halflege bus schoonmaakmiddel. 'Waarschijnlijk zul je geen vingerafdrukken vinden, maar check het tóch maar even. Jezus, die vent is een maniak.'

We kwamen langs Cassies kamer. Bijna de hele woonwagen was in dezelfde romige beige kleur geschilderd, maar het kamertje van Cassie was een studie in paars. Paarse lakens, paarse muren, alles paars.

'Dit is om gek van te worden,' zei Tippet.

Ik trok de bovenste la van haar bureau open. 'Sheriff.'

Archer wierp een blik over mijn schouder. 'Zo te zien is er niets weg.'

'Helaas, je hebt gelijk,' zei ik. 'Volgens zeggen is Mary Frances hier geweest om een koffer te pakken, maar al Cassies kleren zijn er nog.'

Het gezicht van de sheriff betrok. 'Ze dachten volgens mij dat... ze die niet nodig zou hebben.' Archer controleerde het raam. 'Vergrendeld. En het badkamerraampje is te klein.'

'Dan blijft alleen de slaapkamer van de ouders over,' zei ik.

'De eerste keer dat ik hier was,' zei Tippet, 'zag ik aan de achterkant afdrukken in de aarde. Die hadden wel eens van een ladder kunnen zijn.'

'Ga dat controleren,' zei Archer. Tippet ging weg. De sheriff haalde diep adem. 'Volgens mij moeten we daarbinnen eens een kijkje nemen.'

Het tweepersoonsbed was niet opgemaakt, en in Dales kant van het bed zat enigszins een kuil. De spiegelkasten zaten dicht.

'Waarom zei je zonet dat het tijd werd om het onderzoek te heropenen?'

'Als Evelyn Maidstone ook maar enigszins gelijk heeft,' zei ik, 'kan Pete niet degene zijn geweest die dit op stapel heeft gezet. Ik weet niet eens of hij wist wat er allemaal aan de hand was.'

'Hoe –'

Ik pakte hem bij de arm. 'Ssst.'

We wachtten. Even later bewoog er iets in de kast.

Dek me, vormde ik met mijn lippen. Archer trok de Colt uit zijn holster, terwijl ik naar de ene kant van de kast liep.

'Wat zei Tippet ook alweer over ladderafdrukken?' Ik zorgde dat mijn stem nonchalant klonk.

Wat zich ook in de kast bevond, het bewoog opnieuw: een krakende plank, als iets wat worstelde om eruit te komen.

'Weet ik veel.' Archers hand, die nu op de revolver rustte, trilde.

Ik rukte de deur open. Inky de kat sprong op me af.

'Jezus, wat krijgen we n...?'

Nu was duidelijk waarom de kat steeds onder de woonwagen vluchtte. En hoe de moordenaar de plaats des onheils had verlaten. En wat hij had achtergelaten. Ik schoof het vierkante vloerkleed opzij en tilde de losse tussenvloer op. De geur van formaldehyde steeg uit de koude aarde op. Zodoende vonden we Mary Frances Dupree.

ZESENDERTIG

Sheriff Archer woonde in een uit natuursteen met houten beslag opge-trokken bungalow in het uiterste westen van Dyer County, die de indruk wekte dat het ooit een riant onderkomen was geweest. Na jaren van ver-waarlozing was het nu zowat een ruïne. In één oogopslag zag je dat er in dat oude huis in geen jaren meer iemand had gespeeld, gelachen of de liefde bedreven. Buiten stond een gloednieuwe zwarte Nissan terreinwa-gen geparkeerd. VERGEVEN FRUIT... BOOM DES LEVENS! stond er op de sticker op de achterbumper.

Connor Blackwell deed de deur voor me open en, mager als hij was met zijn hoofd gebogen, zag hij eruit als een geslagen hazenwindhond. Ik hoorde Archer in de kamer ernaast schreeuwen.

'...God moest zich maar met zijn eigen schunnige zaken bemoeien.' Ik kende de toon in de stem van de sheriff heel goed: het schorre gebral van iemand die straalbezopen was.

'Het was me het avondje wel,' zei Connor. 'Ik geloof dat het ons geen van allen meezit. Heb je... haar gezien?'

Ik knikte.

'Als je nog één spreuk citeert, ram ik je die verdomde Bijbel door je strot,' zei Archer. 'Jij hebt hieraan meegewerkt.'

'Ik ben het niet gewend om hem zo te zien.' Connor huiverde. 'Ik ben er ziek van, Mike. Ik had gisteren meer moeten meewerken.'

'Dat zou Mary het leven niet gered hebben,' zei ik. 'Maar ik vind wel dat de tijd is gekomen dat ik het verslag van die ondervraging van Cas-sie te zien krijg.'

'Ik zal het morgen wel komen brengen,' zei hij berustend.

'Vertel eens,' zei ik. 'Die tekening die Cassandra heeft gemaakt, waar-op die man haar puppy bedreigde: heeft ze iets met het gezicht ge-daan?'

Hij keek verbaasd. 'Jawel. Ze heeft het proberen uit te gummen. Hoe wist je dat?'

'Dat kan ik op dit moment niet uitleggen. Zorg dat ik de transcriptie krijg, en de tekening. Maar wees voorzichtig; bewijsmateriaal verdwijnt hier vaak op een vreemde manier.'

Hij knikte langzaam. 'Het moet vreselijk zijn: op zoek zijn naar iemand die zo zorgvuldig zijn sporen uitwist.'

'Hij is inderdaad zorgvuldig. Maar hij is ook arrogant. En juist die arrogantie zal hem nekken.'

'Ik wilde alleen maar zeggen... Ik weet dat het voor jou niet gemakkelijk is geweest.'

Ik haalde mijn schouders op. 'In vergelijking met wat Cassie heeft doorgemaakt, was het een uitje.'

Ik liep naar de woonkamer.

De sheriff zat kaarsrecht in een rookstoel en hij had een glas waterige whisky in zijn hand. Op de eikenhouten tafel stonden nog twee glazen, met cocktails. Het ene was halfleeg. Het andere glas stond onaangeroerd voor Gavin McIntosh.

'...goed idee om Martha en de kinderen weg te sturen,' zei hij met gedempte stem. 'Op zijn minst tot na dinsdag –'

Archer legde hem met een handzwaai het zwijgen op. 'Mike?'

'We zijn klaar,' zei ik. 'Deze keer heb ik zelf de bewijzen verzameld.'

'Waar is mijn dochter?' Zijn stem klonk merkwaardig kalm.

'Ze is bij dokter Lund,' zei ik. 'Ik was net van plan er weer naartoe te gaan. Ik vond dat u en ik een paar minuten onder vier ogen moesten praten.'

'Denk om wat ik heb gezegd, sheriff. Ze hoeven pas morgen een antwoord te hebben.' Gavin stond op. 'Koester de mooie herinneringen maar, Rafe. Dat zijn de herinneringen die ertoe doen.'

Archer leek op het punt te staan om weer uit te vallen, maar toen keek hij naar mij. 'Dat zijn juist de herinneringen die pijn doen,' zei hij simpelweg.

'Hoe gaat het met Martha?' vroeg ik aan de geestelijke.

'Verschrikkelijk,' zei hij. 'In één woord... verschrikkelijk. De tweeling is door de jaren heen elk een eigen weg ingeslagen, maar... De band tussen hen was heel hecht.'

'Ik hoorde u zeggen dat Martha en de kinderen misschien weggaan.'

'Daarover zijn we in gesprek.'

'Ik weet dat dit een moeilijke tijd is,' zei ik. 'Maar ik zou het afraden dat er überhaupt iemand weggaat. We moeten nog wat meer met Robbie gaan praten.'

Gavin keek naar de sheriff, en vervolgens weer naar mij. 'Ik vrees dat daar geen sprake van kan zijn. Martha is... Tja, eerlijk gezegd begon ze na uw laatste bezoek argwaan te koesteren. Ze denkt dat u Robbie op ideeën brengt. Ik weet dat het krankzinnig klinkt, maar... Hij is een heel gevoelig kind.'

'Desondanks, en ik hoop dat de sheriff daarmee akkoord gaat, is dit voor uw gezin niet het juiste moment om te vertrekken.'

'Mr. Yeager, mijn vrouw is zwanger. Ik wil haar niet nog meer onder druk zetten.'

'Ga nou maar naar huis, Gavin,' zei de sheriff. 'Jezus, ik heb voor mannen gezorgd die haar bewaken. Vanavond zal er niets gebeuren.' Hij schraapte zijn keel. 'Jij ook, Connor. Ik heb voor vanavond mijn buik vol van heilige boontjes.'

Connor wisselde een paniekerige blik met Gavin. Uiteindelijk vertrokken de beide mannen.

'Wat drink je?'

'Niets,' zei ik. 'Waar wil Gavin dat je over nadenkt? Martha wegsturen of...?'

'Hij suggereerde dat ik de voortekenen niet moest negeren.' Archer schoof de krant naar me toe.

'Ja, dat heb ik gezien. Een "brand door kortsluiting" in de Sweet Charity...'

'Ik heb het verdomme niet over de *Ledger*. Dat is de *Sun* uit Las Vegas van morgen.'

Het artikel bestond voor het grootste deel uit een foto van de woonwagen van de Duprees: SLACHTING IN DYER COUNTY. Cassies schoolfoto stond boven een artikel van twee kolommen, waarin verscheidene 'hooggeplaatste bronnen' meldden dat sheriff Archer, na het onderzoek te hebben verknald, op het punt stond onder de druk te bezwijken.

'Op het laatst heb ik de telefoon uit het stopcontact moeten rukken,' zei hij. 'Het ziet ernaar uit dat jij je portie publiciteit zult krijgen, Mike.'

'Je had toch niet echt verwacht dat je dit werkelijk stil kon houden?'

Hij pakte de krant terug. 'Gavins hoogste kerkvoogd zit in de streekcommissie. Die beweert dat ze, zelfs al valt de stemming voor het rappel ten gunste van mij uit, toch zullen regelen dat ik met buitengewoon verlof ga.'

'Ik neem aan dat Gavin vindt dat je ontslag moet nemen om jezelf die ellende te besparen.'

'De enige die ik dan iets zou besparen is Buford Warburton. Die is niet eens in staat om te zorgen dat zijn eigen kilometertellers eerlijk blijven. En dat moet in Dyer County het gezag en de orde handhaven!' Hij draaide de whisky rond in zijn glas 'Ik weet niet, Mike. Wat vind jij dat ik moet doen?'

'Sheriff, ik vind dat we een misdaad moeten oplossen.'

Hij knikte. 'Verdomd als het niet waar is. Wat heb je?'

'Het wordt tijd dat je te zien krijgt wat brigadier Rosario in het gerechtshof heeft aangetroffen.' Ik stak hem het cahier met de spiraalrug toe. Na een lichte aarzeling nam hij het aan.

'De meeste tekeningen voorin zijn typische kinderdingen,' zei ik. 'Maar als je naar achteren bladert...'

'Allejezus.'

Tussen het paarse kaft van dat kinderschrift had Cassandra Dupree een voorstelling van de hel geschapen. Tekeningen waarop kinderen in een brandend gebouw op de grond lagen. Kinderen die naakt aan haken hingen. Kinderen die als kapotte poppen in stukken waren gehakt. En, bijna een hele bladzijde beslaand, het portret van een grote figuur met rood haar bij wie een scherpe grijze streep door zijn hals was geramd. Bloed spoot er in een dunne straal van achteren uit, net als in de keuken van huize Dupree het geval was geweest. En overal, op elke tekening, de man zonder gezicht.

'Waar heeft Ada... dit gevonden?' vroeg Archer.

'Voor zover ik weet: achter in het dossier over de voogdijzitting.'

'Die was twee weken geleden. Probeer je me te vertellen dat ze een tekening van de moord op Dale heeft gemaakt voordat die werd gepleegd?'

'Ik hecht weinig geloof aan buitenzintuiglijke waarneming, maar het is behoorlijk duidelijk dat ze die tekening heeft gemaakt naar aanleiding van iets wat ze heeft gehoord of gezien.'

'Of het is een falsificatie,' zei hij. 'Heeft Pete dit in elkaar geflanst en stiekem in het dossier gestopt...'

'Rafe,' zei ik. 'Sla de laatste bladzijde eens op.'

De moordenaar wilde dat Dale meteen gevonden zou worden. Ze hebben zijn lichaam vlak bij de keukendeur achtergelaten. Er waren foto's gemaakt en binnen vierentwintig uur na zijn dood naar de sheriff opgestuurd. Bij Mary was hij niet minder grondig geweest. Bij haar waren precies dezelfde maatregelen getroffen, maar juist om ontdekking te vertragen.

Mary Dupree was gebalsemd.

Bijna al haar bloed was via de ader in haar linkerdij afgetapt en vervangen door een zware vloeistof die in de aderen en holten was gespoten. De organen die het meest aan bederf onderhevig zijn, waren verwijderd en ontbraken. En dat allemaal met een praktisch, morbide doel. Maar dat was de moordenaar niet genoeg geweest. Hij had haar uit elkaar gehaald. Hij had een monster van haar gemaakt.

Op de kindertekening was elk detail te zien.

'Wat was...' vroeg Archer. 'Wat was de doodsoorzaak? Was ze snel dood?'

168

Ik had kunnen liegen. Dat had ik waarschijnlijk moeten doen. 'Dokter Lund is er niet zeker van,' zei ik. 'Maar hij denkt... dat ze tijdens het hele proces waarschijnlijk nog een poosje in leven was.'

Zijn hand klemde zich om het schrift, en even dacht ik dat hij de tekening eruit wilde scheuren. Maar het schrift viel uit zijn hand. Ik pakte het op, net op het moment dat hij in tranen uitbarstte: een heftige vloedgolf, alsof er een dam was doorgebroken. Ik had nog nooit een man gezien die zich zo liet gaan.

'Ik wist dat ik haar nooit meer zou zien,' zei hij. 'Zodra ze me over Dale kwamen vertellen, wist ik dat mijn dochtertje dood was. Alleen... Ik bleef hopen. Ik zou bijna liever willen dat ze schuldig aan moord was dan dood, Mike. Is dat niet geschift?'

'Het spijt me, Rafe. Het is verschrikkelijk.' Ik hapte naar lucht. 'Maar nu moeten we ons bepalen tot het belangrijkste.'

'Cassie.'

'Ja. Al die tijd dat wij in de veronderstelling verkeerden dat Cassandra bij haar moeder was, konden we er nog van uitgaan dat Mary Frances haar vasthield – zo niet veilig, dan toch in elk geval levend. We weten nu dat dat onmogelijk is. Wie dit met Dale heeft uitgehaald... en met Mary... zal niet aarzelen om je kleindochter iets aan te doen. Vooral omdat ze een doorslaggevende getuige is van een moord.'

'Ik ga hetzelfde met hem doen,' zei hij. 'Wat hij Mary heeft aangedaan. Ik zweer het: ik zal Pete Frizelle zijn darmen uitrukken, als bij een kikker. En als hij mijn kleindochter ook maar met één vinger heeft aangeraakt...'

'Rafe, we weten allebei dat Pete Frizelle niet degene is die dit heeft gedaan.'

Hij zei niets.

'Wat ze met Mary hebben gedaan, vergt tijd,' zei ik. 'Pete had die tijd niet, en eerlijk gezegd geloof ik niet dat hij een motief had. Als hij van plan was om Mary om te brengen... langzaam en met precisie... zou hij haar en Cassie nooit de hele middag onbewaakt alleen hebben gelaten.'

'Dat baseer je op de woorden van een dronken vrouw.'

'Voor een deel, ja. Maar ik baseer het ook op wat jij nu onder ogen hebt.' Ik draaide het schrift om. 'Zie je wat Cassie op beide tekeningen heeft uitgebeeld? Terwijl ze op het moment van hun dood naast haar moeder en vader stond?' Ik bladerde tussen de twee tekeningen heen en weer. 'Een man, van wie het gezicht met opzet is uitgegumd. Net zoals de pop die Robbie de Schaduwvanger noemde.'

'Ze spelen dus allebei dezelfde spelletjes. Wil dat wat zeggen?'

'Kinderen spelen dezelfde spelletjes. Ze hebben last van nachtmerries.

Ze zien boze mannen in hun kast en niemand gelooft hen. Maar drie kinderen verzinnen niet onafhankelijk van elkaar zoiets specifieks.'

'Drie?'

'Vlak voor hij verdween, droomde Espero van een man zonder gezicht.'

'Jij en Sig.' Hij wendde zijn blik af. 'Over Ada's zoon gesproken –'

'Ik heb het over een jongen die met net zo'n trocart is vermoord als je schoonzoon, en waarmee het bloed uit het lichaam van je dochter is gezogen.' Ik pakte het schrift. 'Je zoon: Espero.'

Archer verstijfde.

'Sheriff, waarom heb je het onderzoek naar de moord op Espero gedwarsboomd?' Ik wachtte even. 'Je dochter Martha was op de dag dat hij werd vermist dicht in de buurt. Beschermde je haar?'

'Jongen, je waagt je net een meter te dicht bij de grens.' Zijn stem was scherp als prikkeldraad. 'Je kunt mijn familie hier beter buiten houden.'

Archer verbleekte en zijn handen klemden zich om de leuning van de stoel. Ik ademde in, terwijl ik me beraadde op een wat meer diplomatieke benadering. Waarna ik besloot: de pot op, die oude klootzak móét dit horen.

'Jij kunt er maar beter voor zorgen dat je familie niets overkomt.' Ik verhief mijn stem tot hetzelfde niveau als de zijne. 'Weet je nog dat ik gisteravond zei dat die moorden wraakoefeningen waren? Dat zijn ze ook: een wraakactie op de Archers. Tenzij ik me heel erg vergis, houdt dit niet op voordat elk familielid van jou boete heeft gedaan.'

Hij keek me spottend aan. 'Dat klinkt uit jouw mond wel erg Bijbels, Mike. En ik maar denken dat je een man van feiten was.'

'Laten we het dan over feiten hebben. Zelfs voor een leek lijkt het me duidelijk dat je in Dyer County aan vijanden geen gebrek hebt. En niet de minste onder hen is een rechercheur die jullie geheimen aan Buford Warburton verkoopt.'

'Geheimen verkoopt...' Hij knipperde met zijn ogen, verward.

'Tippet heeft een hotline met Buford,' zei ik. 'De Frizelles dekken Warburton... En Tippet heeft een smoezelig geheimpje in de Sweet Charity Ranch. Doe geen moeite om het te ontkennen. We weten allebei dat hij op de andere helft stond van die foto van je dochter.'

Archer was verbazend kalm. 'Als Tip voor de Frizelles werkt, waarom wil hij dan dat Pete van moord wordt beschuldigd?'

'Dat wil hij helemaal niet,' zei ik. 'Denk eraan; ik was de eerste verdachte, niet Pete. Volgens mij draait Tippet je wat Frizelle betreft een rad voor ogen, terwijl hij met zijn eigen onderzoek bezig is. Je zag hoe hij zich in de woonwagen van de Duprees blootgaf. Ik vroeg hem om met het mes omlaag te zwaaien, en voor hij er zelf erg in had, stond Tippet als vanzelf pal achter me, met zijn hand tot een vuist gebald. Precies zoals je die om een ijspriem klemt, of een hals.'

'En dus?'

'Dus is hij twee dagen lang achter die trocart aangegaan: bewijsmateriaal dat de connectie vormt tussen de dood van Dale en die van Espero.'

'Wil jij dat soms een complot noemen?'

'Geen haar op mijn hoofd die eraan twijfelt dat Pete er door iemand wordt bijgelapt. De enige vraag is of er een spelletje met jou wordt gespeeld, of dat jij degene bent die de bewijslast had neergelegd.'

Archers grijze ogen schoten vuur.

'Die Silverado van Frizelle, bijvoorbeeld,' zei ik. 'De auto die me zowat overreed was een witte Chevrolet, met een bumpersticker van Wild Petes, dat wel. In elke verklaring werd melding gemaakt van een witte Chevrolet... totdat Evelyn Maidstone zichzelf corrigeerde. Voor ik hier kwam, vroeg ik aan de streekpolitie van Arizona hoe ze daar hadden geweten dat ze moesten uitkijken naar een groene Jaguar, terwijl Pete niet eens de maximumsnelheid overschreed. Ze zeiden dat jij een opsporingsbevel voor een Chevrolet had uitgevaardigd, waarna rechercheur Tippet opbelde om dat te rectificeren.'

'Hoe wist hij dat hij dat moest doen?'

'Je kunt beter vragen waaróm. Volgens mij wilde hij zekerheid hebben dat Pete onder zijn verantwoordelijkheid viel en niet onder de jouwe. Wat betreft de vraag hoe hij dat wist... Tja, schijnbaar heeft Frizelle de Jaguar van Buford Warburton gekocht nadat zijn Chevrolet was geconfisqueerd.'

De sheriff dacht lang en diep na. 'Het is me opgevallen hoe Tippet in de keuken stond. En zoals hij het had opgeschreven, was de verklaring van Evelyn enigszins verward. Aan de andere kant: we hebben het over een vrouw die denkt dat haar man door buitenaardse wezens was ontvoerd.'

'Ze is waarschijnlijk zo gek als een deur,' zei ik. 'Maar ze heeft geen motief om te liegen.'

'En Tip wel.'

'Hij is in elk geval gebaat bij jouw ondergang.' Ik wees naar de krant. 'Daar ligt je "hooggeplaatste bron". Bedenk maar eens hoe het allemaal in elkaar steekt. Tippet laat jou je eigen strop aantrekken, terwijl hij probeert de zaak aan Frizelle op te hangen. En daarna, net op tijd om bij de stemming de schaal te laten omslaan, onthult hij samen met Warburton triomfantelijk de bewijslast die ze hadden achtergehouden. Waarschijnlijk al voordat morgen de stemming is gesloten.'

'Krijg toch de pest, jij,' zei hij. 'Wil jij me wijsmaken dat hij Cassies leven in gevaar moet brengen voor een stémming?'

'Hij zou niet de eerste zijn,' zei ik. 'Sheriff, ik wil het direct uit jouw mond horen. Heb je bewijsmateriaal van deze zaak verduisterd of vervalst?'

'Nee.'

'Waarom is Espero dan zonder een autopsie begraven?'

'Dat is de druppel,' zei hij. 'Ik pak nog een borrel. En jij drinkt met me mee.' Hij stond op. 'Stel dat het allemaal waar is wat je beweert, Mike. Hoe ben je dan van plan deze zaak rond te krijgen?'

'Om te beginnen kappen we met de onzinstrategie en zoeken we uit wat Tippet achter de hand houdt. Vervolgens heropenen we het onderzoek naar de dood van Rosario. We nemen Robbie op neutraal terrein een verklaring af. We zorgen dat we diep in de achtergrond doordringen en zetten alle bewijslast in om een nieuw profiel samen te stellen.'

Hij schonk twee glazen in. 'Wat bedoel je precies met "diep in de achtergrond"?'

'Ik heb het over wat er een kwarteeuw geleden bij Cathedral Lake is gebeurd met vier kinderen. Jij bent er afgelopen weekend driemaal geweest. Je dacht er waarschijnlijk iets te vinden.'

'Hoe kun jij dat nou weten, Mike?'

Hij duwde het glas in mijn hand. Ik zette het neer.

'Soms weet je dingen gewoon,' zei ik. 'Hoe wist jij dat ik Dale niet had vermoord?'

'Ik liet je de foto's zien,' zei hij. 'En ik keek je in de ogen.'

'En wat zag je?'

Hij glimlachte flauwtjes. 'Iemand die een tweede kans moet hebben.'

'Over die foto's gesproken,' zei ik. 'Ik moet ze terug hebben.'

Hij schoof de envelop over de salontafel naar me toe.

'Probeer ze deze keer niet kwijt te raken,' zei hij. 'Wil je weten wat ik nu zie?' Hij dronk zijn glas in één teug leeg.

'Ik zie mezelf,' sprak hij verder. 'De welpenleider die ik dertig jaar geleden was. Zuiver van hart. Arrogant. Een almachtige engel der gerechtigheid. Weet je wat gerechtigheid is? Ik zal je dertig jaar besparen, Michael Frances Yeager. Pijn. De wereld schenkt je pijn, je geeft pijn terug. Bloed om bloed. Die verrekte stemming is niet belangrijk. Het enige wat telt is dat ze me een klap in mijn gezicht hebben gegeven... En als iemand zoiets doet, sla je zo hard terug dat ze de tijd niet hebben om te bidden dat ze dood mogen.'

'Dat is wraak, sheriff. Geen gerechtigheid.'

Zijn mond vertrok zich tot een vreugdeloze glimlach. 'Weet je wat ik nog meer zie? Jou, in een kantoor met airco bij de FBI. Met een stropdas om die zo strak zit, dat die je zou kunnen wurgen terwijl jij tegen je meerderen zegt dat de tijd is gekomen om de vader van Tonio Madrigal te arresteren. Je hebt zo'n zin om hem op het rooster te leggen dat je het kunt proeven. Alleen beschik je niet over de rokende revolver. Maar ik durf er gif op in te nemen dat je zou zorgen dat je die wél zou hebben tegen de tijd dat je de volgende keer in dat kantoor ging zitten – waar of niet?'

'De camera,' zei ik. 'Die waarmee de foto's van Tonio zijn gemaakt.'

Zijn ogen glansden als stalen munten. 'Denk je echt? Of net zo een als die camera? Is die soms opeens op een wonderbaarlijke manier opgedoken, bijvoorbeeld in een bankkluis waar alleen Papa Beer de sleutel van had? En toen iemand anders zo brutaal was om schuldig te zijn... heeft iemand toen gevraagd of agent Yeager van de FBI misschien daadwerkelijk bewijsmateriaal had gedeponeerd?'

'Wil jij me op deze manier soms afschrikken van deze zaak?'

'Helemaal niet, Mike. Ik vertel je waarom ik jou vooral wilde hebben. Jij en ik zijn uit hetzelfde hout gesneden. We schieten allebei met scherp. En we deinzen er geen van beiden voor terug om zelf te bepalen wat gerechtigheid is.'

'Ik weet niet waar jij je informatie vandaan haalt,' zei ik, 'maar er zijn helemaal geen stappen ondernomen door de Beroepscodecommissie bij de FBI. En ik zweer je dat ik de waarheid tegen ze heb gesproken.'

'Geen stappen ondernomen,' zei hij grinnikend. 'De waarheid is dat je maling had aan de waarheid. Het enige wat je wilde, is iemand laten bloeden. Dat is geen schande, m'n jongen. Elke politieman doet dat wel een keer. Je zou kunnen zeggen dat dat je ontmaagding was.'

'En hoe vaak heb jij dat gedaan, sheriff?'

'Alleen zo vaak als iedereen de vloer met me aanveegde. Een wolf vreet het kalf op en de wolf gaat dood. De kudde leeft gelukkig voort.'

'Stel dat je de verkeerde wolf te pakken krijgt?'

'Drink je glas leeg,' zei hij.

Ik pakte de foto's en stond op. 'Ik dacht het niet, sheriff. Of je ontslaat me op staande voet, of ik rij terug om bij de autopsie van je dochter te assisteren.'

Hij pakte mijn glas en goot het leeg in het zijne. 'Je bent niet ontslagen.'

'Wat ga je tegen Tippet ondernemen?'

'Laat Tippet maar aan mij over.'

'Zoals je beloofde om voor Ada Rosario te zorgen?'

'Zoals ik al dertig jaar voor mijn kudde zorg.'

'Puur voor mijn gemoedsrust, sheriff: wie beschermt de kudde tegen jou?'

Rafe Archer bracht het glas naar zijn lippen en nam een slok. Zo liet ik hem achter: alleen in zijn lege, op sterven na dode huis.

ZEVENENDERTIG

De stationcar van begrafenisonderneming Freebairn & Son vertrok net op hetzelfde moment van het kantoor van Lund dat ik er aankwam. Dokter Lund bleef bij de dienstingang staan wachten.

'Noordenwind is altijd het gemeenst.' Hij huiverde, terwijl hij het rolluik dichttrok. 'Hoe heeft Rafe het nieuws opgenomen?'

'Slecht,' zei ik. 'Wat deed die auto hier?'

'Morgen wordt Dale begraven,' zei hij. 'Ik had hem nog niet willen vrijgeven, maar het schijnt dat Rafe dat vanmiddag heeft goedgekeurd.'

'Bent u alles te weten gekomen wat u moest weten?'

'Zoveel als mogelijk was.' Hij zuchtte. 'Misschien is het maar beter zo. Ik heb maar één tafel... En Dale heeft altijd al geweten dat hij moest opstaan voor dames.'

Uit zijn mond klonk het niet als galgenhumor. Lund zag er abominabel uit. Mary Frances lag op de autopsietafel waar haar ex-man luttele uren geleden nog had gelegen.

Ik vond het lastig om haar kant op te kijken. Mijn ogen zwierven naar de iele, in een laken gehulde gestalte op een brancard: Ada Rosario. Een brandlucht vermengde zich met de geur van een ontsmettingsmiddel.

'Ik had gehoopt dat Davis Freebairn zelf zou komen. Die balseming gaat me boven mijn pet. Van een groot deel van mijn gebruikelijke aanwijzingen – weefseleer, bloed, ontbinding – is in één klap niets meer over. Maar hij vertikt het om hier één voet binnen te zetten.' Hij keek me aan. 'Wat hebt u op het hart?'

'Ik heb vanmiddag met Freebairn gesproken,' zei ik. 'De trocarts zijn drie weken geleden uit zijn mortuarium gestolen.'

'Ja.' Hij knikte bedachtzaam. 'Dat verklaart een hoop, nietwaar?'

'Waarom wil hij u niet helpen?'

'Davis was vroeger lijkschouwer, tot Rafe hem ontsloeg. Dat zit hem natuurlijk nog altijd niet lekker. God weet waarom. Ik beleef er zelf weinig plezier aan.'

We stonden aan weerskanten van de tafel en keken neer op het lichaam van Mary Frances Dupree. Haar rechteroog, waarvan in de grijze pupil het licht van de autopsielamp weerkaatste, staarde zonder iets te zien. De volledige linkerkant van haar gezicht was verdwenen.

'Ik heb mensen zien sterven,' zei ik. 'Maar zoiets heb ik nog nooit gezien.'

'Mensen zijn... zo gemakkelijk te knakken.' Hij streek zachtjes met zijn hand door Mary's geblondeerde haar. 'Dit is het enige van haar wat ze niet hebben beschadigd. Het enige wat nog... aanvoelt als zij.'

'Waarschijnlijk wilden ze de identificatie niet vertragen.'

'Ook al hebben ze haar onteerd tot er niets menselijks van haar overbleef,' zei hij. 'Net als Dale.'

'Toch niet helemaal. Bij de dood van Dale draaide alles om de verrassing: snel, gewelddadig en bloedig. Als alles naar behoren is gegaan, heeft hij niets gevoeld. Bij Mary hebben ze er alle tijd voor genomen. Ze wilden juist dat ze haar doodsstrijd meemaakte. Maar toch...'

'Maar toch zijn er geen sporen van afbinding,' zei hij. 'Of snijwonden van verzet.'

Ik knikte. 'Bijna alsof ze zich willoos heeft overgegeven.'

Hij huiverde, alsof het te gruwelijk was om aan te denken. 'Dat gat in haar buik was het eerste wat ze hebben gedaan.' Zijn gezicht vertrok van woede. 'Neem me niet kwalijk, Mr. Yeager. Ik kan dit niet blijven doen.'

Hij trok een dik plastic kleed over Mary Frances heen.

'Als je naar deze arme vrouw kijkt,' vroeg hij, 'wat zie je dan?'

'Pijn,' zei ik. 'Wreedheid.'

'Mary Frances was zwanger, Mr. Yeager. Vandaar dat ze eerst haar buik hebben opengesneden. Ze dwongen haar om te kijken. Begrijpt u? Ze dwongen haar om te kijken.'

Hij trok zijn handschoenen uit en plofte op een bank neer.

'Hoe wist u dat?' vroeg ik.

'Ze kwam twee maanden geleden naar me toe,' zei hij. 'Ik probeerde haar te waarschuwen dat Dale geen gat in de lucht zou springen.'

'Omdat het kind niet van hem was, maar van Frizelle?' vroeg ik.

Hij knikte. 'Mary Frances was een onnozel kind. Ze heeft het zelfs met opzet gedaan. Natuurlijk moest ze het Dale vertellen. En hij heeft met zijn vuist een gat in de muur geramd. Telkens als hij bang was dat hij zijn zelfbeheersing zou verliezen... reageerde hij zich af op een levenloos ding. Of op zichzelf.'

'En u hebt die hand behandeld.'

'Het enige wat ze wisten, was hoe ze elkaar pijn moesten doen,' zei hij. 'En altijd kwamen ze weer bij mij... gebroken en volkomen in de war... en dan probeerde ik ze weer tot elkaar te brengen. Ik vond dat ik hun dat verschuldigd was.'

'Verschuldigd, waarvoor?'

Hij keek op alsof hij erop was betrapt dat hij zijn gedachten hardop had uitgesproken.

'Dokter Lund, ik krijg het gevoel dat u me iets wilt vertellen, maar dat u bang bent. Ik kan tot op zekere hoogte met u meevoelen, maar ik begin mijn geduld te verliezen.'

Dokter Lund zweeg even. 'Weet u wat een tontine is, Mr. Yeager?'

'Een soort verzekeringstruc,' zei ik. 'De laatst levende incasseert alles.'

'Dat is nou precies waar ik aan vastzit. Behalve dat ik in mijn geval alleen maar geheimen te incasseren krijg. Mijn beloning bestaat eruit dat ik die geheimen mag meenemen in het graf.'

'Dat lijkt me niet bepaald een beloning.'

'Dat is het ook niet. Maar als die verplichting wordt verbroken, zullen onschuldige mensen eronder lijden.'

'Er zijn al onschuldige mensen die hebben geleden.'

Lund wreef in zijn ogen. 'Vertel eens wat u tot nu toe wijzer bent geworden.'

'Dat het hier puur gaat om wraak op de sheriff. Hoe dichter de slachtoffers bij hem staan, hoe gruwelijker ze sterven. Wat inhoudt dat Archer zelf bijna zonder twijfel op het lijstje van de moordenaar staat.'

Lund knikte. 'Maar in elk geval niet voor hij wordt gedwongen de anderen eerst te zien sterven.'

'Precies. Wie weet heeft onze verdachte jarenlang wraakfantasieën gekoesterd, waarna iets hem ertoe heeft aangezet om die in daden om te zetten. Waarschijnlijk de aanstaande stemming in verband met het rappel, waardoor Archer opeens kwetsbaar werd. De moordenaar geniet van iemands zwakheid. Hij heeft de mentaliteit van een eenzame jager... En hij wacht af tot zijn slachtoffer het meest om hulp verlegen zit, waarna hij genadeloos toeslaat.'

Lund trok een wenkbrauw op. 'Of hij denkt dat hij op zijn manier genadig is. Hebt u naar de keus van wapens gekeken?'

'Ik vond het inderdaad interessant dat hij zich bij alle moorden heeft bediend van een operatie-instrument dat normaliter wordt gebruikt bij zwangere vrouwen en bij balseming.'

'Geboorte en dood,' zei hij. 'Wat suggereert dat?'

'Dat hij voor God wil spelen.'

'En God is zowel rechtvaardig als genadig. Toch?' Hij kwam moeizaam overeind. 'Die trocart is een oeroud, veelbezongen ding. Bij de Romeinen gebruikten chirurgen iets dergelijks om giftige tumoren uit het lichaam te verwijderen... door er gaten in te maken om het gif te laten ontsnappen. Sindsdien hebben glasvezelcamera's en ultrasone scalpels het werk overgenomen van aderlating. Desondanks is onder dat wetenschappelijke vernislaagje de trocart een wonderinstrument, bij de bestrijding van ziekte, kwade geesten...'

'En geesten?'

'Zo u wilt. Waar het om gaat is, dat u de mogelijkheid niet over het hoofd moet zien dat jullie moordenaar zichzelf als iemand ziet die het beste met de mens voorheeft. Op z'n minst als een hogere macht. En zijn slachtoffers zijn, zo vindt hij althans zelf, vrijwillige offers.'

Ik knikte. 'Vandaar dat hij wilde dat Dale hem uitnodigde. De verdachte moest de mening zijn toegedaan dat hij toestemming had om te doden. En dan naderhand die bezwerende rituelen om zichzelf absolutie te geven: Dales hoofd met een vlag omwikkelen, het lichaam van Espero bij zijn moeder op de drempel deponeren...'

'En Mary onder het huis neerleggen,' zei Lund. 'Door altijd de slachtoffers thuis te brengen.'

Ik zag dat hij naar me keek, en vervolgens zijn ogen afwendde.

'U weet wie hij is, nietwaar, dokter?'

'Ja... en nee.' Hij draaide zich weer naar me om. 'De enige die ik redelijkerwijs zou kunnen verdenken... is iemand die onmogelijk schuldig kan zijn.'

'Waarom?'

'Omdat de persoon in kwestie niet meer leeft.'

'Weet u, toen Dale het had over iemand die uit het graf was opgestaan... Ik geef toe dat ik toen dacht dat hij gek was, maar wanneer een man als u over ondoden begint te praten...'

'Ik vraag niet van u dat u me gelooft,' zei hij. 'Eerlijk gezegd heb ik al te veel gezegd. Als Rafe ook maar een vermoeden had dat we dit gesprek voerden –'

'Dokter, u bent hier de lijkschouwer. Deze mensen waren ooit patiënten die bij u onder behandeling zijn geweest. En dan beweert u in alle eerlijkheid dat uw loyaliteit jegens Archer op de allereerste plaats komt?'

'In godsnaam,' zei hij, duidelijk in het nauw gedreven. 'Denkt u dat het me niet aan mijn hart gaat? Ik heb lang geleden een koop gesloten. Ik ben niet trots op mezelf. Maar dit... dit is iets tussen u en Rafe. Bij deze tontine heeft hij het contract in handen.'

'De een of andere verzekeringstruc.' Ik wees naar Mary en Ada. 'Zijn eigen dochter, zijn bijzit...'

Ik zag verbazing in Lunds ogen. 'U wist het van Ada?'

Ik knikte. 'Deze vrouwen zijn dood. Desondanks zit Archer er met een uitgestreken gezicht bij. Dit is niet alleen verdriet. Als ik niet beter wist, zou ik zeggen dat hij... doodsangsten uitstaat door deze zaak. Of dat hij door een geest wordt bezocht.'

'Rafe is oud, maar hij is niet bijgelovig. Hij gelooft niet meer in geesten dan ik. Ik zal u het volgende vertellen, maar daarna moet u gaan.'

'Ga uw gang.'

'U zei dat u nog nooit zoiets hebt gezien als de moord op Mary Frances. Of de moord op Dale, natuurlijk. Maar ik wel. Evenals Rafe.'

'Hoezo?' vroeg ik. 'Wanneer?'

'Een hele tijd geleden. En wat er toen is gebeurd, gebeurt nu weer.'

Ik wachtte. 'En dat is alles wat u te zeggen hebt?'

'Het is meer dan ik u had moeten vertellen.' Hij ademde resoluut in en trok de deur open om me de wind in te sturen. 'Ik ga nu met mijn autopsie beginnen, Mr. Yeager. Ik zou het op prijs stellen als u wegging.'

Ik maakte aanstalten om naar de deur te gaan. 'Zoals u wilt,' zei ik. 'Ik kom er zelf wel achter.'

'Vanavond zult u nergens meer achter komen,' zei hij. 'Wie vermoeid is, maakt fouten. Vooral ambulante gewonden. Hebt u het recept nog opgehaald?'

Ik schudde mijn hoofd.

'Neem uw medicijn in.' Hij klonk merkwaardig vriendelijk. 'Hardy's Drugstore is vast nog open. U zult beter zien wanneer uw hoofd helder is.'

Ik liep naar de deur. 'Wiens leven... beschermt... u eigenlijk met die koop van u, dokter?'

'Het uwe, onder andere.' Hij controleerde mijn verband. 'Behouden reis, Mr. Yeager.'

ACHTENDERTIG

Hardy's Drugstore was een met zorg gerestaureerd relikwie van de oude Amerikaanse school, compleet met een limonadebar met een koperen reling. De muren hingen vol advertenties uit de oude doos voor medicijnen en brouwsels met slangenolie. Hardy zelf, een wandelende *porkpie*, nam opgewekt mijn recept in ontvangst.

'Wat een hondenweer vanavond, hè? Een vroege winter, volgens mij.' Hij boog zich dicht naar me toe. 'Kent u het verschil tussen de woestijn en een vrouw?'

'Ik denk dat ik daar snel achter ga komen.'

'De woestijn wordt alleen maar groen als-ie nat wordt,' zei hij. 'Een vrouw wordt alleen maar nat als ze wat groens krijgt.' Hij lachte zo hard dat zijn aderen opzwollen. 'Zeg, ik ga dit even voor u pakken.' Hij keek naar het recept en schudde zijn hoofd. 'Is de dokter eindelijk gelovig geworden?'

'Hè?'

Hij gaf me het recept terug. Onder zijn onleesbare krabbel, had Lund duidelijk opgeschreven:

Lucas 15:18

Ik betaalde de man en wilde weggaan. Hardy floot naar me. 'Wilt u de rest niet?'

'De rest waarvan?'

'Hij gaf me een gedrukt bonnetje.

een (1) bolletje ijs
smaak naar keuze
verstrekt wanneer gewenst
geen herhaalrecept

'Gratis voor patiëntjes van dokter Lund,' zei hij.

In het motel wachtten me drie dozen van de medewerkster van het raadhuis: DYER COUNTY LEDGER, 1977-1978. Het kostte me een uur om de op microfiche overgezette kranten te sorteren, waarna ik in de Gideonbijbel, het Evangelie volgens de heilige Lucas – hoofdstuk vijftien, psalm achttien opsloeg:

> Ik zal opstaan en tot mijnen vader gaan, en ik zal tot hem zeggen: Vader ik heb gezondigd tegen den hemel en tegen u, en ik ben het niet meer waard uw zoon genoemd te worden: behandel mij als een van uw dagloners.

Ik ploos mijn exemplaar van *Ontwaak en trek voort* na en pakte toen de telefoon.

'De doden kunnen spreken!' riep agent Hiraka uit. 'Hoe is het met je, baas?'

'Ik zit in de nesten, zoals gewoonlijk. Waar is je baas, Yoshi?'

'Peg ligt waarschijnlijk in bed, Mike. Het loopt hier in Philadelphia tegen tweeën.'

'Ik zou haar thuis niet kunnen laten herrijzen. Kun jij me doorverbinden? Het is belangrijk.'

'Natuurlijk.' Hij leek te aarzelen. Kan ík iets voor je doen?'

'Misschien. Doen de Shinto's aan Bijbelstudie?'

'Voor alle duidelijkheid, Mike, ik ben presbyteriaans. Waar zit je mee?'

'Bijbelverhalen,' zei ik. 'De parabel van de verloren zoon.'

'Is dat niet het verhaal waarin de slechte zoon de erfenis van zijn vader erdoorheen jaagt en een vetgemest kalf krijgt?'

'Hij krijgt inderdaad vergiffenis. De Bijbel vermeldt niet wat er verder gebeurde. Waarschijnlijk sluit hij zijn vader op in een derderangs verpleegtehuis. In elk geval hebben ze hier een geestelijke die Gavin McIntosh heet. Die is een kerk begonnen met de naam' – ik keek het na op de rug van het boek – 'Oecumenische Kerkgemeenschap Tree of Life. Hij heeft een heel boek volgeschreven over verloren zonen. Kijk eens of er iets eigenaardigs aan de hand is met hun non-profitstatus.'

'Ik ga wel met mijn mannetje bij Financiën praten. Verder nog iets?'

'Ik wil weten of hier in de omgeving tussen de zomer van 1977 en de herfst van 1978 ook kinderen zijn ontvoerd of verminkt.'

Hij floot tussen zijn tanden. 'Het zal niet meevallen om dossiers van zo lang geleden te lichten. Zijn er ook overeenkomsten?'

'Het voornaamste wapen zou een medisch instrument geweest zijn dat trocart heet. Ik zal het even spellen...'

'Laat maar. Ik weet waarover je het hebt.'

'O ja?'

'Mijn vrouw heeft een vruchtwaterpunctie ondergaan. We krijgen een dochtertje. Vet cool, hè?'

Ik vertrok mijn gezicht. Zelfs naar de gestevenboordennormen van de FBI was het talent van Yoshi om alles in hokjes onder te brengen onvoorstelbaar. 'Inderdaad, Yoshi, héél vet cool.'

'Die informatie zouden ze hier toch wel hebben? Uit het politiemortuarium? Visitekaartjes van seriemoordenaars?'

'Dat zou je toch denken. Ik heb hier een hele stapel geprinte artikelen...' Ik bladerde door de kranten. 'Nergens iets over ontvoeringen van kinderen in de herfst van 1978. Noch van ernstige delicten. Aan de andere kant had de krant wel de regelmatig terugkerende rubriek, genaamd "Lekker stuk van de week"...'

'Misschien moeten we de namen van die stukken eens nagaan,' zei hij. 'Soms is zo'n wedstrijd een wassen neus.'

'Volgens mij is het gewoon bladvulling. Zo te zien recyclen ze elke vijf of zes weken dezelfde vijf of zes meiden.'

'Wat er ook in 1978 gebeurd moge zijn, dat is nog niets vergeleken met wat Peggy zal doen als ze erachter komt dat ik in haar tijd voor jou aan het werk ben.'

'Verbind me dan maar door met haar.'

'O-o, pa en ma gaan ruziemaken.'

De telefoon ging een paar keer over. Ik zat al helemaal in de startblokken om een boodschap achter te laten, toen een man opnam.

'Hallo?' klonk half gapend een slaperige bariton.

'Neem me niet kwalijk, ik was op zoek naar... agent Weaver...'

'Een ogenblik.' Hij legde zijn hand over de telefoon. 'Snoetje? Hier is een van je mannen.'

'Wat is er aan de hand?' Peggy was alert als altijd.

'Ga me alsjeblieft niet vertellen dat je met iemand slaapt die je "snoetje" noemt.'

'Mike?' zei ze. 'Nee, hè?'

'Ik zat net te denken aan dat grote warme bed van jou in Hunting Park. Ik denk dat mijn theorie over Tyler er uiteindelijk niet zo ver naast zat.'

'Ik moet even naar een andere telefoon,' zei ze. 'Bij nader inzien: dit is niet het juiste moment voor een gesprek als dit.'

Even hing er alleen een gespannen stilte.

'Ik had je niet moeten lastigvallen,' zei ik. 'Ik heb hier een paar problemen. Mijn moord op het woonwagenpark betreft een seriemoordenaar. Tot nu toe vier slachtoffers, allemaal familieleden van de sheriff. Een van hen is zijn buitenechtelijke zoon.'

Nu was ze klaarwakker. 'Hoe oud?'

'Zes. Aanvankelijk dacht ik dat de sheriff blind was voor de bewijslast die deze moorden met elkaar in verband bracht. Maar hij stagneert het onderzoek, Peg. Hij probeert me af te knijpen.'

'Zelfs nu zijn eigen kleindochter gevaar loopt?'

'Hij wil haar terug,' zei hij. 'Maar hij heeft geheimen. Ik denk dat hij bang is dat er iets over hem aan het licht komt. Vanavond probeerde hij me zelfs te chanteren.'

'Jou te chanteren? Hoe?'

'De camera. Dat hele gedoe met manipuleren van bewijslast bij de zaak-Madrigal.'

'Shit, die vent slaat onder de gordel.'

'Inderdaad. Afijn, mocht je morgen tijd hebben voor telefonisch overleg...'

Ik hoorde haar vingers op een toetsenbord tikken. 'Wat vind je van acht uur 's morgens, jouw tijd?'

Die goede oude Peggy: een oude minnaar aan de telefoon en een nieuwe onder de lakens, en nóg netjes haar agenda bijhouden. 'Acht uur is prima. Ik moet je even op de hoogte brengen: ik heb Yoshi al aan het werk gezet voor wat betreft de achtergrond.'

'Vergeven is gemakkelijker dan permissie,' zei ze. 'Wat voor achtergrond?'

'Ik kan het je beter voorlezen.' Ik sloeg het boek van Gavin open. '"Soms is de beste manier om een tweede kans te krijgen" – hier is onze plaatselijke geestelijke aan het woord – "...iemand anders een tweede kans te bieden. Praktijkgeval: Eind jaren zeventig van de vorige eeuw zat onze parochie in Arizona financieel aan de grond. Maar een kleine donatie die we aan een zomerkamp in Nevada hadden gedaan had intussen een onverwachte meevaller opgeleverd. De plaatselijke sheriff, Rafe Archer, zei dat het kamp ging sluiten en mij met rente wilde terugbetalen. Zo ontstond een warme vriendschap die Dyer County uiteindelijk de Tree of Life heeft gebracht... en mij met mijn mooie vrouw in contact heeft gebracht."'

'Ik vermoed dat dat niet het einde van het verhaal is.'

'Cathedral Lake is de plaats waar vroeger het water vandaankwam. Dat schijnt tevens samen te hangen met iets vreselijks dat Dupree en de zusjes Archer in 1978 is overkomen. Het kamp is afgebrand – misdaadverslagen en medische dossiers bestaan er niet van – en nu is iemand degenen aan het vermoorden die het hebben overleefd.'

'Wat voor iemand?'

'Letterlijk? Ik zou zeggen: een blanke man, midden tot eind dertig, atletisch gebouwd. Hij is gedisciplineerd, heeft oog voor consequenties, weet risico's binnen de perken te houden...'

'Niet impulsief.'

'Absoluut niet. Verdachte kent zijn slachtoffers en de omgeving, dus hij moet hier in de buurt wonen. Hij is hier waarschijnlijk geboren.'

'Hoe gaat het met de speurtocht naar leveranciers van fotobenodigdheden?'

'Ik had er een agent op gezet, maar...' Ik hield op, vanwege de grimmige herinnering aan Ada's verkoolde gestalte op de autopsietafel. 'Ze overleed voor ze ergens mee op de proppen kon komen. Voorlopig kan ik uit haar aantekeningen opmaken dat er in Dyer County geen recente leveringen hebben plaatsgevonden. Wat niet veel bewijst. De ontwikkelaar kan, zolang je het in poedervorm bewaart, lang op de plank blijven liggen, dus verdachte kan het spul jaren geleden hebben gekocht. Film is een ander verhaal: dat is teer materiaal en kun je niet bewaren. Ook kun je er al doende duimafdrukken op achterlaten... wat onze verdachte uiteraard niet heeft gedaan. Daar is die klootzak te voorzichtig voor.'

'Hij moet overdag toch een baan hebben om het zich allemaal te kunnen veroorloven,' merkte ze op.

'Bovendien is hij heel goed ingeburgerd. Hij kan zijn slachtoffers benaderen zonder argwaan te wekken. Hij heeft een enorm ego: hij doet niets liever dan ons als een worst hints voor de neus hangen. Dus hij volgt het onderzoek op de voet. We zullen zien wie er morgen op Dales begrafenis komt opdagen.' Ik masseerde mijn nek. 'Heb ik nog iets vergeten?'

'Je zei laatst iets over "de fluitspeler betalen".'

'Dat was maar een slag in de lucht. Robbie heeft een eigenaardig toneelstukje geschreven voor zijn schoolavond, over kinderen die worden gemarteld en die aan de voet van zijn bloedende berg onder dwang de Rattenvanger van Hamelen dienen.'

'Voor zover ik me herinner, wordt aan het slot van het verhaal een invalide kind in zijn eentje achtergelaten,' zei ze. 'Dat lijkt me een beetje bijdehand voor een kind van zeven.'

'Misschien is hij erbij geholpen,' zei ik. 'Het zou iemand van de kerk of van school kunnen zijn. Of familie. Martha was verdacht dicht in de buurt op de dag dat Espero werd vermist en Gavin wordt kennelijk gechanteerd door de sheriff. Intussen blijft Archer zich maar vastbijten in Frizelle. Of hij heeft ernstige last van blikvernauwing, of van een enorm slecht geweten.' Ik zweeg even. 'Jij zit ergens over te denken. Wat mankeert eraan?'

'Waarom denkt de sheriff dat hij jou kan chanteren?'

Ik zei niets.

'De Beroepscodecommissie heeft je nooit daadwerkelijk aangeklaagd voor het manipuleren van bewijsmateriaal,' zei ze. 'We weten toch allemaal dat jij die camera daar niet had geplaatst? Dus geen haan die ernaar kraait.'

'Stel dat...' Ik ademde diep in. 'Stel dat ik het wel heb gedaan, Peg?'

Lange tijd gaf ze geen antwoord.

'Dan denk ik dat je geluk hebt gehad.' Haar stem klonk leeg.

'Natuurlijk,' zei ik. 'De kudde blijft tevreden achter.'

Ik hoorde gesnurk op de achtergrond.

'Is Snoes al in slaap gevallen?'

'Niet iedereen op deze planeet lijdt aan slapeloosheid,' zei ze. 'Misschien is het een goed idee als we... dit deel van het gesprek vergeten.'

'Ik had het je moeten vertellen, partner. Ik heb het team laten zakken.'

'Inderdaad. Nou ja, ik heb jóú weer niet over Taylor verteld.'

'Tyler,' zei ik. 'Ik vind niet dat er veel overeenkomst is.'

'Is er voor jou iemand, Mike? Een speciaal iemand?'

'Nou, ik... heb het vandaag met een onderwijzeres over barbiepoppen gehad.'

'Mike, neem me niet in de maling.'

'Er is geen speciaal iemand,' zei ik. 'Het was niet mijn bedoeling om je uit te lachen over Tyler. Het gaat me niets aan.'

'Ik zou bijna willen dat het zo was,' zei ze. 'Toen jij vertrok... Ik ging alleen met hem om omdat ik niet verwachtte dat het serieus zou worden. Vervolgens gebeurde er de afgelopen dagen gewoon van alles...'

'Gebeurde er wát?'

Ze zuchtte. 'Ik geloof dat ik het zat werd om net te doen alsof er voor jou en mij een gemakkelijke weg terug bestond. Dat je naar huis zou komen... en dat het net zou zijn alsof het allemaal niet was gebeurd.'

'Dat is interessant.'

'Wat bedoel je: "Dat is interessant"? Zak die je bent, ik vertel je wat ik voel.'

'Nee, lieverd. Ik denk dat je me zojuist inzicht hebt verschaft. Misschien is het niet precies een wassen neus. Misschien is het... ontkenning.'

'Hoezo?'

'Zoals wanneer er incest in een gezin voorkomt. Iedereen heeft van die.. eigenaardige littekens. Maar als je er de aandacht op vestigt, sluiten de gelederen zich. "Dat heb je nooit gezien. Het is niet gebeurd." En als dat niets uithaalt...'

'...Beginnen ze agressief te worden,' zei ze. 'Omdat ze hun eigen schuld verdoezelen?'

'Misschien. Weet je nog wat ik gisteren zei over familiegeheimen? De signatuur van dergelijke delicten wijst op iets heel persoonlijks dat diep is weggestopt. Zo lang niemand zijn mond opentrekt... lijkt het net alsof het nooit gebeurd is.'

'Behalve dat het opnieuw gebeurt,' zei ze. 'Wat inhoudt...'

'...Dat iemand de stilte verbreekt,' zei ik. 'Ik ben blij dat we dit gesprek hebben gevoerd, Peggy.'

'Yeager, je bent niet te geloven. Je belt me midden in de nacht op... biecht op dat je bij een belangrijke moordzaak met bewijsmateriaal hebt gesjoemeld... Ik vertel jou dat ik met iemand anders ben... en jij bent blij dat we dit gesprek hebben gevoerd.'

'Het kan toch niet serieus zijn met Tyler,' zei ik. 'Heeft hij je al in je pyjama met eendjes gezien?'

'Nog niet.' We moesten allebei lachen.

'Wees eerlijk, Peggy Jean. Je bent teleurgesteld in me.'

'Ergens heb ik me altijd... vragen gesteld over die camera,' zei ze. 'Jezus, wat ben ik teleurgesteld. Ik bedoel: ik weet dat je enorm onder druk stond...'

'Het was schandelijk wat ik deed. Eerlijk gezegd was ik veel banger om jouw respect te verliezen dan voor wat de Beroepscodecommissie zou kunnen gaan doen. Maar op het laatst kon ik... gewoon niet meer met het geheim leven.'

'Mike, afgezien van mijn respect verliezen: je had de bak in kunnen draaien.'

'Misschien had ik dat ook verdiend,' zei ik. 'Toen ik het hun vertelde, verwachtte ik eerlijk gezegd dat ik aan het kruis genageld zou worden. Maar zij besloten om het onder het tapijt te vegen.'

'Omwille van de eer en reputatie van het Bureau,' zei ze. 'Het oude liedje.'

'Precies. Zij stoppen het rapport in de doofpot en ik ga stilletjes weg en...'

'...Dan zou het net lijken alsof er niets was gebeurd,' zei ze. 'Vreemd hoe die patronen zichzelf blijven herhalen.'

'Ja,' zei ik. 'Vreemd.'

NEGENENDERTIG

Ik wijdde me nog een poosje aan de kranten, waarna ik terugkeerde naar de fotoserie van Dupree. De foto's van de moordenaar maakten niet bepaald de indruk dat ze de hele nacht langs de kant van de weg hadden gelegen. Ze leken zelfs nog bijna even ongerept als op het moment waarop Archer ze me voor het eerst had laten zien. Toch liep ik ze nog een keer na, bestudeerde ze en hield ze net zo lang tegen het licht tot ik absolute zekerheid had.

Foto nummer 21 was anders dan eerst.

Op het eerste gezicht was hij identiek aan de vorige: een opname van heel dichtbij van de verwondingen aan Dales hals en van handen die de luchtpijp omklemden. Er zat zelfs een klein ezelsoor in de rechterbovenhoek, net als eerst. Maar op de originele versie had de camera sterk ingezoomd op Dales ring van het Korps Mariniers, terwijl de rest van het beeld vager was. Nu was alles in het kader haarscherp. En de ring was verdwenen.

Wie had veranderingen in de foto's aangebracht... en waarom?

Het was al over tweeën en ik was hondsmoe. Mijn zicht was onscherp en ik voelde een brandende pijn onder aan mijn schedel, maar voor geen prijs was ik van plan de pillen van dokter Lund in te nemen.

De telefoon ging.

'Mike.'

'Met wie, met Yoshi?'

'Michael Francis Yeager.' De stem klonk afgemeten en toonloos. 'Van de FBI.'

'Ja?'

'Ik heb begrepen dat je op zoek bent naar assistentie.'

'Wie weet. Met wie spreek ik?'

'Eerst een paar vragen, Mike. Ruk je je wel eens af?'

'Wát zeg je?'

'Je pik, *sir*. Masturbeer je, terwijl je aan haar haarloze kutje denkt? Waar kom je op klaar?'

Er giechelde iemand op de achtergrond.

'Luister eens, wie je ook bent, je hebt zojuist iets heel stoms gedaan.'

Er werd opgehangen. Ik draaide het nummer van de receptie. Nadat de telefoon zeven keer was overgegaan, nam de manager op.

'*Que?*' zei hij. 'Ach, man. Weet je hoe laat...?'

'Wie heb je zonet met mijn kamer doorverbonden?'

'*Que?*'

'Laat maar zitten. Ik kom wel naar beneden.'

Ik smeet de hoorn op de haak, waarop hij opnieuw overging.

'Luister, ik kan dit telefoontje natrekken...'

'Ik kan voor jou foto's opsporen van haar vochtige poepgaatje,' zei de stem die klonk als een robot. 'Of van haar blote wervelkolom. Terwijl er mooi rood vocht op het bakpapier druipt.'

Ik dempte mijn stem. 'Misschien is dit zomaar een geschift telefoontje. Of misschien weet je iets. Hoe dan ook...'

'Misschien neem ik in ruil die mooie blauwe ogen van je,' zei hij. 'Om me ontuchtig bezig te houden met de lege oogkassen. Je bent een grote bofkont, Mike. Zo dadelijk zul je de stem van God horen.'

Toen hing hij op.

Ik rende de trap af naar de lobby. De manager, in een T-shirt en boxershort, sprong overeind om de telefoon op de balie op te nemen. Ik rukte het ding uit zijn hand. Net op het moment dat ik de kiestoon hoorde, flitste er op de display nog even ONBEKEND op.

Nu rinkelde het toestel in de telefooncel buiten.

'Blijf hier,' zei ik tegen de manager. 'Neem onder geen beding die telefoon op.'

Ik rende naar buiten, nam de telefoon op en zette me schrap. 'Spreek ik met de persoon die Cassandra Dupree vasthoudt?'

Er kwam geen reactie. Alleen een luid geruis, statisch of zo. Of... van een tape die alles opnam.

Jezus, ben ik blij je te zien.' Het was de stem van Dale. *'Ik verga van de pijn.'*

Op de achtergrond klonk een religieus tv-programma. Katoen of canvas streek over de microfoon.

'O heer,' zei Dale. *'Is dat... o, mijn god, meisje! Cassie, meisje! O god, wat is er met mijn kleine meid gebeurd?'*

Hij jammerde. Er werd iets zwaars neergezet.

'Cassie, schattebout, het is papa, kun je iets tegen papa zeggen? Kun je iets tegen papa zeggen... O, god, ze ademt niet...'

Het geschraap van metaal. Gevolgd door de kletsende dreun van staal op vlees. En nog eens. Er spatte iets nats op de microfoon, dat het geluid van het mes overstemde.

'O GOD... JEZUS GOD NIET DOEN ALSJEBLIEFT...'

Met een klik verstomde het cassettedeck.

'Wat wil je?' vroeg ik.

'Zeg hem dat hij had moeten opletten,' zei de doodse stem. Daarna hoorde ik, binnen in het telefoontoestel, een half gezongen resonantie ervan. Een doordringende ozonstank. Vonken ketsten op mijn hand terwijl ik de hoorn van me af smeet. Ik gooide de deur van de lobby open.

'Liggen!' brulde ik naar de manager. 'Ga...'

Het grote raam van de lobby viel achter me aan gruzelementen.

VEERTIG

Gedurende eindeloze seconden was er alleen maar rook en het zwakke gejank van een brandalarm. Glas en metaalsplinters knerpten onder mijn knieën toen ik uit mijn dekkingspositie overeind kwam. Een paar zwakke vlammetjes dansten langs de rokende cocon van de telefooncel.

'Madre santa del Dios.' Bloed sijpelde uit het voorhoofd van de manager. 'Wat heb je met mijn telefoon gedaan, man?'

Zes uur later kwam ik in Langhorne aan, waar het verkeer rond het stadsplein was vastgelopen. Mensen zwermden het gerechtshof in en uit, terwijl een man met een verweerd gezicht via een megafoon naar de menigte stond te brullen.

'...gerechtigheid voor de Farizeeërs en tollenaars!' zei hij. 'Maar er is geen gerechtigheid voor Cassandra Dupree! Er is geen gerechtigheid voor de ongeboren baby van Mary Dupree! Waarom is er geen bescherming tegen de moorden op onschuldige...'

Hij propte een folder in mijn hand: VERLUSTIGT U AAN DE ONSCHULDIGEN! JAARLIJKS KOMEN DUIZENDEN MENSEN OM BIJ EREDIENSTEN!

'...kinderen?' schreeuwde hij. 'Hun bloed roept vanaf de aarde omhoog, sheriff Archer! Gods oordeel zal niet eeuwig slapen!'

Het was dinsdag, 4 november. De bevolking van Dyer County was gekomen om te stemmen.

'U boft maar weer, Mr. Yeager, en u bent een goed mens,' zei dokter Lund, 'maar toch zou ik willen dat u ophield met de Almachtige te tarten.'

Lund zat mijmerend tegenover me aan mijn bureau. Archer zat in alle afzondering thuis, dus we waren alleen met zijn tweeën in mijn kantoor, behalve de stemmen op mijn telefoonspeaker.

'Wie die aanslag ook heeft gepleegd, God was het niet.' Ik boog me dichter naar de luidspreker. 'Sheriff, de andere stemmen die u gaat horen zijn van Weaver en Hiraka, beiden agent buitengewone dienst. Peg heeft de leiding over het team Kinderontvoeringen van Philadelphia en Yoshi is bezig de databases bij te werken van VICAP, de Opsporingsdienst Geweldsdelicten van de FBI. Kunnen we verdergaan?'

'Ga je gang.' Archers stem klonk ijl, merkwaardig afstandelijk.

'Het zal een lastige bom zijn om op te sporen,' zei ik. 'Je kunt de elementen in elke drogisterij kopen. Huisgemaakte kneedbommen waar paraffine en chloor in zitten, plus butagas als springlading.'

Dokter Lund trok een wenkbrauw op. 'Chloor?'

'Kaliumchloride,' zei Yoshi. 'Daarvan zitten sporen in was uit de stomerij. Mike, heb jij een onderdeel van het slaghoedje kunnen vinden?'

'Daarmee is de receptionist bijna onthoofd,' zei ik. 'Er zijn wel wat fragmenten, maar het kost tijd om ze aan elkaar te passen.'

'Je zei dat je een stem hoorde die iets herhaalde?'

'Dat klopt. Degene die opbelde zei: "Zeg hem dat hij had moeten opletten." Een seconde later hoorde ik het opnieuw. Alleen was het deze keer... elektronisch vervormd. Als een sprekende computer.'

'Dat zou een spraakherkenner kunnen zijn,' zei hij. 'De verdachte zou hem zo geprogrammeerd kunnen hebben dat het ding een bepaalde gesproken zin herkent en dat hij die vervolgens heeft aangesloten op de ontsteker. Nogal vreemd dat dat ding de woorden herhaalde.'

'Misschien wilde hij er zeker van zijn dat de boodschap overkwam,' zei ik. 'Waar zou hij zoiets vandaan hebben?'

'Dat soort snufjes zie je tegenwoordig overal: in telefooncellen, bij beveiligingsapparatuur en allerlei gadgets. Ga maar eens in de dichtstbijzijnde radio- en tv-winkel kijken. Hij zal geen risico lopen door e-mail te gebruiken.'

'Hij heeft dat balseminginstrument hier in de omgeving gestolen,' zei ik. 'Dus hij weet waar hij kan vinden wat hij nodig heeft. En het feit dat hij heeft moeten stelen, houdt in dat hij in tijdnood zat. Anders had hij dat risico niet genomen.' Ik keek in mijn agenda. 'Ik vermoed dat de daadwerkelijke voorbereiding van de moorden bij benadering twee à drie weken geleden is begonnen, niet later dan 10 oktober, de datum van de inbraak bij Freebairn & Son.'

'Mike, realiseer je je' vroeg Peggy, 'dat er hier ergens wel eens nog andere bommen zouden kunnen wachten tot jij ze tot ontploffing brengt?'

'Als hij wilde, had hij me gisteravond kunnen doden. Kennelijk was dat niet zo. Heb je die telefoontjes nog kunnen traceren, Yoshi?'

'Een gekraakte telefoon in een cel,' zei hij. 'Dat heeft hij nu waarschijnlijk allemaal al weggegooid. Heb jij iets uit het gesprek kunnen opmaken?'

'Hij heeft hulp. Op een gegeven moment hoorde ik duidelijk iemand giechelen.'

'Giechelen?' Dat was de sheriff.

'Dat klopt. Een hoog gelach.'

'Heb je enig aanknopingspunt over zijn gedragingen?' vroeg Peggy.

'Emotioneel lijkt me dat hij is blijven steken in het stadium van vliegen de vleugels afrukken. Hij bleef maar steeds mijn woorden na-papegaaien... En een buitensporige fascinatie voor lichaamsdelen. Het werd zo ongeveer gebracht als een obsceen telefoontje.'

'Misschien was het dat ook wel,' zei Yoshi.

'De verdachte speelde een bandje af van de moord op Dale,' zei ik. 'Dat was een bevestiging dat Cassandra werd gebruikt om Dupree in bedwang te houden. Op een gegeven moment – het spijt me, sheriff, dat ik dit moet zeggen – zei Dale: "Ze ademt niet meer."'

Het was even stil in het vertrek.

'Laten we... verdergaan,' zei Archer op het laatst.

'Voor hij de bom tot ontploffing bracht,' zei Peggy, 'heeft hij je expliciet bedreigd.'

'Hij bood expliciet aan om mijn ogen eruit te rukken en met mijn lege oogkassen seks te bedrijven.'

Yoshi grinnikte. 'Heeft hij je vooraf een etentje beloofd?'

'Neem me niet kwalijk,' zei dokter Lund. 'Zou je kunnen uitleggen wat je zojuist bedoelde met "dat hij is blijven steken"?'

'Peg, wil jij dat beantwoorden?'

'Het is een patroon dat we tegenkomen bij bepaalde volwassenen die vroeger zijn misbruikt,' zei ze. 'Ze kunnen zich emotioneel niet over het stadium van trauma heen ontwikkelen. Als ze zijn opgegroeid bij een ouder die onmogelijke eisen stelt... misbruik verhult onder de noemer "straf" of "training"... kan het kind een uiterst broos ego ontwikkelen. Wat we noemen *toxisch narcisme*. Dit wordt versterkt als de andere ouder afwezig, dan wel uiterst passief is.'

'Dank u. Maar...' De dokter keek me schichtig aan. 'Klaarblijkelijk zijn er heel wat mensen die vroeger zijn misbruikt. Die gaan later toch niet allemaal moorden?'

'Nee, natuurlijk niet,' zei ze. 'Er spelen andere factoren mee: hersenbeschadiging, moeite om bindingen aan te gaan. Voornamelijk moet je zijn bijgebracht dat het leven van een ander niet telt.'

'Deze man is in staat om iemand dood te martelen en zich tegelijkertijd af te vragen wat hij vanavond zal gaan eten,' zei ik. 'Misschien dat hij zich achteraf schuldig voelt... Maar dan doet hij iets aardigs voor het slachtoffer en verdwijnen de boze gevoelens. Zijn enige echte emoties zijn woede... en bevrediging. Zoals het gevoel van macht dat een kind krijgt wanneer hij een extreem gewelddadig spel speelt. Het maakt niet uit of de slachtoffers het uitgillen, want hun lijden is niet reëel. De dood is een lolletje.'

'Zoals vliegen voor baldadige jongetjes,' mompelde dokter Lund.

'Pardon?'

Hij wuifde de gedachte weg.

'Waarom laten de kinderen hem dan zonder gezicht zien?' vroeg Yoshi.

'Dat is te consequent voor toeval,' zei ik. 'Als hij langdurig contact met de kinderen zou hebben, dan heeft hij hun misschien instructies gegeven hem op die manier te tekenen. Wellicht ziet hij zichzelf zo: als een man zonder gezicht.'

Lund trok zijn wenkbrauwen op. 'Rafe?'

Archer schraapte zijn keel. 'Mij klinkt het in de oren als het mannetje dat er niet was.'

'Hij is echt,' zei ik. 'Hij weet waar in Dyer County de lichamen begraven zijn. Hij kent jou, sheriff. En hij wil je volledige aandacht.'

'Aandacht.'

'Dat waren zijn laatste woorden. "Zeg hem dat hij had moeten opletten".'

Archer zweeg even. 'Mike, is Pete al in hechtenis genomen?'

'Nog niet. Wil je erbij zijn als ik met hem praat?'

'Ik heb nog niet besloten. Zijn we hier klaar?'

'Dat denk ik wel. Yoshi?'

'Eh... ja. Wat betreft dat verzoek om informatie over de kerk: wat was dat Bijbelvers ook alweer?'

Lund keek me paniekerig aan.

'Mag ik daar later op terugkomen, Yosh? Peg... dank voor jullie medewerking, jongens.'

'Wees voorzichtig, Mike.' Ze verbraken de verbinding.

Lund boog zich over de microfoon. 'Rafe, zien we je vandaag op de begrafenis?'

'Geen idee, Sig. Ik voel me niet zo lekker. Waarschijnlijk heb ik uit de verkeerde kant van het glas gedronken. Mike, zijn de anderen er nog?'

'Nee, die zijn weg.'

'Neem even op.' Ik pakte de hoorn van het toestel.

'Jij wordt degene die Frizelle gaat ondervragen,' zei hij. 'Die vent wil niet met mij praten. Hij haat me als de pest. Nog erger, volgens mij, sinds wat ik met dat bordeel van zijn moeder heb gedaan. Gebruik het, begrijp je? Gebruik zijn haat voor mij. Vertel hem dat hij de dader zou kunnen zijn. Zeg dat exact zo.'

'Wat betekent dat, sheriff?'

'En laat je niet misleiden door zijn sluwheid. Zodra jij een stap terug doet en hem de ruimte geeft om te draaien, zal hij je belonen door zijn tanden in je hiel te zetten.'

'Schuldig of niet, we hebben hem vastgezet wegens het vluchten over de staatsgrens in verband met een moord. Mocht hij informatie hebben, dan zal hij wel over de brug komen.' Ik wachtte even. 'Cassandra, Rafe.'

'Je hoeft me niet aan mijn kleindochter te herinneren. Afijn, ik ben dankbaar voor alle hulp van buitenaf, maar dit is nog steeds Dyer County. Geen deals. Frizelle zal hangen voor wat hij heeft gedaan.'

'En als hij niets gedaan heeft?' Hij reageerde niet. 'Ik vind dat je moet weten dat ik rechercheur Tippet voor dit telefonische overleg heb uitgenodigd. Hij schijnt het druk te hebben met het organiseren van een persconferentie voor vanmiddag, samen met Mr. Wilburton.'

'Je had gelijk over Tippet,' zei hij. 'Die kleine schurk heeft me belazerd.'

'Ik moet je een gewetensvraag stellen. Heb je een paar foto's uit de Dupree-serie vervangen voor je ze me gisteravond teruggaf?'

'Nee. Hoezo?'

'Een van de foto's is veranderd. En ik weet niet waarom. Maar schijnbaar stond daar belangrijke informatie op, en die is nu verdwenen.' Ik luisterde. 'Sheriff?'

Er kwam geen reactie. Archer had opgehangen.

'Dokter, denkt u dat we hier te maken hebben met een dienaar van de wet? Of is het alleen maar een rouwende ouder?'

'Ik heb hem nog nooit zo beroerd meegemaakt,' zei Lund. 'Nog nooit.'

'Volgens mij wist hij de helft van de tijd niet waar we het over hadden.'

'Dat wist hij wel degelijk.' Lund liep naar het raam. 'De echte vraag is: waarom wil je een man met alle geweld vertellen wat hij niet wil horen?'

'Het is mijn plicht om voet bij stuk te houden.'

'Plicht... of straf?' Hij tuurde zijdelings in mijn richting. 'Sinds u hier kwam, bent u gevangengezet, bedreigd... en nu is uw leven tot tweemaal toe in gevaar gebracht. U hebt kennelijk vrienden in Philadelphia voor wie uw leven veel waard is... en toch bent u hier, in een oord waar niemands leven iets waard is. U hebt weinig te winnen in Dyer County, en alles te verliezen. Dus waar blijft u eigenlijk voor?'

'Wat gebeurt er als ik wegga?'

Hij schudde met een ernstig gezicht zijn hoofd. 'Niets wat hier niet al heel lang gebeurt. Aan de stemming zal een einde komen. De verslaggevers zullen op zoek gaan naar de volgende gruweldaad. Achter gesloten deuren zullen gruwelen blijven gedijen. Het leven zal doorgaan zoals het is.'

'Maar niet voor Cassandra,' zei ik.

Hij keek me recht aan. 'En wat betekent Cassandra nou helemaal voor u? Alleen maar een manier om uw onderscheidingen op te poetsen? Of boetedoening voor zonden uit het verleden?'

'Het is mijn –'

'Uw wat? Uw plicht?' Hij trok een wenkbrauw op.

'Inderdaad, mijn plicht.' Ik sloeg mijn ogen niet voor hem neer. 'Weet u, agent Weaver heeft me een vergelijkbare vraag gesteld. En ik zei dat ik wilde weten wat ik nog steeds kon. Vroeger vroeg ik me nooit af waarom. Ik deed gewoon wat ik deed, en daar was ik goed in. Toen is er iets gebeurd, in het oosten... en plotseling kon ik niets meer zeggen. En als ik niet nuttig ben... als ik niet capabel ben...'

'...Als u niet iemand bent die kinderen redt, wie bent u dan wel?' Hij glimlachte vriendelijk. 'Is dat het?'

Daar was geen antwoord op. Ik liep in gepeins naar het raam. Beneden op het plein was de man met de megafoon omgeven door een drom van volgelingen.

'Ik wil de naam van die man,' zei ik.

'Hij is onschadelijk,' zei Lund. 'Luidruchtig, maar onschadelijk.'

'Wat zei u zonet ook alweer?' vroeg ik. 'Over vliegen en kinderen?'

'Dat is afkomstig uit *King Lear* van Shakespeare. "Als vliegen voor baldadige jongetjes zijn wij voor de goden. Ze zullen ons doden om de sport." Want hoe volmaakt de jeugd ook is... jongeren weten niet wat het betekent om de pijn van een ander wezen te voelen. Maar wat gebeurt er met degenen die het nooit leren?'

'Dat worden roofdieren.'

'Aha. En wie is schuldiger? Het monster... of degene die het monster maakt?'

Ik haalde mijn schouders op en deed de luiken dicht. 'Wat betekent Lucas 15:18 eigenlijk? Wijst u met een beschuldigende vinger naar eerwaarde McIntosh?'

'Het betekent precies wat er staat. Vier kwamen thuis uit de bergen. Maar vijf gingen er naar binnen. En nu is de verloren zoon teruggekeerd.'

'Alweer uw dode man?'

'Alleen in schijn,' zei hij. '*Fronti nulla fides*, Mr. Yeager. Het belangrijkste motto van forensische specialisten. Hecht nooit vertrouwen aan uiterlijkheden.'

Hij trok de deur open. In de gang stond brigadier Clyde. Hij had een verse pleister op zijn neus.

'Agent Yeager, sir,' zei hij. 'We hebben Pete Frizelle.'

EENENVEERTIG

Lund liep tot de verhoorkamer met me mee. Een dik mannetje met een aktetas stond ongeduldig voor de deur te wachten.

'Wie is die zuurpruim?' vroeg ik.

'Een advocaat.' De dokter schudde hem de hand. 'Sterkte, Mike.'

Terwijl Lund wegliep, stelde ik me voor aan de advocaat.

'Ik wil niet met u praten, agent Yeager,' zei hij. 'Ik ben gekomen om een klacht in te dienen. Mijn cliënt is vierentwintig uur vastgehouden zonder het privilege van rechtelijke bijstand.'

'Ik weet niet wat ik hoor.'

'Waar is Archer?' schalde een luide stem door de gang. 'Waar zit die boef? Hallo, sheriff! Ik zit hier alleen maar voor...!'

Wild Pete Frizelle.

Hij droeg een feloranje overall en had aan elke arm een agent. Hij had handboeien en enkelbanden om. En hij grijnsde alsof hij net een meisjesslaapzaal binnen was geslopen.

'Heeft die ouwe stinkerd geen manieren?' zei Pete. 'Shit. Ik zou hem komen opzoeken als híj voor moord zou zitten.' Hij knikte naar de advocaat. 'Zeg maar tegen mama dat het in orde is! Ik ben op voorhand verzekerd tegen onthoofding... Kalmaan, ik doe niks!' zei hij, terwijl de politiemannen hem de verhoorkamer binnen sleurden.

'Mr. Frizelle, ik ben Michael Yeager, agent buitengewone dienst.' Ik wrong me voor de advocaat naar binnen. 'Heeft men u uw rechten voorgelezen?'

'Ja, maar het lijkt wel of iedereen het de laatste tijd alleen maar over mijn onrechten wil hebben.'

Clyde stond nog steeds in de deuropening.

'Zo is het wel goed, brigadier,' zei ik.

Hij trok zich aarzelend terug toen de deur dichtging.

'Zo te zien vergat Duveltje uit het Doosje weg te duiken.' Hij wees op mijn nek. 'Dat is wel een heel slechte knipbeurt, maat.'

'Ik ben uw maat niet, Mr. Frizelle. Ik ben hier om u mede te delen dat u, boven op moord met voorbedachten rade, nu wordt aangeklaagd wegens ontvoering en bedreiging van een minderjarige.'

De advocaat kneep zijn ogen tot spleetjes. 'Waaruit bestaat uw bewijs voor deze aanklachten?'

'Cassandra werd uit huize Dupree weggevoerd op de avond van de eenendertigste oktober. Uw cliënt bevond zich op de plaats delict...'

'Ik heb dat al verteld, stelletje sukkels die jullie zijn,' zei Pete, 'dat ik alleen maar Mary Frances heb thuisgebracht.'

De advocaat legde hem met een gebaar het zwijgen op. 'Ik wens volledige inzage in de stukken, en mijn eigen experts om de bewijslast onder de loep te nemen.'

'Bewaar dat maar voor de jury,' zei ik. 'In het licht van de bewijslast: het strafblad van uw cliënt en zijn verleden van moordslachtoffers zijn meer dan voldoende bewijs voor een tenlastelegging, met of zonder het feit dat u zich schuldig maakt aan verstoring van de rechtsgang. Mijn onmiddellijke prioriteit is Frizelles medewerking te verkrijgen voor de veilige terugkeer van Cassandra Dupree.'

Pete had nu grote ogen opgezet. 'Wat zei je daarnet?'

'Ik zei dat ik wil dat u me helpt om Cassie terug te brengen.'

'Je zei "slachtoffers".' In zijn stem steeg de paniek. 'Wie is er nog meer dood?'

Ik kon niet beoordelen of hij blufte. 'Uw vriendin, Mr. Frizelle. Mary Frances Dupree.'

Het bloed trok weg uit zijn gezicht.

'O, jezus, nee. Hou op met me in de maling te nemen, klootzakken!' Hij wendde zich tot zijn advocaat. 'Wat moet al die shit voorstellen?'

De advocaat leek nog angstiger dan zijn cliënt. 'Pete, in godsnaam, hou op! Je doet jezelf geen goed.'

Frizelle werd razend. 'Heb het lef niet om te zeggen dat ze dood is, vuile poot!' De politiemannen duwden hem terug op zijn stoel. Petes hoofd hing op zijn borst en zijn lichaam schokte van zijn gesnik.

Als hij acteerde, deed hij dat verrekte goed.

'O, Mary.' Hij kneep zijn ogen dicht. 'O, meisje. O, god. Het spijt me. O, ik heb zo'n godverdomse spijt.'

Ik boog me naar hem toe. 'Waar heb je spijt van, Frizelle?'

De advocaat stond op. 'Nee. Hou onmiddellijk op. Dit gesprek is afgelopen.'

Frizelle keek op. 'Als je tegen me liegt, vuile klootzak –'

'Wil je soms de foto's van de lijkschouwing zien?'

Pete wendde zijn blik af. 'Nee. Ik wil niks zien.'

'Agent Yeager,' zei de advocaat. 'Mijn cliënt heeft net een vreselijk bericht gekregen. Of u laat me onder vier ogen met hem spreken, of ik laat deze hele zaak seponeren.'

'Goed,' zei ik. 'Dan hervatten we dit gesprek nadat Mr. Frizelle in de gelegenheid is gesteld om even bij te komen.'

Brigadier Clyde stond voor de verhoorkamer.

'Clyde, is het mijn verbeelding, of sta je luistervinkje te spelen?'

'Ik vroeg me alleen maar af' – hij hinkte zenuwachtig van zijn ene been op het andere – 'heeft iemand ook gezegd... of-ie weet hoe de brand bij brigadier Rosario thuis is ontstaan?'

'Er heeft die zaterdagavond iemand met de gasleiding geknoeid.'

'O, oké.' Hij knikte. 'Ik vond het heel erg om... te horen wat er met haar was gebeurd.'

'En terecht. Haar dood was uitermate pijnlijk.' Ik keek hem na toen hij zich omdraaide. 'Clyde?'

Hij bleef met een ruk staan.

'Zeg tegen je partner dat het alleen maar een kwestie van tijd is voor ik jullie allebei aan de schandpaal nagel.'

Hij maakte dat hij wegkwam. Een seconde later verscheen Frizelles advocaat in de deuropening. Hij keek niet blij.

'Pete wil u onder vier ogen spreken,' zei hij.

TWEEËNVEERTIG

Pete was aan zijn ijzeren stoel vastgeketend. Alle vechtlust scheen hem te hebben verlaten. Ik gebaarde dat de politiemannen de kamer moesten verlaten en de deur achter zich dicht moesten doen.

'Gaat het een beetje?' vroeg ik.

'O, ja hoor,' zei hij. 'Ik voel me als die kut-Julie Andrews op die godvergeten bergtop.'

'Het spijt me van zonet. Ik nam aan dat je het wel wist van Mary.'

Hij keek me aan alsof hij wilde zeggen: wie neemt hier wie in de maling?

'Luister, mannetje,' zei hij. 'Beloof me één ding. Als jullie me op de elektrische stoel zetten, doe het dan goed. Ik wil niet dat mijn oogbollen eruit ploppen of zo.'

'Waarom zouden we je op de elektrische stoel zetten, Pete. Ben je schuldig?'

Hij wendde nukkig zijn blik af.

'Misschien zou je een verzoekschrift naar de gouverneur kunnen sturen voor een onthoofding,' zei ik. 'Ze zeggen dat je knap handig met Japanse zwaarden omspringt.'

'Man, ik ben een vredelievend mens. Waar ik van hou, is geld. En wat je ervoor kunt kopen. Wijven, wiet en vrijheid. In die volgorde.'

'Natuurlijk, maar er zijn gemakkelijker manieren om aan geld te komen, Pete. Je vriendin de hoer laten spelen, drugs dealen, klanten van je moeders bordeel chanteren. Goed werk met die Nikon, overigens.'

'Jezus, ik mag je wel.' Er kwam een sluwe gloed in zijn groene ogen. 'Als we heropend zijn, mag jij bij Wild Pete langskomen, jongen, dan kun je krijgen wat je wilt.'

'Je bent een optimist, Pete, dat moet ik je nagegeven.'

'Ik ben niet zo'n optimist.' Zijn glimlach verflauwde. 'Een lafaard, dát ben ik.'

'Hoe dat zo?'

'Ik heb Mary laten zitten om mijn eigen lullige hachje te redden,' zei hij. 'Mijn leven is nog geen rattenkeutel waard. Shit, ik wil niet dood. Maar ik ga het in orde maken met God. Geloof jij in God?'

Ik wachtte even, me ervan bewust dat ik werd uitgeprobeerd. 'Ik ge-

1 te lang

loof in dingen op een rijtje zetten. Hoezo heb je Mary laten zitten?'

Hij haalde diep adem. 'Een paar weken geleden kreeg Mary Frances het in haar kop dat Cassie iets ergs zou overkomen. En dat we haar bij kop en kont moesten pakken en weggaan, wat ik een niet al te best doordacht plan vond. Maar na die hoorzitting was ze razend, en als Mary razend is, is het enige wat je kunt doen: maken dat je bij haar uit de buurt blijft. Dus dacht ik: geef haar een paar dagen, dan kalmeert ze wel.'

'Je probeerde het uit haar hoofd te praten.'

'Ik dacht bijna dat het was gelukt. Maar toen kreeg ik vrijdagmiddag dat krankzinnige telefoontje waarin ze zegt dat ze in de kerk is en dat ze Cassie niet mee willen geven.'

'Hoe laat kwam dat telefoontje?'

'De tijd die de telefoonmaatschappij opgeeft: drie uur, halfvier... Afijn, ik was pisnijdig omdat ik net een bod had gedaan op een gloednieuwe Jaguar...'

'Tweedehands,' zei ik. 'Achtenveertigduizend kilometer op de teller.'

'Tweedehands, maakt het uit. Ik ga naar de kerk...'

'In de Jaguar?'

Hij knikte. '...en ik zie dat Cassie haar hondje bij zich heeft. Dus nu maak ik me zorgen over het feit dat ik niet alleen voortvluchtig ben, maar ook nog puppystront op de leren bekleding krijg. Intussen doet Mary... vreemd.'

'Hoezo vreemd... gedrogeerd?'

'Zo vreemd, dat ik bang was dat ze knettergek aan het worden was. Ze had het steeds maar over... Nou ja, wat er met kinderen gebeurt die, je weet wel, worden ontvoerd. Dingen die een kind als Cassie niet van maar moeder zou moeten horen. Ik vond dat ik Mary naar het ziekenhuis moest brengen.'

'Maar in plaats daarvan bracht u haar naar Dale.'

'Ze wilde dat we een koffer voor Cassie gingen pakken. Om in mijn tweezits sportwagen te proppen.' Hij draaide met zijn ogen. 'Inmiddels dacht ik dat ze weer aan de medicijnen was, en dat ze die zonnebril droeg zodat ik niet zou zien dat haar pupillen zo groot als Pluto waren. Dus ruk ik haar bril af en... Je weet al wat ik ga zeggen, hè?'

'Wie weet.'

'Een snee van een scheermes.' Hij wees naar zijn linkeroog. 'Ze wilde niet vertellen wie dat had gedaan.'

'Had jij het niet gedaan?'

Hij wierp me een kille blik toe. 'Ik heb nog nooit een snee in een vrouw gemaakt, of er ook maar één geslagen. Vooral Mary niet. Zoiets doet een man van eer niet.'

Ik moest lachen. 'Eer?'

Hij rechtte zijn schouders. 'Vandaar dat ik in zwaarden ben gaan handelen. Die vond ik altijd mooi in oude films, waarin de samoerai zich aan de code van Bushido hield – wat "eer" betekent, weet je wel. Plicht. Al die stomme onzin waar Dale in geloofde. Ik ben nooit bij de marine geweest, maar ik heb nooit een vrouw reden gegeven om bang voor me te zijn.'

'En dus heb je Mary en Cassie eervol uit je fraaie, schone sportwagen geschopt en ben je weggereden,' zei ik. 'Waar ging je naartoe?'

'Naar mijn moeder. Heb de hele nacht liggen neuken.'

'Ik durf te wedden dat Pete de hele nacht bij de hoeren is geweest.' Robbies uitspraak echode ijskoud door mijn hoofd.

'Zaterdagochtend maakte mijn moeder me wakker met de mededeling dat Dale dood was... en dat ik moest vluchten.'

'Omdat je wel eens van moord beschuldigd kon worden?'

'Omdat ik wel eens de volgende zou kunnen zijn.' Hij schudde zijn hoofd. 'Ik ben hem als een haas gesmeerd, en uiteindelijk stelde die hele Bushido geen zak meer voor. Nu ga ik toch nog dood.'

'Pete, je kunt me er maar beter van overtuigen dat je Dale en Mary niet hebt vermoord, want een heleboel mensen zouden je het liefst op de elektrische stoel zien.'

Hij dacht erover na. 'Maak mijn boeien los.'

Hij was niet groot, maar hij zag er verdomd potig uit.

'Waarom?'

'Ik wil je mijn littekens laten zien.'

Ik maakte zijn handboeien los. Pete trok de rits van de oranje overall naar beneden en ontblootte zijn bovenlijf. Zijn borst en zijn armen waren overdekt met blauwe bajestatoeages: kruizen, afbeeldingen van het Heilig Hart en de Heilige Maagd met cup dubbel-D.

'Ben je soms een wandelend altaar?'

'Stop maar een munt in mijn reet en steek een kaars aan,' zei hij. 'Kijk eens naar de achterkant.'

Hij draaide me zijn rug toe. Blauwzwarte engelenvleugels bedekten zijn schouders, met veren die zich langs zijn beide gespierde armen omlaag verspreidden.

'Die heb ik voornamelijk laten zetten als camouflage,' zei hij. 'Je mag aan bajesklanten nooit je zwakheden laten zien.'

Ik huiverde onwillekeurig toen ik begreep waar hij het over had. Een enorme homp vlees was uit zijn rechterschouderblad gehakt, waardoor er een diepe kuil tussen de ribben was ontstaan. Een heel oude wond.

'Van hier tot daar zit geen enkel bot,' zei hij. 'Die rechterarm zou nog niet eens een bezem kunnen optillen. En een mes hanteren... dat kun je wel vergeten. Ik snij in mezelf als ik uien hak.' Hij trok zijn overall weer aan. 'Je kunt de boeien weer aandoen als je wilt. Ik wilde je alleen mijn vleugels laten zien.'

'Ik zal de boeien om je armen weglaten, als je belooft om niet weg te vliegen.'

'Hartelijk dank.' Hij rekte zich uit. 'Weet je wat het ergste is aan dat gat in mijn lijf? Daardoor is de long niet beschermd. Al die tijd dat ik in San Quentin heb gezeten, was ik ervan overtuigd dat daar het mes in zou gaan. Regelrecht... in... dat... gat.'

Hij grinnikte, maar niet snel genoeg om de flits van angst op zijn gezicht te onderdrukken.

'Wie heeft dit gedaan, Pete?'

Hij glimlachte niet en knipperde evenmin met zijn ogen. 'Dat zal ik zelf wel gedaan hebben.'

'Toe nou. Dat is iets wat je van een bang kind verwacht.'

Hij wilde iets zeggen. Toen gingen zijn ogen richting plafond. 'Ik vergat die camera's helemaal. Archer ziet dit allemaal, hè? Hé daar, sheriff. Verrekte dinosaurus.' Hij floot. 'Haal mijn ijzers er eens af, jongen. Ik wil je nog iets laten zien.'

'Er kijkt niemand, Pete. En Archer is er niet. Hij vroeg me wel om je een boodschap door te geven. Hij zei dat jij de dader zou kunnen zijn.'

Dat maakte Mr. Frizelle woedend. 'Ja, natuurlijk, hij is immers de grote, enge man. Stuur jij hem maar een boodschap terug. Per aangetekende post uit Petes reet. Nooit in je eigen bord schijten.'

'Wat bedoelde hij volgens jou, Pete?'

'Hij heeft het recht niet om voor God te spelen. Het is al erg genoeg dat hij anderen laat lijden. Vullis als ik en Dale tellen niet mee. Maar hij heeft zijn eigen vlees en bloed gedwongen om in stilte te lijden, alleen maar om zijn eigen armzalige hachje te redden. Iemand zou zijn vuile was eens buiten moeten hangen. Iemand zou...'

'...een trocart in zijn rug moeten jagen?'

'Wie heb jij gesproken?' vroeg hij. 'Zweer je tot God dat die camera's niet aanstaan?'

'Waarom ben je zo bang voor de camera's, Pete?'

Hij verstrakte. 'Heb je met Lund gesproken?'

'Lund zegt dat hij geen woord kan zeggen.'

'Lund zal voor me getuigen. Hij heeft me opgelapt toen de sheriff...' Hij hield abrupt zijn mond.

'Toen de sheriff wat?'

'Toen hij erachter kwam wat er van ons was geworden. Je kunt me op het dorpsplein de kont kussen, maar ik was erbij. Ik heb met mijn eigen twee ogen in de beerput gekeken. En God weet dat er naar me terug werd gestaard.'

Ik reageerde niet onmiddellijk. Of ik werd bewerkt, en heel geraffineerd bespeeld, of hij stond op het punt me iets belangrijks aan te reiken. Maar de ondoordringbare stilte in zijn ogen maakte me duidelijk dat ik verder geen woord zou krijgen, zolang ik had bewezen dat ik bereid was hem te geloven.

'Dus de man zonder gezicht bestaat echt,' zei ik uiteindelijk.

Het leek wel of hij met nieuwe ogen naar me keek. 'Je hebt toch met hem gesproken?' Hij klakte met zijn tong. 'Jongen, je zit nu tot je nek in de stront.'

'Ik heb met iemand gesproken,' zei ik. 'Wie is die man? Hoe ziet hij eruit?'

Pete wreef over zijn kin. 'Hij kan er inmiddels uitzien als ieder ander.'

'Oké, Pete. Ik zal je op je woord geloven. Als er iets klopt van wat je zegt, dan ga je me nu namen en adressen vertellen. Iets concreets waarmee ik iets kan.'

'Hij heeft geen adres. En ook geen naam.'

'Natuurlijk heeft hij een naam, Pete. En op dit moment heeft hij jouw vlees en bloed. Je dochter.'

Pete kromp ineen op zijn stoel.

'Hij heeft Cassandra,' zei ik.

'Geef me papier.'

Ik schoof een vel papier en een potlood in zijn richting. Langzaam, alsof hij zijn eigen executiebevel ondertekende, krabbelde hij twee letters:

RD

'Wat betekenen die initialen?'

'Het zijn geen initialen,' zei hij. 'Het zijn ogen, starend in het donker.'

Dat was het enige wat ik uit hem kreeg.

DRIEËNVEERTIG

Frizelle keek achterom toen ik hem naar het cellenblok bracht.

'Ik heb je vragen beantwoord,' zei hij. 'Mag ik er nu ook een stellen?'

'Dat mag.'

'Mary's baby... Was het een jongetje of een meisje?'

Ik zei niets. Pete liet zijn hoofd hangen.

'Pete, als het belangrijk is... zal ik proberen erachter te komen.'

'Ik zal het wel aan Mary Frances vragen als ik haar zie.' Hij glimlachte bedeesd. 'Ik hoop dat dat me tenminste iets oplevert. In mijn eigen casino staan je kansen heel wat beter.' Hij richtte zich tot het hele cellenblok. 'Hier is Wild Pete, jongens. Kom maar eens kijken.'

Een van de bewakers gaf hem een por tegen zijn verminkte schouder. Pete gaf geen krimp.

'Ik dacht dat je gisteren zou terugkomen.' De politieman in de perskamer keek me verontwaardigd aan toen hij de deur voor me opendeed. 'Ik heb me rotgewerkt om die super-8-film op scherp te zetten.'

'Staat hij klaar?'

'Zo goed en zo kwaad als dat gaat. Hij duurt achtenhalve seconde. Ik heb er een *loop* van gemaakt.' Nukkig dubbelklikte hij op een icoontje op het computerscherm. 'Maar ik kan je al wel vertellen dat je er niet blij van zult worden.'

'Hoezo?'

'Er valt verrekte weinig te zien.'

Daar zat hij niet ver naast. Het gedigitaliseerde filmpje was donker, schokkerig: een draaikolk van grove korrels en krassen. Aanvankelijk was het enige wat ik kon onderscheiden dat er licht reflecteerde op de rond lopende muren van een nauwe tunnel. De lamp versprong van links naar rechts, en weer naar rechts, en leek ten slotte in een grotere ruimte terecht te komen. In de lens ketste de flits van de lichtstraal af op een glad oppervlak, waarna de *looping* met een schok bij het begin terug was. Bij de derde herhaling kon ik vormen onderscheiden. Na de tiende keer begon ik details te zien. Knalrode kloddters werden rode gloeiperen. Grijze en bruine vegen veranderden in kippenbotjes en snoepwikkels.

'Stop daar eens even,' zei ik. 'Ga drie beeldjes terug.'

Nu had ik een indruk van de ruimte: vierenhalf bij zes meter, nog geen twee meter hoog en muren van B-2-blokken. Een hangklok – nee een chronometer; er zat maar één wijzer op. Een metalen buis waaruit een tuinslang stak. Aan een waslijn hingen vellen papier. En iets wat leek op een grote microscoop, of...

'Een apparaat om foto's mee te vergroten,' zei ik. 'Het is een doka.'

De agent kneep verwoed zijn ogen tot spleetjes. 'Weet je het zeker?'

Ik knikte. 'Speel het eens af op twee beeldjes per seconde.'

De onzichtbare fotograaf hield de camera in zijn linker- en de lichtbron in zijn rechterhand. Zoiets kon je niet doen als je op je buik kroop, dus hij liep waarschijnlijk op zijn knieën, wat gegeven de omstandigheden alleen maar kon betekenen dat de filmer nog geen één meter vijftig was. Een kind.

'Vlak voordat hij de kamer binnengaat, trekt hij zich op, alsof hij probeert zich op zijn voeten op te richten.' Ik tikte op het scherm. 'Op dat moment ketst het licht van zijn camera af in een spiegel, of op een fotolijst...'

'Nu zie ik het ook.' In de ogen van de agent zag ik begrip oplichten. 'Vlak voor je dat ziet opflitsen, is er een weerkaatsing.'

'Zoom daar eens op in.'

Hij blies het formaat op tot het beeld het hele scherm besloeg. Er werd inderdaad iets weerkaatst: een bleke, vervormde ovaal met donkere vegen, die twee ogen en een open mond zouden kunnen zijn. Of een Halloweenmasker. Of niets.

'Het heeft weinig zin om door te gaan,' zei ik. 'Ik heb minstens een tweemaal zo goede kwaliteit nodig. Stuur een verzoek naar het bureau Las Vegas om een digitale bewerking. Uit mijn naam.'

Hij kreunde. 'Wat moet dit eigenlijk voorstellen? Een schoolproject of zo?'

Ik vertrok zonder verklaring. Connor Blackwell zat in de lobby: doodsbleek en met een zwart pak aan. Met twee trillende handen had hij een envelop vast.

'Ik was op weg naar de begrafenis.' Hij keek schichtig om zich heen. 'Kunnen we ergens heen waar meer privacy is?'

'Ik neem aan dat je bedoelt: ergens waar we niet worden afgeluisterd,' zei ik. 'Laten we mijn kantoor proberen.'

Terwijl we de lift omhoog namen, zag ik dat Connor lichtelijk achter zijn oren zweette. Ik bedacht dat hij waarschijnlijk een kater had. Hij wachtte net zo lang tot ik de deur van mijn kantoor had gesloten voor hij me de envelop overhandigde.

'Dit is de transcriptie,' zei hij. 'Je zult toch aan niemand vertellen dat ik het je heb laten zien?'

'Geen probleem,' zei ik. 'Voel je je wel goed? Je ziet een beetje groen om de neus.'

'Dat komt vast van de whisky van de sheriff. Ik heb eigenlijk niet zoveel gedronken... in de loop van de dag is het steeds erger geworden.' Hij veegde langs zijn nek. 'Ik moet je mijn verontschuldigingen aanbieden voor laatst. Ik denk dat ik buiten mijn boekje ging door op zo'n manier de dood van je moeder ter sprake te brengen.'

Ik wuifde het weg. 'Ik was het al bijna vergeten.'

'Ik wilde je alleen maar helpen, meer niet.'

'Op een bepaalde manier heb je dat ook gedaan.' Ik glimlachte. 'Als je denkt dat je het aankan: ik zou op dit moment wel wat hulp kunnen gebruiken. Wat steun bij een profielschets.'

Hij was zichtbaar verbaasd. 'Tja... natuurlijk. Ik bedoel, ik ben alleen niet zo'n expert als jij...'

'Vergis je niet in mij als expert. Ik vroeg me af: kun jij me vertellen welke gebieden van de hersenen corresponderen met inlevingsvermogen?'

Hij klopte op zijn voorhoofd. 'De frontaalkwabben.'

'En als die beschadigd zijn?'

'Nou, dan zie je cognitieve defecten: storingen in sociale vaardigheden of concentratievermogen. Het ontbreken van emotionele reacties. Er zijn in dat gebied zo veel hogere hersenfuncties geconcentreerd dat je bijna zou kunnen zeggen dat die iemands persoonlijkheidsstructuur bepalen.'

'Stel dat je zo iemand op straat tegenkwam. Wat zou 'm dan verraden?'

Hij scheen er heel diep over na te denken. 'De meeste gebieden zouden normaal kunnen zijn: motoriek, taal, ruimtelijk inzicht... Je zou een mate van gemengde dominantie kunnen verwachten. Een rechtshandig persoon die eerst zijn linkervoet neerzet...' Hij trok een wenkbrauw op. 'Hoezo?'

Ik moest onmiddellijk denken aan de foto van Espero in de kerk. De jongen had daarop een speelgoedbeest in zijn linkerhand... en hij keek met zijn rechteroog recht in de camera. 'Het is interessant, meer niet. Kan ik erop rekenen dat je ervoor zorgt dat er iets tussen ons blijft?'

Hij knikte. 'Een van de voornaamste eigenschappen van onze verdachte is de afwezigheid van inlevingsvermogen. Niet simpelweg een wreed trekje, maar een compleet onvermogen om zich met een ander te identificeren. Jij zou bijvoorbeeld in brand kunnen staan en dan zou hij je gebruiken om een sigaret aan te steken. Heb je ooit een patiënt gehad die aan die beschrijving voldoet?'

'Waar zal ik beginnen?' Connor zuchtte. 'Er is er maar één die volledig aan de beschrijving voldoet. Ik ken zijn medische geschiedenis niet, dus ik kan niets zeggen over organische gebreken. En ik wil het lot niet tarten door in dit gebouw zijn naam uit te spreken. Maar hij was in de kamer toen jij en ik elkaar voor het eerst zagen.'

'Uitstekende tip,' zei ik. 'Heb je bewijzen van zijn gedrag gezien?'

'Ik heb een paar van de vrouwen gesproken die hij had mishandeld. Onder andere...' Hij bracht een hand naar zijn kin. 'Welnu, een van de slachtoffers.'

'Je bedoelt Mary Frances.'

Hij knikte. 'Ik heb horen zeggen dat hij een van haar klanten was. Hij kreeg zijn kicks door haar af te tuigen. Niet alleen met zijn vuisten... Brandende sigaretten en scheermesjes. Ik heb haar nooit kunnen overhalen om ermee voor de dag te komen. Ik denk dat ze in haar hart van mening was dat ze... het verdiende.' Zijn gezicht vertrok. 'Haar werkgever leek maar al te graag een oogje toe te knijpen.'

'Weet je dat ik nog nooit ergens ben geweest waar zo veel mensen worden geobserveerd? Je hebt hier camera's in het cellenblok, camera's in de wijken... camera's die andere camera's in de gaten houden... Iedereen kijkt, en toch ziet niemand iets.'

'En waar geen visie is, gaat het volk ten onder.' Hij glimlachte flauwtjes. 'Je zou werkelijk Gavins boek eens moeten lezen. Hij heeft het hierover.'

'Geloof me, ik heb heel wat gelezen. Ik bedoel het niet lullig, maar...'

De telefoon ging. De display vermeldde FBI PHILADELPHIA.

'Ik moet dit gesprek aannemen,' zei ik. 'Zullen we na de begrafenis verder praten?'

Hij hees zich overeind, met een vertrokken gezicht. 'Als ik het haal.'

Ik wuifde ten afscheid terwijl ik de telefoon opnam.

'Je leeft nog,' zei Peggy droogjes.

'Geruchten over het tegendeel: ik ben slimmer dan mijn recente gedrag wellicht doet vermoeden.'

'Een slimme vent zou geleerd moeten hebben geen telefoontjes te beantwoorden,' zei Peggy. 'Ik heb om vijf uur een vergadering. Wil je weten wat Yoshi over die kerk van jou te weten is gekomen?'

'Brand maar los.'

'Het verhaal van de predikant klopt – min of meer. Tree of Life is begin jaren zeventig begonnen met donaties aan het Cathedral Lake Camp. Nadat het zomerkamp werd gesloten, begon het geld de andere kant op te vloeien.'

'Grote bedragen?'

'Wel honderdmaal zo veel. En daarmee komt meteen het water aan de orde. Klaarblijkelijk gaat het er in Nevada aan toe als op de veemarkt. Waterrechten kunnen op de vrije markt worden verhandeld, en als onderpand bij leningen... is het goud waard. In elk geval is het meeste water in handen van iets wat Archer en McIntosh op poten hebben gezet en dat Arbor Vitae Improvement District heet: Graafschap Herstel Arbor Vitae.'

'Latijn voor "Boom des Levens".'

'Dat klopt. Ze hebben in de regio het ziekenhuis opgericht, een buurtgemeenschap... evenals een hele hoop onroerendgoedprojecten.'

'San Cristobal,' zei ik. 'Waar de familie McIntosh woont.'

'Gavin en Martha McIntosh zijn de enige aandeelhouders van de stichting. Die sheriff van je is eigenaar van het water... maar zijn dochter en schoonzoon strijken het geld op alsof hun leven ervan afhangt. Letterlijk.'

'Hoe bedoel je?'

'Zoek in je lokale krant maar eens onder naamsoverdrachten. De stichting beheert het water, maar Archer beheert de rechten. En als hij doodgaat, wordt de stichting ontbonden. Einde van de goudkoorts.' Ze zweeg even. 'Graag gedaan.'

'Dank je,' zei ik. 'Ik vraag me alleen af... Hoe hebben die lui elkaar ooit gevonden? Ik bedoel: ik heb Gavin en Archer samen gezien, en het zijn nou niet bepaald dikke maatjes.'

'Waar geld is, is een smeermiddel.' Ze haalde even de telefoon van haar oor. 'Ze roepen me, Mike. Verder nog iets?'

'Wat heb je in de vergaderzaal opgestoken?'

Ze haalde even adem. 'Wil je het echt weten?'

'Is het zo erg?'

'Archer is niet capabel om dit onderzoek te leiden. Het staat te dicht bij hem en hij wordt daardoor te veel afgeleid. En als hij werkelijk het onderzoek saboteert, dan moet jij je erop voorbereiden om een actievere rol te gaan spelen.'

'Met andere woorden: het overnemen,' zei ik. 'Is dat een suggestie of een order?'

'Het is een feit,' zei ze. 'Of hij doet een stap opzij, of hij maakt dat zijn kleinkind wordt vermoord.' Aan haar kant van de lijn sprak ze met iemand, waarna ze zich weer aan mij wijdde. 'Ze hebben me nodig. Hoe is het jou vergaan met "Wild Pete"?'

'Daar had ik absoluut niets aan,' zei ik. 'Maar het is wel een enorme clown. Hij heeft me zijn tatoeages laten zien... en hij had het over eer en Dale, die zo toegewijd was aan het Korps Mariniers. Toen gaf hij me...'

'Sorry. Wat gaf hij je?'

'Iemands initialen,' zei ik. 'R.D.'

VIERENVEERTIG

CB: Wat is dat naast jou?

CASSANDRA: Mijn puppy.

CB: Wat doet ze? Slaapt ze? *[stilte]* Cassie, kijk me aan. Kun je me vertellen waarom Belle daar ligt?

CASSANDRA: Nee.

Het verhoor was gedateerd 13 oktober. Te oordelen naar het aantal bladzijden had Connor bijna drie kwartier met Cassandra gesproken, waarschijnlijk langer, als je de pauzes meetelde. Hij had niet overdreven toen hij zei dat Cassie in zichzelf gekeerd was. Af en toe was ze zelfs zo goed als ontoegankelijk.

CB: Dus nu zegt je juf dat je elke dag misselijk wordt. Is dat juist? *[stilte]* Als je... Cassie, ben je nu misselijk?

CASSANDRA: Ik weet het niet.

CB: Wat zoek je? Ben je... wil je blijven tekenen? Welke kleurkrijtjes wil je...

CASSANDRA: *[onverstaanbaar]* dié.

CB: Welk? Dit, of... Hier, pak maar. Je hoeft niet bang te zijn. Toe maar, maak je tekening maar af. *[stilte]* Kun je me vertellen wie dat is?

CASSANDRA: Ik wil deze voor de ogen.

CB: Wat zeg je?

CASSANDRA: Mag ik... zou ik alstublieft een ander krijtje mogen?

CB: Natuurlijk *[stilte]* Wie ben je aan het tekenen?

CASSANDRA: Mijn papa.

Een kleurenkopie van Cassies tekening was aangehecht. Precies zoals Connor beschreef, had ze een mannelijke gestalte getekend met het bruine haar en de groene ogen van Frizelle. Er zat een veeg over zijn gezicht, alsof Cassie hem had willen uitgummen. De man stond vlak boven de pup en vermorzelde het beest onder zijn voet. Cassie had zichzelf in het uiterste hoekje van het vel papier afgebeeld, met haar armen strak langs haar lichaam – een houding van hulpeloosheid, afstandelijkheid. De mond ontbrak in haar gezicht.

Ondanks herhaald aandringen weigerde Cassie de tekening te verklaren, en uiteindelijk richtte de ondervraging zich op andere zaken: het huiselijke leven met Dale, haar schoolwerk, bezoekjes van haar moeder. Die dingen kostten haar geen moeite om te bespreken. Vervolgens, net toen Connor wilde afronden, deed Cassie de enige mededeling waartoe ze niet toe werd aangespoord:

> CASSANDRA: Er is nog wat van hem over.
> CB: Wat van wie, Cassie?
> CASSANDRA: Hij is niet helemaal verbrand. Iets van hem kun je nog zien als je naar beneden gaat, onder de grond.
> CB: Waar heb je het over? *[stilte]* Waar onder de grond?

Op de bladzijde was een aantekening gekrabbeld, zo te zien in het handschrift van sheriff Archer: 'Connor, J.T. zal gaan kijken.' Dat moest rechercheur Jackson Tippet zijn.

> CASSANDRA: Je kunt er niet zomaar naartoe. Je moet eerst naar achteren gaan en dan naar boven, en dan kun je naar beneden, lager en lager. Robbie zei dat je ze daar kon horen huilen. En zijn ogen zijn... Wat is dit voor kleur?
> CB: Zilver.
> CASSANDRA: Die kleur ogen heeft hij. Ze staren je aan vanuit het donker.
> CB: Heeft Robbie je meegenomen naar zijn hol?
> CASSANDRA: Hij zei dat ik dat niet moest doen omdat ik dan misschien de verkeerde kant uit zou gaan.
> CB: Wat gebeurt er als je de verkeerde kant uit gaat?
> CASSANDRA: Dan ga je dood.

Die kleur ogen heeft hij. Ze staren je aan vanuit het donker. Pete, herinnerde ik me, had het ook gehad over ogen die vanuit de duisternis staren. Dus nu had ik een plaatje van een man zonder gezicht. Een man zonder inlevingsvermogen, die God wilde zijn. Een man met zilverkleurige ogen, die niet helemaal was verbrand en die nog steeds leefde, onder de grond. Een man die de Schaduwvanger heette, die alle delen afpakte die niemand wilde... en ze in iets veranderde wat je opat. Een man die dood en toch niet dood was. En dat had allemaal iets te maken met de letters R.D.

Peggy had gelijk gehad over die oude kranten. Toen ik door mijn stapel uitdraaien keek, kwam ik heel wat naamsoverdrachten tegen... en ook iets meer over Cathedral Lake. Jaarlijks publiceerde de *Ledger* een lijst van de grootste donoren van het zomerkamp. Archers naam stond steevast bovenaan, gevolgd door een aantal streekbewoners – die geen van allen R.D als initialen hadden. Maar één anonieme contribuant had de lezers het volgende advies gegeven: 'Zie onze bijzondere advertentie op pag. 2.'

Eerst dacht ik dat het een drukfout was, want waarom zou iemand verzoeken om anoniem te mogen blijven en vervolgens naar zijn advertentie verwijzen? Toen drong het tot me door: er stonden geen advertenties op pagina twee. Daar had je echter het Lekker Stuk van de Week.

De medewerkster op het stadhuis had me verteld dat mensen de krant lazen om te weten te komen wat ze niet moesten geloven. Dokter Lund had gewaarschuwd dat je nooit op uiterlijkheden af moest gaan. Wat er ook verder nog in Nevada of in de wereld gebeurde – oorlog, storm of sprinkhanenplagen – de *Ledger* plaatste zijn Lekker Stuk op pagina twee. Ik had tegen Yoshi een grapje gemaakt over gerecyclede lekkere stukken, zonder te denken dat dat wel eens letterlijk het geval zou kunnen zijn. Maar daar had je ze: dezelfde vijf of zes Lekkere Stukken onder verschillende namen. Allemaal fake.

Maar misschien liepen er toch nog een paar originelen rond.

Verderop in de gang had sheriff Archer zijn galerij van ingelijste krantenknipsels. Alles vanaf 1978 nam ik mee naar mijn kantoor. Daar knipte ik het bruine papier eraf waarop ze waren vastgeplakt. Op de achterkant van die originelen uit 1978 stond geen Lekker Stuk van de Week. In plaats daarvan trof ik een advertentie van een kwart pagina aan.

RUDOLPH DUBLINER VOOR AL UW FOTOWERK
SINDS 1968
Gespecialiseerd in familie- en schoolfoto's

En daaronder, in keurige letters onder elke advertentie:

Lucas 15:18

In het logo stonden de initialen *R* en *D* gecentreerd in de lens van een ouderwetse camera, met stippen in de lussen, zodat de letters op een paar ogen leken. Zo had Pete Frizelle ze ook genoemd: niet initialen, maar ogen.

Ik pakte de telefoon en toetste een nummer in.

'Met agent Weaver,' klonk de stem aan de andere kant van de lijn.

'Ja, schatje, met Mike...'

Ik wachtte op de piep. 'Peg, met Mike. Ga de gangen eens na van een man die Rudy Dubliner heet. Hij was van 1968 tot 1978 fotograaf in Dyer County. Ze hebben alle sporen van hem uitgewist toen ze de kranten op microfiche overzetten. Hij maakte schoolfoto's, dus had hij toegang tot kinderen. Ik weet niet wat er met hem is gebeurd, maar nu...'

Buiten klonk een sirene. Het geluid van een brandweerwagen.

'...weet ik wanneer het is gebeurd.'

Door het raam zag ik dat brandweer- en ziekenwagens aan de rouwstoet voorafgingen, die Dale naar zijn laatste rustplaats bracht.

Op het kerkhof Morningstar hadden ze geen Jezusbeelden of Atlasceders, en ook geen gras. De grafstenen waren goedkoop en veelal huisvlijt. Maar je kwam er een paar van de oudste namen van Dyer County tegen. Op een hoog houten kruis uit 1869 stond:

Hier ligt de Jager
Carson Younger
Gaf de moed op
En is van honger omgekomen

Bijna verloren in zijn schaduw lag een eenvoudige granieten gedenksteen:

THEODORE AMBROSE FREEBAIRN
13 maart 1966 – 5 november 1978
Want mijn zoon was dood en leeft voort

'Theo zou zich schamen om de inscriptie,' zei een man achter me. 'Maar dat waren de woorden die troostrijk leken.'

Toen ik me omdraaide, zag ik een iel mannetje in een keurig geperst pak. Hij had een hondstreurig gezicht en grote, gevoelige oren, van die oren waarvan je weet dat ze koud aanvoelen.

'Mr. Freebairn,' zei ik. 'Ik ben Mike Yeager. We hebben elkaar aan de telefoon gesproken...'

'Ja, dat herinner ik me. Die rechercheur heeft nooit een politierapport gestuurd. Ik weet niet wat ik moet beginnen. De verzekering wil zonder een rapport niet uitbetalen.'

'Ik kan dat wel voor u oplossen,' zei ik. 'Eigenlijk zou ik de schade wel met eigen ogen willen zien.'

'Vanwaar die plotselinge toeschietelijkheid?'

'De gestolen voorwerpen zijn gebruikt bij een recente reeks delicten.

Ik denk dat u weet over welke ik het heb. Mij lijkt het dat alleen iemand die verstand heeft van balsemen zou weten wat hij moet meenemen.'

'Of hoe je ermee moet omgaan,' zei hij peinzend. 'Ik heb niet zo veel personeel, mocht u zich dat afvragen. Alleen een meisje voor de cosmetische afwerking... en een assistent, die eerlijk gezegd twee linkerhanden heeft. In hoofdzaak ben ik alleen maar een oude man die zijn nering in stand probeert te houden. Mijn vrouw is twintig jaar geleden overleden... Daar ligt "en Zoon". Die woorden heb ik erbij gezet toen Theo bij ons thuis kwam. Ik heb het nooit over mijn hart kunnen verkrijgen om ze weg te halen.'

'Hoe is hij overleden?'

Machteloze woede verspreidde zich over het gezicht van de begrafenisondernemer. 'Kan het u werkelijk schelen, of is dit alleen maar morbide nieuwsgierigheid?'

'Het is belangrijk voor me, Mr. Freebairn.'

'Hij is omgekomen bij een brand. Door een sadist wiens naam het niet waard is uitgesproken te worden.'

'Rudy Dubliner?'

Hij zei niets.

'Ik zit te springen om iemand die iets over hem wil vertellen,' zei ik. 'Over wat hij Theo en de anderen heeft aangedaan. En waarom de sheriff er zo op gebrand is zijn naam uit de archieven te schrappen.'

De begrafenisondernemer lachte bitter. 'Rafe denkt dat als hij niets heeft gehoord, jij het ook niet hebt gezegd. Hij liet me ontslaan omdat ik me niet voor zijn karretje liet spannen. Als ik moord zie, schrijf ik ook "moord". En als ik zie...'

'Dat iemand is leeggebloed?'

Hij deed even zijn ogen dicht. 'Die arme Sig. Archer had hem voor zijn kinderen moeten laten zorgen. Eén ding zal ik voor de dokter zeggen: hij houdt zijn woord, zelfs al zou het hem opbreken.'

'Hij zou best wat hulp kunnen gebruiken,' zei ik. 'Zou u genegen zijn om het lichaam van Mary Frances Dupree te onderzoeken?'

'Rafe zou me nooit in de buurt van zijn dochter laten,' zei hij. 'Het verbaast me dat ik dat arme Mexicaanse jochie van hem mocht begraven. De man heeft geen enkele christelijke moraal.'

'Dan bent u dus van mening dat de recente sterfgevallen in relatie staan tot de gebeurtenissen in 1978?'

'Dat zou een blinde zelfs nog kunnen zien. Maar ditmaal kan het niet Rudy Dubliner zijn.' Hij gluurde over zijn schouder. 'De dienst begint. Ik moet naar de familie toe.'

'Waarom zou het Dubliner niet kunnen zijn?'

'Rudolph Dubliner is dood,' zei hij, terwijl hij wegliep. 'Ik heb hem zien sterven.'

'"De mens uit een vrouw geboren is slechts weinig tijd beschoren..."' sprak de predikant.

De kist van Dale had het formaat van een pianokrat en was bedekt met een enorme Amerikaanse vlag. De dragers van de kist waren groot, zwijgzaam en boos: brandweerlieden en mariniers.

'"...hij komt op en wordt afgeknipt als een bloem. Hij snelt als een schaduw heen..."'

De zes mannen stonden met ernstige gezichten tegenover elkaar. Ze tilden de vlag omhoog en vouwden behendig de uiteinden op elkaar.

'"...in het volle leven zijn we stervende."'

De erewacht vormde van de uiteinden een driehoek, met de sterren naar buiten. Vervolgens overhandigde de grootste marinier de vlag aan een oudere vrouw in het zwart, de moeder van Dale.

'Ma'am,' zei hij en hij salueerde kort. 'Neem de vlag van *Lance Corporal* Dale Dupree in ontvangst met de erkentelijkheid van een dankbare natie.'

Ze hield de vlag als een baby in haar armen, maar ze huilde niet. Ze had dit al eerder gedaan.

'"Ik hoorde de stem des hemels, die me zei: "Schrijf"...'

Gavin McIntosh strooide woestijnzand over het graf. Hij zag asgrauw, uitgeput. Vervolgens pakte hij de hand van de moeder en fluisterde in haar oor. Dales moeder deed haar ogen dicht, waarna Gavin naar Freebairn knikte. De begrafenisondernemer haalde de schakelaar over en de enorme kist zakte het graf in. Een trompet op een bandje speelde de taptoe.

Uiteindelijk had de aarde plaats genoeg voor Dale Dupree.

VIJFENVEERTIG

De receptie na de begrafenis werd gehouden in Tree of Life. De begrafenisgangers, gehoor gevend aan een soort kuddegeest, stonden op een kluitje in een hoekje van de enorme ruimte. Enkele gezichten kende ik al. Evelyn Maidstone stopte handenvol gemberkoekjes in haar tas, terwijl hoofdbrandweerman Espy in een gerafelde zakdoek hoestte. Gefluister gonsde als wespen door de ruimte.

'...onder de woonwagen gevonden. Wat ik heb gehoord...'

'Satanaanbidders.'

'Kinderporno. En al die hoeren zijn in...'

'...al gestemd? Zeg eens hoe je moet stemmen.'

'Waar is de sheriff trouwens?'

'...vent van de FBI?'

'Waarom doet niemand hier niets aan?'

Connor was nergens te bekennen, en hij had evenmin het condoléanceregister ondertekend. De sheriff ook niet... noch zijn dochter. Bij de tafel met het buffet trof ik Robbie, die net zijn bord vollaadde met sandwiches.

'Hoe gaat het met je holle been, Rob?'

Hij keurde me amper een blik waardig. 'Mijn benen zijn stakig. Ik heb Fried-reich's a-ta-xia.'

'Wat erg voor je, vriend.'

'Ja,' zei hij. 'Het is een de-ge-ne-ra-tie-ziek-te. Dat betekent dat het steeds erger wordt. Waarschijnlijk zal ik weldra niet meer kunnen lopen.' Hij dempte zijn stem. 'Het is kut met peren.'

'Tja... dat kan ik me voorstellen.' Ik glimlachte. 'Zo te horen ken je erg veel woorden.'

'Ik lees graag,' zei hij. 'En ik kan hard rennen, als ik mijn looprek heb. Ik ben een superrenner.'

'Dat wist ik al toen ik je voor het eerst ontmoette. Je schoot als een pijl uit zijn boog dat parkeerterrein af. Mag ik bij je komen staan?'

'Mijn moeder wil niet dat ik met je praat.'

'En je vader?'

Robbie keek achter me. 'Hij heeft je nog niet gezien. Hier, je mag een sandwich hebben. Ik ga ze toch niet allemaal opeten.'

'Graag.' Ik pakte er een. 'Ik heb je juf ontmoet: Miss Corvis. Ze vroeg of ik tegen je wilde zeggen dat ze je allemaal missen.'

'Ze is aardig,' zei hij. 'Je zou Miss Corvis' vriend moeten zijn. Ik geloof niet dat ze er op dit moment een heeft. Maar je moet wel snel zijn. Tommy Boster zegt dat ze een geil stuk –'

'Mag ik het daar een andere keer met je over hebben?' Ik keek om me heen. 'Waar is je moeder trouwens?'

'Ze is te ziek om te komen,' zei hij. 'Ze heeft pe-ri-o-den van de-pressies.'

'Dat is ook geen lolletje, hè?'

'Mijn vader wordt verdrietig als ze tegen hem schreeuwt. Dan gaat hij huilen en smeekt haar om het niet te doen, maar ze doet het toch.'

'Hoe voel jij je wanneer je moeder depressief is?'

Hij legde zijn hand op zijn borst. 'Dan doe ik mijn hart in een doos. En ik verstop de doos onder de grond.'

'Is het daar nu ook?'

'Hm-hmmm. Maar hij komt heel gauw wel weer naar boven, hoor. Dan zal iedereen het kunnen zien.'

'Wat zal iedereen dan zien?'

'Dat het zo vol wordt, dat-ie zich helemaal opblaast,' zei hij. 'Dan blaastie zich zomaar op.'

Hij nam een hap en slikte die door.

'Oom Dales begrafenis was verdrietig,' zei hij. 'Op een keer ging mijn puppy dood, en toen stopten we hem in een doos en de doos stopten we onder de grond. Hij blafte en blafte en blafte, en toen hield hij op. Daarom wisten we dat hij dood was. Ik mis hem. Heb jij ooit een puppy gehad?'

'Jazeker,' zei ik. 'Hoe is je puppy doodgegaan?'

Hij haalde zijn schouders op en pakte nog een sandwich die hij op zijn bord legde.

'Zeg, Rob, ik heb nagedacht over wat je me laatst vertelde, over de Schaduwvanger.'

Hij zei niets.

'Weet je nog dat je me vertelde dat hij achter Cassie aan zat?'

'Sommige van die dingen weet ik niet meer.'

'Wat weet je nog wel?'

'Ik weet nog dat u uit Lan-cas-ter County komt. En dat het A-mish is en niet Ay-mish.'

'Dat is heel goed. Wat bevalt je zo aan de Amish?'

'Ze doen niemand kwaad,' zei hij. 'Ik ga weglopen en dan word ik net zo als zij. Misschien kun je me dan komen opzoeken.'

'Jij bent waarschijnlijk de enige die zou kunnen zorgen dat ik terugga naar Lancaster County,' zei ik. 'Als je dat allemaal nog weet, weet je vast ook wel wat je over Pete hebt gezegd. Over waar hij was, die nacht dat Dale doodging.' Geen antwoord. 'Was het iets wat je zelf had bedacht? Of had iemand het je verteld?'

'Dat was niet iets wat ik ooit heb gezegd.'

'Dat heb je wel gezegd, Robbie. En je hebt Cassie over iemand verteld die onder de grond woont. Is dat de Schaduwvanger?'

Robbie ging door met sandwiches op zijn bord laden alsof ik niet eens bestond.

'Het leven van je nichtje loopt gevaar,' zei ik. 'Als je iets weet, moet je dat vertellen. Anders gaat ze misschien dood. Net als oom Dale en tante Mary. Begrijp je? Cassie zou best dood kunnen gaan.'

Robbie tuurde halsstarrig naar de loper op de vloer, en op dat moment kon ik in zijn kraag kijken.

Er zat een verse pleister in zijn nek.

'Hoe ben je daaraan gekomen, Robbie?'

'Ik ben van de trap gevallen.'

'Pal op je nek, Rob? Hoe heb je dat klaargespeeld?'

'Zomaar! Hou je bek!'

Ik pakte zijn gezicht beet en keerde het naar me toe.

'Niet doen!' riep Robbie uit. 'Laat me los, vuile klootzak!'

De stemmen in de kerk verstomden.

'Dat is precies wat oom Dale deed voor hij me door elkaar schudde.' Robbies stem klonk kil. 'Ga jij me nu soms ook door elkaar schudden?'

Ik liet hem los. Er bloeide een vage rode plek op, precies zoals Dale daar vrijdag had veroorzaakt. Robbies ogen lieten me geen moment los.

'Het... spijt me,' zei ik.

'Agent Yeager.' Gavin stond achter me, geflankeerd door enkele rouwgangers. 'Laat alstublieft mijn zoon met rust.' Hij beende op me af. 'Bij nader inzien: ik vind dat u nu moet gaan.'

'Ik vertrek niet voor uw zoon me de waarheid vertelt.'

'De waarheid?' Hij kneep zijn ogen samen. 'Hoe durft u dat woord te bezigen om het pijnigen te rechtvaardigen van... een invalide kind?'

Er kwamen een paar van die gigantische brandweermannen om ons heen staan. Ik legde mijn hand op de pleister in Robbies nek.

'Bepaalde patronen herhalen zich,' zei ik. 'Wilt u dat wat uw vrouw is overkomen ook Robbie overkomt?'

Gavin deed zijn mond open, maar er kwam geen geluid uit.

'Denk om uw zoon, eerwaarde.'

De geestelijke sloeg zijn armen om de jongen heen. Ik keek Robbie aan.

'Het spijt me dat ik je heb bang gemaakt,' zei ik. 'Dat had ik niet mogen doen. Dat mag niemand.'

De jongen beet op zijn lip. Ik liep weg.

'Lan-cas-ter County!' riep Robbie me na.

'Lancaster County,' zei ik.

ZESENVEERTIG

Ondanks de indruk dat het gebouw uit het stenen tijdperk stamde, was de Dyer County Consolidated School een griezelig gemakkelijk object om er in te breken.

Achter de kringloopbakken aan de rand van Highway 313 had ik een onbewaakte gaping in de schutting gevonden. Toen ik daar doorheen stapte, zag ik aan de overkant van het schoolplein Dorothy zitten, waar ze een oogje hield op een groep derdeklassers.

'Gooi hem maar hard weg, Joey! Jezus, gooi hem knalhard!'

'Rot op, huilebalk!'

'Maak nou voort en maak 'm dood! *Maak 'm dood!*'

De kinderen waren aan het trefballen, en een paar wilden er bloed zien. Maar over het algemeen hadden ze gewoon dolle pret. Rennend, lachend, elkaar plagend en joelend leefden ze zich uit. Waren ze kind.

'Soms bedenk ik dat we er niet op vooruitgaan naarmate we ouder worden.' Dorothy schoof een eindje op haar boomstronk op om plaats voor me te maken.

Ik ging zitten. 'Hoe bedoel je?'

'Vijfjarigen slaan hun armen om elkaar heen en huilen,' zei ze. 'Kinderen van zeven verzinnen clubs, zodat ze elkaar kunnen buitensluiten. En tegen de tijd dat ze acht jaar worden...' Ze maakte een gebaar naar de schreeuwende derdeklassers. 'Ik zie dat je het piepkleine gaatje in ons beveiligingssysteem hebt gevonden.'

'Die metaaldetectors kun je net zo goed weggooien,' zei ik. 'Waarom repareren ze die schutting niet gewoon?'

'Dat hebben ze al een paar keer gedaan, maar de kinderen rukken er gewoon weer gaten in. Bovendien is ons onderhoudsbudget zo goed als uitgeput. We kunnen niet eens closetpapier kopen.'

'Juist.'

'Ik meen het! Weet je hoe het is om ouders te vragen om closetpapier te doneren? Als ze de helft van het geld aan scholen zouden besteden dat ze aan gevangenissen uitgaven... O, sorry.'

'Geeft niet,' zei ik. 'Toevallig ben ik het ermee eens.'

'Het is gewoon zo erg om je de school in elkaar te zien storten. Nu ze de garanties voor die nieuwe particuliere school hebben goedgekeurd zal het hier wel een spookstad worden.'

'Welke nieuwe particuliere school?'

'O... dat Arbor Vitae-gedoe.'

'Die naam valt hier de laatste tijd nogal eens.'

'Dat kun je wel zeggen. Ik bedoel: het is heel aardig van ze dat we hier mogen repeteren. Volgens mij proberen ze me te paaien met al die mooie faciliteiten. Maar kinderen hoeven heus geen tv-camera's om een voorstelling op te voeren. En ik weet niet... Ik krijg de riedels van dat hele McJezus-gedoe.'

'Kijk, kijk. Ik dacht dat je al een McJezus-aanhanger was toen ik je leerde kennen.'

'McJoods.' Ze keek me aan. 'Zeg, is dit nou zoals je je een vervolgdate had voorgesteld?'

'Hadden we dan al een eerste date gehad?'

'Toch ben je komen opdagen, nietwaar?' Ze gaf me een knipoog. 'Serieus: waar ben je voor gekomen?'

'Kun jij me vertellen...'

Ze legde een hand op mijn arm. 'Sorry, momentje... Lacey? Dat zag ik, schatje! Niet op gezichten mikken!' Ze wijdde zich weer aan mij. 'Neem me niet kwalijk. Kan ik je wát vertellen?'

'Hoe kwam Robbie bij dat toneelstuk over de Rattenvanger?'

Ze fronste haar voorhoofd. 'Hij zei dat het uit het boek van Robert Browning kwam. Hoezo?'

'Er staat een zin in: "...had moeten opletten" of zo. En gisteravond hoorde ik iemand anders exact diezelfde woorden gebruiken.'

'Wie dan?'

'Dat kan ik je niet vertellen,' zei ik. 'Maar heb je nooit opgemerkt hoe eigenaardig Robbies toneelstukje is? Qua psychologie, bedoel ik. Er staan diverse regelrechte referenties in naar ontvoeringen van kinderen.'

'Dat zou je waarschijnlijk ook kunnen zeggen over de meeste sprookjes van Grimm.' Ze zuchtte. 'Maar ik weet wat je bedoelt. Hij is niet dezelfde Robbie die ik in september heb leren kennen. Ik dacht dat hij er baat bij zou hebben als hij zijn gevoelens zou uiten... door er een spelletje van te maken.'

'Natuurlijk, maar... Wat zei je gisteren ook alweer? Het monster is altijd echt?'

'Ja.' Ze keek me aan. 'Ik geloof dat jij wel weet hoe het is om met monsters te leven waar niemand in gelooft.'

Ik knikte.

'Ik ook,' zei ze.

'Ik denk dat Robbie weet wie Cassandra heeft meegenomen,' zei ik. 'Of beter gezegd: Ik wéét dat hij dat weet. En ik heb waarschijnlijk mijn grootste kans verpest om hem aan het praten te krijgen.'

'Hoe heb je dat klaargespeeld?'

'Ik werd kwaad.' Ik zuchtte. 'Hij trok een muur op en begon te vloeken als een tempelier. Ik wond me op en hij klapte als een oester dicht. Ik heb hem misschien te hard aangepakt.'

'Wil je dat ik probeer om met hem te praten?'

Ik keek haar aan, verbaasd. 'Heb je al eerder forensische gesprekken gevoerd?'

'Ik? Zeker wel. Niet zo vaak meer als tijdens mijn studie, maar... Hoezo?'

'Ik vroeg me alleen maar af waarom ze jou niet hebben gevraagd om Cassandra te ondervragen.'

'Dat is gewoon niet gebeurd. Ik heb niets tegen die Connor, maar ik denk dat ze iemand wilde die... plooibaar was?'

'Ik heb de transcriptie bij me.' Ik haalde hem uit mijn jack. 'Ik hoopte dat Connor een paar vragen zou kunnen beantwoorden, maar hij is kennelijk op non-actief gesteld.'

'Je wilt dat ik het lees.'

'Zo simpel ligt het niet. Het document is nog steeds onder embargo van het kantongerecht. Volgens de wet mag ik het je niet ter inzage geven. Als je ermee akkoord gaat het in te kijken, zou je best eens last kunnen krijgen.'

Ze trok een wenkbrauw op. 'Heel grote last?'

'Je zou je onderwijsakte kunnen kwijtraken. De moeilijkheid is: ik heb geen tijd om toestemming voor je aan te vragen. Ik zou móéten zeggen: Cassie heeft geen tijd.'

Ze keek me met grote ogen aan.

'Cassie probeert bij haar ondervraging iets duidelijk te maken,' zei ik. 'Iets wat Connor niet uit haar heeft weten te krijgen... en wat ik, eerlijk gezegd, niet begrijp. Ik kan met forensisch psychologen gaan praten, maar ik beschik niet over iemand die Cassandra heeft gekend.'

'Die heb je nu wel.' Ze schudde haar haar uit haar gezicht. 'Hoeveel last zou ik er uiteindelijk mee kunnen krijgen?'

'Denk er maar over na. Ik bel je straks wel op.'

'Nee.' Ze maakte de envelop open. 'Nee, daar is geen tijd voor.' Ze draaide zich om, afgeleid door gejammer bij het trefballen. 'Ik moet even tussenbeide komen, oké? Kom over een halfuur terug, wanneer de school uit is.' Ze knipoogde. 'Je kunt ditmaal door de voordeur naar binnen.'

Ik stond op. 'Dank je, Dorothy. Ik meen het.'

'Zorg jij nou maar dat het het risico waard is.' Ze glimlachte. 'Voor mij althans.'

'Nou... ik heb toevallig een tegoedbon voor een ijsje.'

'Hmmm. Iemand is blijkbaar een zoete jongen geweest.' Voor ik haar kon tegenhouden, gaf ze me een knuffel. Vijftig kinderen floten en joelden.

's Middags voerde de wind kille lucht aan. Ik trof Dorothy buiten aan bij de dienstingang, waar ze hartelijk afscheid nam van haar laatste derde-klasser.

'Dag, Miss Corvis!' riep een klein Koreaans meisje, terwijl ze naar de auto van haar vader holde.

'Dag, Eleanor! Niet vergeten: zing uit volle borst, vogeltje, uit volle borst!'

Toen ze me zag, sloop de ongerustheid in haar ogen.

'Heb je de transcriptie gelezen?'

Ze knikte.

'Ik moet je nog iets anders laten zien,' zei ik.

'*...exitpolls zijn wel degelijk betrouwbaar,*' blèrde de AM-zender in Hardy's Drugstore. '*Archer zou zijn laatste hindernis best nog eens op het nippertje kunnen overwinnen. We hebben echter gehoord dat Buford Warburton en de Commissie van Dyer County op het punt staan een belangrijke doorbraak aan te kondigen...*'

We zaten aan een tafeltje achterin, waarop twee Rocky Mountain-coupes stonden te smelten. Dorothy hield Cassies losbladige cahier met beide handen vast.

'*...onderzoek naar de moord op de dochter van de sheriff, een plaatselijke prostituee, en de lopende speurtocht naar zijn kleindochter...*'

Ze sloeg het schrift dicht.

'Wat vind je ervan?' vroeg ik.

'Ik moet even op adem komen,' zei ze zacht.

'Het is verbluffend, ik weet het. Maar zoals je waarschijnlijk wel hebt gezien, is de transcriptie op zichzelf niet bepaald onthullend.'

'Cassie praat niet. Ze tekent.' Dorothy keek de bladzijden nog eens door. 'Tijdens het hele onderhoud greep ze steeds naar kleurkrijtjes.'

'Heeft Connor je er ook maar iets over verteld?'

Ze schudde haar hoofd. 'Eén ding wat Cassie betreft: ze is niet iemand die zomaar wat verzint. Die taferelen heeft ze zich vast niet verbeeld. Iemand moet haar iets hebben voorgedaan, of hebben beschreven.'

'Misschien heeft ze iets nagetekend van oude foto's. Foto's van Rudy Dubliner, misschien.'

'Wie is Rudy Dubliner?'

Ik wilde net antwoord geven, toen Mrs. Hardy, de vrouw van de eigenaar van de drugstore, kwam aangelopen.

'Jullie hebben niet bepaald trek, hè? Onze smaken bevallen jullie natuurlijk niet.'

Dorothy's gezicht klaarde op. 'Het spijt me, Mrs. Hardy. Het was heerlijk. Alleen zaten we...'

Mrs. Hardy wuifde het weg. 'Lieverd, ik plaag je alleen maar. Ik zou niet willen dat je dat fraaie figuurtje in gevaar bracht. En hij ook niet, durf ik te wedden.' Ze gaf me een knipoog. 'Zeg, ík herinner me Rudy wel.'

Ik keek op. 'O ja?'

'Ja, hoor. Hij had hier in de stad zijn eigen fotostudio. Best een aardige vent.'

'Weet u wat er van hem is geworden?'

'Nou, eens kijken... volgens mij heeft hij een baan in Reno, of was het... Hé, Spence! Wat is er van Rudy Dubliner geworden? Is hij verhuisd?'

'Vissenoog?' De man grinnikte. 'Die is er toch nog?'

Mrs. Hardy joeg hem weg. 'Hij weet het niet. Volgens mij is Rudy verhuisd. Hij zou ook best dood kunnen zijn. Vraag het maar eens aan Dave Freebairn, de begrafenisondernemer. Hij weet wie er in deze contreien dood zijn.'

'Waarom noemde uw man hem "Vissenoog"?'

'Hij had een lui oog. Je wist nooit in welk oog je moest kijken.'

'Weet u nog iets meer over hem?'

'Tja, natuurlijk, ik –' Toen hield ze abrupt haar mond. 'Eh... Dat dacht ik tenminste. Het is zo lang geleden. Afijn, hij is nu weg, dat is een ding dat zeker is. Misschien is hij overleden.' Ze schuifelde terug naar haar roman van Barbara Cartland.

'Mrs. Hardy is een lief mens,' zei Dorothy.

'Mrs. Hardy heeft grote oren,' zei ik. 'Laten we dit mee naar buiten nemen.'

'Wat was jouw monster eigenlijk?' Toen we de drugstore uit stapten, sloeg Dorothy vanwege de kou haar armen om zich heen.

'Wat zei je?'

'We zijn allebei ons monster tegengekomen, weet je nog? Ik vroeg me alleen maar af wie jouw monster was.'

'Ik neem aan dat je het niet hebt over de undercoveragent die op mijn hoofdkantoor de scepter zwaait.'

'Ik bedoel: echt. Wie was het monster waar niemand in geloofde?' Ze liet haar arm door de mijne glijden, zo vanzelfsprekend alsof we al jarenlang verkering hadden. Ik moest toegeven dat het prettig aanvoelde. 'Mijn vader,' zei ik. 'Niemand heeft ooit in hem geloofd. Ik denk dat hij daardoor zo'n tiran was geworden. Hij had een appelboomgaard... predikte Het Woord... heeft in zijn eentje zes kinderen opgevoed. En toch heeft het universum hem nooit beloond.' Ik lachte. 'Want dat waren de allersmerigste appels.'

'Waarom heeft hij jullie in zijn eentje opgevoed?'

'Mijn moeder... overleed toen ik negen was,' zei ik. 'Ze heeft zelfmoord gepleegd.'

'O, Mike.' Ze trok me tegen zich aan. 'Wat vreselijk.'

'Dat vind ik ook.' We liepen zwijgend verder, tot we bij haar Vespa waren gekomen die naast mijn auto stond.

'Ik bedoelde het niet zo oneerbiedig,' zei ik. 'Alleen weet ik na al die jaren nog steeds niet hoe ik erover hoor te praten.'

'Er bestaat geen manier waarop je over die dingen "hoort" te praten. Dat weet je pas als je zo ver bent.'

'Volgens mij zijn er op dit moment wel belangrijkere zaken om je hoofd over te breken.' Ik liet haar arm los en pakte haar hand. 'In elk geval ben ik dankbaar voor je hulp met de transcriptie.'

'Ik heb geen idee of ik je wel zo heb geholpen.' Ze schudde haar hoofd. 'Je moet die kinderen kunnen zien en horen, anders kan je veel te veel ontgaan.'

'Ik zal kijken of ik die cassettebandjes kan vinden.'

'Ja, maar je zou liever videobeelden hebben,' zei ze. 'Ik zou hierover graag contact met je willen houden. Als jij dat ook wilt.'

'Ik zal je laten weten wat er gebeurt. Op dit moment... Ik geloof dat ik eens moet gaan kijken wat er op die persconferentie gebeurt.'

'Wil je dat ik zal kijken of ik Robbie kan opsporen?'

'Nee. Ik... wil je niet aan de goden overleveren.'

Ze lachte. 'Voor het stellen van een paar vragen?'

'De agente die dat notitieboek vond is vermoord omdat ze vragen stelde.'

'O.' Ze ging op haar scooter zitten. 'Mag ik je straks opbellen? Of word ik daarvoor ook vermoord?'

'Je mag me opbellen,' zei ik. 'Dorothy, er is iets wat me van het hart moet.'

'O, o,' zei ze. 'Je bent getrouwd.'

'Ik ben niet getrouwd.'

'Je bent homo.'

'Absoluut niet. Ik wil niet op de zaken vooruitlopen, maar ik kan me op dit moment niet binden. Het is niets persoonlijks. Je bent... geweldig.'

Ze trok een wenkbrauw op.

'Laat ik opnieuw beginnen,' zei ik. 'Het zou een afleiding betekenen die ik me niet kan permitteren.'

'Vanwege de zaak.'

'Zoiets. Ik bedoel... ja, kennelijk. Ik weet niet wat ik zeggen wil.'

'Je zegt: "Ik mag je graag, Dorothy, dus blijf in godsnaam uit de buurt."' Ze trapte de scooter aan. 'Maak je geen zorgen, ik kan er wel mee leven. Zolang je maar niet al bezet bent.'

'Geen idee. Alleen ben ik er net achter gekomen dat ze weer met iemand is. Niet dat er iets vasts tussen ons was...'

'Michael?'

'Ja?'

'We hoeven op dit moment geen enkele beslissing te nemen. We hebben de tijd.'

'Laten we het hopen,' zei ik. 'Robbie vindt dat ik werk van je moet maken, aangezien je geen verkering hebt.'

'Poeh. Wie zegt dat ik geen verkering heb?'

'Je bent anders hier.'

'Wie weet wil ik kunnen kiezen.' Ze gaf me een vluchtige kus op mijn wang en ging er als een speer vandoor.

ACHTENVEERTIG

'...u graag allen bedanken voor de tijd die u vandaag hebt vrijgemaakt,' zei Buford Warburton van achter een kluwen van microfoons. De zaal waar de hoorzitting werd gehouden zat tot de nok vol, voornamelijk met de plaatselijke bevolking, maar ook met verslaggevers en tv-ploegen, zelfs helemaal uit Carson City. Mr. Warburton had het postuur van een walrus, met een onderkin, een lijzige spraak, hangende oogleden en een mislukte haartransplantatie. Rechercheur Tippet zat met een ernstig gezicht in vol ornaat naast hem.

'Ik heb net overleg gepleegd met leden van de districtsraad.' Buford schraapte zijn keel, wat doordreunde in de microfoons. 'Zij hebben me een belangrijke doorbraak gemeld in de ontvoering van... Tip, zou je dat affiche willen omdraaien, zodat iedereen hem kan zien?'

Tippet wierp hem een blik toe als uiting van zijn weerzin; het beviel hem duidelijk allerminst dat hij de tweede viool moest spelen. Maar hij draaide gehoorzaam een schildersezel om waarop een uitvergrote foto van Cassandra Dupree stond. Overal klikten flitslampen.

'Cassie Dupree... is... in leven,' verkondigde hij. 'We hebben een bericht van haar ontvoerder, dat ik u nu zal voorlezen.'

Een algehele stilte heerste op de publieke tribune. Buford las de tekst op van een vel papier in verzegeld cellofaan. Ik zag donkere plekken op de achterkant. Opgedroogde bloedvlekken.

'Ik draag dit engeltje geen kwaad hart toe,' reciteerde hij monotoon. 'Ik hou haar slechts vast vanwege een niet-ingeloste schuld. Wanneer mij recht wordt gedaan, zal zij leven te mijner glorie. Wanneer ik met lafhartigheid en verraad tegemoet word getreden, zult u zelf haar verbrande en beschadigde staat op uw geweten hebben.'

'Neem me niet kwalijk,' sprak een journaliste boven het geroezemoes uit. 'Waar en hoe hebt u deze brief precies ontvangen?'

Buford wilde net zijn mond opendoen, toen Tippet zich naar hem toe boog en iets fluisterde. Kennelijk waren ze het er niet helemaal over eens hoe ze de vraag zouden aanpakken. Uiteindelijk haalde Buford zijn hand van de microfoon.

'Dat is vertrouwelijke informatie,' zei hij.

'Ja, maar... Hoe weet u dat het geen vervalsing betreft?'

Ditmaal was Tippet de eerste. 'We hebben de brief aan een diepgaand onderzoek onderworpen,' zei hij. 'Hij is tegelijkertijd verkregen met wat volgens ons het primaire wapen bij de moord op Dale Dupree is geweest.'

Ik voelde mijn ogen uitpuilen toen Tippet een plastic bewijszak omhoogstak. Daarin bevond zich de zilveren trocart: lang, scherp en met bloed besmeurd. Hij glimlachte bijna terwijl hij die ten overstaan van de flitslampen aan zijn hand liet bungelen. Naast me sloeg een oude man zijn handen voor zijn ogen.

'Dit voorwerp is door een plaatselijke firma als gestolen aangegeven,' sprak Tippet staccato. 'Met dit onweerlegbare bewijs zullen we de identiteit van de verdachte afdoende kunnen bepalen. Het is nog maar een kwestie van tijd.'

'Hoe zou u de verdachte beschrijven?'

'Seksueel afwijkend,' zei Buford met autoriteit. 'Wellicht bedient hij zich van satansrituelen. Zeer zeker iemand met een hersenbeschadiging en een misvormd gezicht. We zijn bezig met de opbouw van een databank van namen en het schetsen van de −'

Een andere journalist stak zijn hand op. 'Brigadier Tippet −'

'Inspecteur.'

'...was deze doorbraak te danken aan de FBI-assistentie die u hebt gekregen?'

Tippet kneep zijn ogen tot spleetjes, terwijl verscheidene camera's mijn kant op dwaalden. Ik bleef met mijn armen over elkaar zitten en hield mijn lippen op elkaar.

'Dat zou ik niet willen zeggen.' Tippet wierp me een zure blik toe. 'Zij doen wat ze doen, maar wij hebben onze eigen bronnen, en die voldoen voor ons zonder de behoefte aan federale bemoei− neem me niet kwalijk... betrokkenheid.'

Dat was een overduidelijk bewuste verspreking, maar hij werkte wel. Een stuk of tien pennen noteerden 'bemoeienis' op blocnotes.

'Suggereert u dat de FBI op een of andere manier de veiligheid van Cassandra Dupree in gevaar heeft gebracht?'

'In godsnaam, nee.' Tippet trok de frons uit zijn voorhoofd. 'Waar het om gaat is dat wij nu overgaan tot een recht-toe-recht-aanbenadering en ons aan de feiten houden. Aangezien sheriff Archer niet actief de leiding heeft over dit onderz−'

'Ik wil even iets zeggen.' Buford zwaaide voor Tippet langs met zijn hand, waardoor hij bijna de trocart van de tafel mepte. 'Tegen wie u ook bent die Cassie gevangenhoudt. Waar u zich ook schuilhoudt, we zullen u uitroken. Als u zich nu aangeeft en dat meisje terugbrengt zonder dat er kwaad is geschied, kunnen we misschien praten. Maar als u haar maar één haar krenkt, en God is mijn getuige...'

Zijn stem stokte toen de deur achter me met een klik openschoof. Verscheidene aanwezigen draaiden zich nu om. De camera's volgden.

'O, mijn god,' zei iemand.

Sheriff Archer stond in de deuropening.

'Nu weet ik tenminste waarom het op mijn bureau op een dinsdagmiddag uitgestorven is.' Archer marcheerde de zaal binnen, terwijl hij een trillende hand uitstak. De trilling in zijn stem kwam niet van woede en zelfs niet van angst. Het kwam door fysiek lijden, een spook des ouderdoms, dat nu eindelijk ook Rafe Archer in zijn klauwen had.

'Sheriff,' zei Buford. 'Ik had niet verwacht dat u zelf zou komen. We weten dat dit voor u privé een tijd van rouw is.'

'Ik heb nog nooit een man in de rug geschoten, Buford. Ik verwacht dus ook niet dat ík zo moet sterven.'

Warburton schrompelde weg in zijn vetrollen. 'Wat wil je, Rafe?'

'Koffie, als het eraf kan. Ik heb niet veel geslapen.'

Buford wenkte naar een assistent. Er werd de sheriff een kop koffie gebracht, terwijl hij zich tot de volgepakte publieke tribune richtte.

'Ik weet dat enkelen van u vinden dat ik hier niet hoor te zijn.' Zijn stem klonk plotseling zwak. 'Misschien is dat waar, maar ik heb een paar dingen te zeggen. Dingen waarvan u... het recht hebt ze te horen, dacht ik zo.'

Er klonk een ongemakkelijk geroezemoes. Alle tv-spots waren nu op hem gericht, waardoor Buford en Tippet in de schaduw zaten.

'Ik heb altijd gedacht dat ik een... goed mens was.' Hij nam een grote slok. 'God weet dat ik daarnaar heb gestreefd. Ernaar heb gestreefd een goede herder te zijn voor u. Een goede vader voor mijn dochtertjes. Maar ik heb één groot onrecht begaan. En... onze kinderen smartelijke schade toegebracht.'

Er klonk protest op. Maar toen hij dat ene woord uitsprak – 'kinderen' – leek het wel alsof hij een lijkwade over de zaal neerliet.

Hij wees naar mij. 'Er is hier een man die beweert dat ik in het aanschijn van de dood sta. Volgens mij geldt dat voor ons allemaal, op een dag. Maar ik moet naakt voor God verschijnen en verantwoording afleggen voor anderen die door mijn schuld hebben geleden.'

Buford boog zich dichter naar zijn microfoon toe. 'Rafe, dit hoef je niet te doen.'

'Ik wil het ook niet,' zei hij. 'Ik moet... spreken. Ik had vannacht last van nachtmerries. Alle bergen stonden in brand, en onze kinderen verbrandden. Maar ik... kon me niet verroeren. Mijn armen zaten vast in de grond en... mijn mond was dichtgenaaid. Ik kon ze niet allemaal redden. Ik kon gewoon niet. God sta me bij... Ik moest hem daar achterlaten.'

Uit mijn ooghoek zag ik dat Tippet opstond en wegging, en dat hij de trocart meenam. Ik wilde net achter hem aan gaan, toen opeens de sheriff kwam te struikelen. Zijn hand trilde, waardoor er koffie op de grond plenste.

'Ik moest een keuze maken,' zei hij. 'Wie er bleef leven en wie er dood moest. En eindelijk zie ik nu in...'

Zijn mond vertrok tot een lach... een trillerige gaping, onmenselijk.

'Zou ik ingezien moeten hebben...' Hij hapte naar adem.

Plotseling begon hij te schokken. Koffie spoot in een zwarte straal tussen zijn lippen door. Ik schoot al haastig op hem toe.

'O, mijn god, hij is...' Op de publieke tribune klonk gegil.

Als door de bliksem getroffen viel de sheriff achterover, terwijl zijn laarzen tegen de vloer schopten. Zijn rug kromde zich tot een boog en zijn gezichtsspieren verstarden. Een weelderig schuim van speeksel met koffie parelde over de kin van de sheriff. Zijn wangen en vingertoppen werden in ijltempo lijkblauw.

Ik bukte me. Ik nam zijn koude hand in de mijne.

'Zo veel... pijn...' fluisterde Rafe Archer.

NEGENENVEERTIG

Een halfuur later was de rechtszaal leeg en stond ik in een telefooncel met dokter Lund te bellen.

'Hoe gaat het met hem?'

'Ze hebben zijn maag leeggepompt en een slang ingebracht,' zei Lund. 'Eerlijk gezegd, zou het een wonder zijn als hij de ochtend haalt. Ik heb begrepen dat hij aan een speech bezig was toen dit gebeurde.'

'Die heeft hij niet kunnen afmaken,' zei ik. 'Hij moet het hebben zien aankomen.'

'Je had niets kunnen doen, Mike. Hij had het gif op z'n minst tien of twaalf uur geleden binnengekregen.'

'Hebben ze het kunnen identificeren?'

'In koolstofdisulfide opgeloste fosfor,' zei hij. 'Dat wordt gebruikt in –'

'Ik weet waarvoor het wordt gebruikt,' zei ik. 'Mijn vader had het om jonge schapen af te maken. Hij vermengde het met melasse om de smaak te camoufleren.'

'Het tast de lever en de darmen aan,' zei hij. 'Een afschuwelijk pijnlijke manier van sterven.'

'Degene die dit heeft gedaan, wilde echt dat de sheriff zou lijden. Hoe hebben ze het hem toegediend?'

'In zijn whisky.' Hij zuchtte. 'God weet waar Rafe blijft... Blijf aan de lijn, Mike.'

Terwijl ik bleef wachten, herinnerde ik me plotseling dat Connor in mijn kantoor naar zijn buik had gegrepen.

'Dokter,' zei ik toen Lund terug was. 'Connor Blackwell heeft uit dezelfde fles gedronken.'

'We zullen hem gaan zoeken,' zei hij. 'Je kunt beter naar het ziekenhuis komen, Mike. De situatie loopt uit de hand.'

'Dat hoeft u me niet onder mijn neus te wrijven. Die persconferentie was een nachtmerrie. Tippet heeft zelfs het moordwapen getoond.'

'Ik vrees dat het nog erger is.'

'Hoe zou het in godsnaam erger kunnen zijn?'

'Dat was eerwaarde McIntosh daarnet,' zei hij. 'Robbie wordt vermist.'

VIJFTIG

Dokter Lund kwam bij de kamer van de verpleging van de intensive care naar me toe. Naast hem stond de begrafenisondernemer.

We gaven elkaar een hand. 'Ik hoop dat u hier niet in uw officiële rol bent, Mr. Freebairn.'

'Nog niet,' zei hij. 'Het is misschien een goed idee om de koppen bij elkaar te steken.'

'Niet alles tegelijk. Wat wordt er aan Robbie gedaan?'

Lund stak zijn handen op. 'Zodra het misging met Rafe is de hel losgebroken. De jongen is niet meer in zijn eigen wijk gesignaleerd.'

'Niet zo lang na uw kleine stunt op de begrafenis,' voegde Freebairn eraan toe. 'Denkt u maar niet dat dat niet een paar tongen in beweging zal brengen.'

'Op dit moment kan het me niet schelen, al denken ze dat ik de Boston Strangler ben. We moeten de uitgangen bewaken. Dat is toch een woongemeenschap achter een hek? Dan hebben ze een camera op elk voertuig dat daar naar binnen en naar bui–'

'Mike,' zei Lund. 'Dit is niet langer jouw probleem.'

'Om de sodemieter wel. Daarom heeft Archer me er juist bij gehaald.'

Lund knikte. 'En op dit moment is sheriff Archer uitgeschakeld. Dus heeft rechercheur Tippet niet alleen de leiding over het onderzoek naar de moord op de Duprees, maar ook over alle andere zaken. Je kunt er gif op innemen dat hij Archers verzoek om FBI-assistentie heeft herroepen.'

'Dat moet hij eens proberen.'

Freebairn gebaarde dat ik op de bank moest komen zitten. 'Mr. Yeager, ik heb niet doorgeleerd, zoals u of Sig. Neem me niet kwalijk voor mijn klare taal. Wat hier gebeurt, gaat buiten u om. Er zijn in Dyer County duistere machten aan het werk.'

'Nog meer gelul over geesten.'

'Nee, Mr. Yeager. Dit gaat juist helemaal over de levenden. Mr. Warburton heeft vrienden in de districtsraad. Op dit moment treft hij voorbereidingen om een onderzoek in te stellen naar uw gedrag ten opzichte van Robin McIntosh. Kennelijk is hij van mening dat u al eerder nalatig bent geweest.'

Lund knikte somber. 'Het is waar, Mike. Iets over een recente zaak in Philadelphia...'

Ik keek van de een naar de ander. 'Als Robbies ouders hun zoon een beetje in het oog hadden gehouden...'

Lund legde een hand op mijn schouder. Ik volgde zijn blik. Gavin en Martha McIntosh stonden me vanaf de liftschacht aan te staren.

De geestelijke had nog steeds zijn begrafenistenue aan. Martha was als een geknakte wilg naast hem, zoals ze als een zombie voortschuifelde. Haar gezicht zat ondergesmeerd met make-up, alsof ze was vergeten hoe ze het moest opbrengen. Het had het effect van een slecht beschilderde pop. Haar blote benen waren overdekt met verse snijwondjes van het scheren. Martha's dikke bruine haar, met een elastiekje naar achteren gebonden, was vuil en zat vol klitten.

Gavin boog zich naar zijn vrouw toe. 'Martha, kindje, ga jij je vader maar opzoeken.'

Haar stem klonk als gebarsten kalk. 'Je laat me daar niet alleen naar binnen gaan.'

Hij streelde haar hand en sprak haar sussend toe. Een zuster bracht haar weg. Gavin liep naar ons toe, waarna ik oog in oog met hem stond. Pure uitputting had al zijn opgewekte trekken weggepoetst.

'Ik ben je excuses verschuldigd,' zei hij. 'Je zei dat ik op mijn zoon moest letten. Ik had moeten luisteren.'

Ik moest toegeven dat ik dát niet had verwacht. 'Wat is er precies gebeurd, eerwaarde?'

De geestelijke schudde zijn hoofd. 'Het ging allemaal zo snel. Robbie liet sandwiches op het kleed vallen en Martha begon te schreeuwen. Ze hebben heel vaak ruzie. Hij ging de tuin in. Ik vond dat ik hem even moest laten begaan om af te koelen... De sheriff zei dat ik ze niet op het gras moest laten spelen. En ik vond dat hij... onredelijk was.'

'Ik weet dat er waarschijnlijk duizenden dingen door je hoofd gaan,' zei ik. 'Probeer je de details te herinnen. Had er iemand van de mannen van de sheriff dienst?'

'Er had er een moeten zijn... je weet wel, dat magere joch met jeugdpuistjes. Maar die is niet komen opdagen.' Hij schudde zijn hoofd. 'Nadat Robbie was verdwenen, heb ik de hele wijk af gereden. De bewaker was met lunchpauze. Iedereen was weg.'

'Hebben ze de bewakingstapes bekeken?'

'Niets. Ze zeiden dat als er een auto door het hek was komen rijden, de camera's dat opgenomen zouden hebben. Kan dat kloppen?'

'Er zou een storing geweest kunnen zijn, of... Was de slagboom omhoog of was hij neergelaten?'

Hij wreef over zijn slaap. 'Neergelaten. Ik vond Robbies looprek op de rijweg. Eerst dacht ik... dat hij was gevallen. Toen zag ik dat het rek helemaal uit zijn voegen hing. Alsof het onder een rijdende auto was gegooid.'

'Als je met iemand van de politie praat, zorg dan...'

Hij greep me hardhandig bij mijn pols. 'Alsjeblieft, laat me je helpen,' zei hij. 'Ik wil je helpen bij het zoeken naar mijn zoon.'

'Gavin, ik weet niet hoe ik dit zeggen moet, maar... ik ben misschien niet meer aan jouw zaak verbonden.'

'Ik begrijp het niet.' Hij knipperde met zijn ogen. 'Je zei dat je hier was om ons te beschermen. Was dat een leugen?'

'Gavin,' zei ik. 'Heb je ooit gedacht dat zoiets met een van je kinderen zou kunnen gebeuren?'

Hij staarde glazig langs me heen. Martha stond in de gang, met een verwilderde blik in haar ogen.

'Mr. Yeager.' Ze wenkte me met een gekromde vinger. 'Kom eens hier.'

'Martha, niet doen,' zei Gavin. 'Ik maak dit wel in orde.'

'Hou je mond.' Ze klonk opvallend zoals haar vader. 'Je kunt jezelf niet eens op orde krijgen. Jij, Mike Yeager. Aantreden.'

Er hing een doordringende lucht om haar heen: zware parfum en ongewassen oksels. 'Wat wilt u, Mrs. M—'

Ze spoog me in mijn gezicht. 'Dát!' zei ze met een triomfantelijke grijns. 'Het ging ons goed, tot jij hier kwam.'

'Ik heb het allemaal niet veroorzaakt, Mrs. McIntosh.'

'Je hebt het zien gebeuren.' Haar stem was eigenaardig kalm. 'Zie je dan niet dat er een gezin uitsterft? Dat gebeurt wanneer ze dingen blijven verstoppen. Zoals ontelbare rotte paaseieren in de achtertuin. Ssst. We mogen niet praten over die... rare stank die uit de aarde opstijgt. Maar op zekere dag... komen die eieren een voor een uit.' Ze tikte op mijn borst. 'Plop, plop, plop. Alle kuikens komen naar huis om op stok te gaan.'

'Martha.' De predikant pakte haar hand. 'Schat, toe nou.'

'Gavin snapt het niet.' Ze boog zich dicht naar me toe, alsof ze me een sappige roddel wilde toevertrouwen. 'Maar vanmorgen werd ik wakker en ik realiseerde me... dat ik al mijn hele leven in een lachspiegelpaleis woon. Je blijft maar uitkijken naar iemand die je de weg naar buiten kan wijzen... en dan is het gewoon je eigen kutspiegelbeeld. En net wanneer je denkt dat je vrij en veilig bent... je lacht je rot. Er was nooit een uitgang. En naar die kans kon je wel fluiten.'

Gavin had haar vastgepakt. 'Schat, in hemelsnaam. Je praat erg hard.'

'Geen enkele godvergeten kans!' Ze probeerde zich uit zijn armen los te wringen. 'Mijn zusje is dood! Mijn vader ligt op sterven... en het enige waarover jij je druk maakt is hoe ik práát? Mijn volúme? Kun je me nu verstáán, Gavin? Hoe hard praat ik nú?'

'Als je niet kalmeert,' zei hij met gedempte stem, 'komt iemand je straks platspuiten. Is dat wat je wilt? Denk om het kind, Martha. Het kind.'

Ze keek me met een scheve glimlach aan. 'Wat is er met uw gezicht gebeurd, Mr. Yeager? Is dat iets van mij op uw gezicht?'

Ditmaal stribbelde ze niet tegen toen Gavin haar meenam.

'Hij was zo kléín,' zei ze tegen hem. 'Wat hebben ze gedaan om papa zo... klein te maken?'

'Het is goed, Martha. Hij zal rust vinden. We moeten alleen blijven bidden. We gaan naar huis... en dan gaan we bidden.'

Hij bracht haar naar de lift. Terwijl de deuren dicht gleden, brak wanhoop en treurigheid door op Martha's gezicht.

'Er is geen ik meer over,' zei ze.

Lund gaf me een tissue. Het spuug van Mrs. McIntosh rook naar drank.

'Laten we bij de sheriff gaan kijken,' zei ik.

EENENVIJFTIG

De uit glazen wanden bestaande Intensive Care was grofweg even groot als de executiekamer in Leavensworth en had zelfs nog een observatiekamertje, waar een verveelde zuster een cryptogram zat op te lossen. Hartbewakingsapparatuur en infusen waakten over de sheriff. Slangetjes leken als wijnranken uit zijn armen te ontspruiten. Martha had gezegd dat haar vader zo klein leek. Zonder zijn hoed of leren jack leek Rafe Archer inderdaad minuscuul. Zijn ogen knipperden achter halfgesloten oogleden. Zijn borst ging moeizaam op en neer, alsof hij voor elke ademtocht met een stuk van zijn ziel betaalde.

'Iemand zei dat hij met u aan het praten was voor hij het bewustzijn verloor,' zei Freebairn. 'Wat zei hij?'

'Zo veel pijn.'

'Het gif,' zei Lund. 'Dat vrat hem waarschijnlijk op waar hij bij stond.'

'En dat niet alleen.' Freebairn keek naar mij. 'Stilte is dodelijk, Mr. Yeager. Het heeft mijn zoon vermoord.'

'Vertel eens iets over hem.'

Met delicate, trage gebaren overhandigde de begrafenisondernemer me plechtig een foto uit zijn binnenzak. Een oude kleurenfoto uit de late jaren zeventig van de vorige eeuw, waarop drie prille pubers te zien waren die allemaal een gloednieuwe 35mm-Nikon-camera in hun hand hadden. Ik herkende Dale en Pete. Tussen hen in stond een mollig jongetje met pluishaar en een wasbleke huid. Er straalde iets breekbaars, bijna gejaagds uit zijn lichtblauwe ogen.

'Mijn vrouw en ik hebben nooit kinderen kunnen krijgen,' zei Freebairn. 'Dus besloten we dat de Heer ons had voorbestemd om te adopteren. We namen Theodore mee naar huis van een vrouw die... Welnu, ze behandelde hem slecht. Maar het was een vrolijke jongen en reuze slim. Hij wilde ontzettend graag met ons mee naar huis. We dachten dat we hem misschien... konden redden.'

'Wie heeft die foto genomen? Dubliner?'

Freebairn knikte. 'Draai 'm maar om.'

Ik deed wat hij me vroeg. 'Wat staat hier achterop geschreven? Iets in het Japans?'

'Lakota Sioux,' antwoordde Lund. *'Nagi Wa Oyuspa*. Een Indiaanse benaming voor "fotograaf". Het betekent letterlijk "hij vangt de geest". Een bekendere vertaling zou zijn...'

'De Schaduwvanger,' zei ik.

'Zo liet hij zich door de kinderen noemen,' zei Davis Freebairn. 'Rafe heeft nooit geweten dat ik deze foto heb bewaard. Ik wil hem nu graag aan u geven.'

'Dank u.' Ik richtte me tot Lund. 'Oké, dokter, tijd voor antwoorden.'

Lund bracht een hand naar zijn gezicht. 'Ik heb mijn woord gegeven.'

'Sig,' zei Freebairn. 'Zoals de man zei: we moeten ons allemaal voor God verantwoorden.'

'Ik heb al te lang met de schande geleefd,' zei Lund. 'Er zijn nog maar drie levende getuigen van de gebeurtenissen die ik ga vertellen, Mike. Ze bevinden zich alle drie in deze kamer.'

'Ik luister.'

'Rudy Dubliner kwam hier in 1968. Hij beweerde dat hij uit Montana kwam, maar dat verhaal wisselde nogal eens... niet dat er iemand luisterde. Van begin af aan heeft Rafe hem op zijn lijstje met "onbeduidend" gezet. Je was geneigd om Dubliner te vergeten als hij niet in de buurt was. Soms liep je in de supermarkt langs hem heen, en vijf minuten daarna vroeg je aan je vrouw wie je zojuist gedag had gezegd.'

'Hoe zag hij eruit?'

Hij haalde zijn schouders op. 'Zoals iedereen. Zoals niemand. Hij leed aan congenitale amblyopie, een aangeboren lui oog. Maar hij was zo sterk als een os. Hij sjouwde met die grote camera's rond alsof het een bosje madeliefjes was. Picknicks, doopplechtigheden, softbalwedstrijden... Iedereen raakte er zo aan gewend om Rudy te zien, dat hij gewoon onzichtbaar werd.'

'Waar het om draait,' merkte ik op, 'is dat hij graag bij kinderen in de buurt was.'

'Hij kende die kinderen op het laatst beter dan hun eigen ouders,' zei Lund. 'Verjaardagen, favoriete bandjes, verliefde stelletjes... En iedereen maar denken dat Rudy erachter zat voor een nieuwe foto-opdracht.'

'En altijd op de loer,' zei Freebairn. 'Altijd onze kinderen in de gaten houden.'

'Wanneer begon hij jacht op ze te maken?'

'Dat heeft nog jaren geduurd,' zei Lund. 'Volgens mij wilde hij de mensen eerst aan hem laten wennen. Vooral zijn slachtoffers. Bovendien had hij tijd nodig voor... voorbereidingen.'

'Hij bouwde een speciale plek,' legde Freebairn uit. 'Die groef hij uit... Rafe zei dat hij die zo goed camoufleerde dat je er waarschijnlijk regelrecht overheen zou zijn gelopen. En dat een jachthond niet zou ruiken dat hij... daar beneden was.'

'Tegen de winter van 1977 was hij zo ver,' zei Lund. 'Het enige wat nog restte was het uitkiezen van zijn slachtoffers. Ook daarmee was hij voorzichtig. Hij nam alle tijd om de kinderen te leren kennen. Kinderen die... nou ja...'

'Kinderen die overhoop lagen met hun ouders,' zei Freebairn. 'Zoals mijn Theo met mij. Kinderen met een zwakke plek of een angst die hij kon uitbuiten. Voor wie hij de held kon uithangen. Tegen ze zeggen dat ze gelijk hadden om hun ouders te haten.'

'Alleen hebben we Rudy nooit op die manier bekeken,' zei Lund. 'Maar voor die jongeren werd hij hun alles: poëet, vriend, raadgever, leermeester...'

'...God,' zei ik. 'Het middelpunt van hun universum.'

'Precies. Hij gaf hun het gevoel dat ze bijzonder en mooi waren, dat ze werden begrepen.'

'Theo was de eerste,' zei Freebairn. 'Altijd ietwat opvliegend... maar met een goed hart. Daarna veranderde hij. En vanaf toen was hij onhandelbaar, altijd aan het schreeuwen... Hij deed de vreselijkste dingen. Op een dag vond ik van die... fotoblaadjes in zijn kamer.'

'Wat voor foto's?'

'Obscene foto's,' zei hij. 'Hij kraste de gezichten weg... vulde ze in met scheldwoorden. Niet lang daarna verdween hij. Hij liet een briefje achter waarin stond dat hij van huis was weggelopen. Het enige wat we wisten te doen was bidden, in de hoop dat Jezus onze liefde naar hem zou blijven doorsturen. Maar toen ging ook Dale weg. En Pete.'

'En uiteindelijk kwam hij Martha en Mary Frances halen.' Ik keek naar Archer. 'En toen konden jullie je ogen er niet langer voor sluiten... Is het niet, sheriff?'

'O, Rafe was in die tijd een engel der wrake,' zei de dokter. 'Sterk en zonder slaap nodig te hebben. Hij verlichtte de hele staat met schijnwerpers. Maar zelfs de felste lamp kan niet in alle hoeken schijnen. Twee weken nadat Mary en Martha waren vertrokken begon hij af te takelen. Dat wisten we toen nog niet, maar hij begon foto's van de kinderen te ontvangen, waarop precies te zien was wat er met hen was uitgevoerd. En met elke foto die er kwam, werd er een stukje uit Rafe weggenomen. Als je in zijn ogen keek, leek het alsof je in de zwarte loop van zijn Colt keek. Er zat geen enkel leven meer in.'

'Is dat de manier waarop Dubliner zichzelf verried? Door foto's te sturen?'

Lund schudde zijn hoofd. 'Niet helemaal. Je moet bedenken: Rudy wist hoe hij zich onzichtbaar moest maken. Maar dat stond zijn ego niet toe. Hij moest bewijzen hoe briljant hij was, hoeveel macht hij bezat. En dus brak hij door zijn dekmantel heen.'

'Hij sloot zich aan bij het opsporingsteam,' zei ik.

'Precies,' zei Freebairn. 'Ik herinner me nog dat ik dacht: die man is een ware christen. Elke dag was hij er: hij zette koffie, markeerde sporen... Terwijl hij ons al die tijd op een dwaalspoor bracht en ons in zijn duistere hart uitlachte om onze sentimentaliteit.'

'Van begin af aan had Rafe zijn vraagtekens,' zei Lund. 'Hoe was het mogelijk dat de ontvoerder hem voor wist te blijven? Volgens de sheriff moest het iemand zijn die bij de speurtocht betrokken was. Dus op een nacht kijkt hij naar links... en daar ziet hij een stelletje agenten die denken dat ze naar ontsnapte gevangenen moeten zoeken. Vervolgens kijkt hij naar rechts... en hij ziet ouders die zo bang zijn dat ze hun hersens niet meer kunnen gebruiken. En dan kijkt hij voor zich uit... en daar ziet hij Rudy Dubliner. Die goeie oude, onbeduidende Rudy, die als een trouwe jachthond nooit van je zijde week. Die goeie oude Rudy, met zijn camera.'

'Wat deed de sheriff toen?'

'Hij kwam niet onmiddellijk in actie,' zei Freebairn. 'Het laatste wat hij wilde was een proces waarbij alle journalisten en advocaten zouden beweren dat de sheriff zijn eigen kinderen niet kon beschermen. Maar hij wist ook... dat hij Rudy voor geén prijs mocht laten ontglippen. En dat Rudy, zo gauw hij ook maar rook dat Archer hem op het spoor was, zijn gegijzelden misschien zonder meer zou doden. Dus werd Archer ter plekke beste maatjes met Rudy, en benoemde hij hem zelfs tot zijn waarnemer. Rudy likte het op als een kat die room opslorpt. Maar op een avond belde Rafe me op en hij zei: "Ik wil dat jij vanavond uitrijdt. Neem dat en dat mee, achter in je stationcar. En kom alleen." Hij zei niet waarvoor hij dat allemaal nodig had, maar te oordelen naar de lijst die hij me opgaf, wist ik dat het menens zou worden.'

'Bij mij net zo,' zei Lund. 'Hij zei dat ik mijn dokterstas moest meenemen, met extra verband en kompressen – en dat ik me op het ergste moest voorbereiden.'

'Het was Halloween, en die nacht was er geen maan,' vertelde Freebairn. 'Het was koud en zo donker als hartje hel. Archer verzon een excuus om zijn mannen weg te sturen. Want wat hij van plan was, wilde hij liever stilhouden. Met z'n vieren reden we een heel eind de vallei in. Ik zat achter het stuur, met Sig naast me en de sheriff met Rudy achterin.'

'De hele tijd was Rafe aan het woord,' zei Lund. 'Herinneringen aan het ophalen over zijn dochters. Hoe lief ze als baby waren geweest, wat ze voor Halloween wilden hebben... In al die jaren dat ik Rafe heb gekend, had ik hem nooit zo openhartig meegemaakt. Hem nooit zo... kwetsbaar gezien.'

'Intussen was onze vriend Dubliner zo stil als maar kan,' zei Freebairn. 'Vervolgens wijst de sheriff naar een plek in de woestijn en zegt: "Davis, zet daar de auto neer. Een stel kinderen heeft een brandend kampvuur achtergelaten." Er was inderdaad een vuur. En er lag een deken op de grond... en een gastank van tien liter. Meestal als je zoiets ziet, dan trap je het uit, zodat er geen bosbrand kan ontstaan. Maar Archer bukte zich en zei: "Moet je nou eens kijken. Ik denk dat we onze man te pakken hebben." En hij trok een envelop open... met daarin de foto's.'

'Eerst gaf hij ze aan mij,' zei Lund. 'Zodra ik zag wat er met de kleintjes was gebeurd... het was als een steek door mijn hart. Zelfs in Korea had ik zoiets niet gezien – en nooit, maar dan ook nooit met kinderen. Ik moest huilen... Ik kon niet ademen. Toen zei hij: "Geef ze aan Davis. Zijn beurt."'

'...en ik nam ze aan,' zei de begrafenisondernemer. 'En ik zwoer ter plekke dat ik levend het hart zou uitrukken van de man die mijn Theodore had toegetakeld.'

'Op dat moment besefte ik wat Rafe aan het doen was,' zei de dokter.

'Hij observeerde,' zei ik. 'Om te zien wat hij in jullie ogen las.'

Freebairn knikte. 'Toen zei Archer: "Laat ze nou aan Rudy zien." En Rudy nam ze aan, zo kalm als een postbode die een brief stempelt. Hij keek... en hij keek... en hij bleef kijken. Het langst van ons allemaal staarde hij naar die foto's van onze kinderen.'

'Hoe reageerde hij?'

'Hij maakte een opmerking over de kwaliteit van de foto's. Hij zei: "Dit is een vent die zijn vak verstaat." Op dat moment begreep ik waarom Rafe me had meegenomen. En ik was er blij om.'

Lund wreef in zijn ogen. 'Rafe trok de deken opzij, en daar staan vier stokken in de grond. Aan elke stok zit een ketting... met een haak, zo eentje waar je vlees aan ophangt. De sheriff zegt niets. Ik heb nog nooit zo'n kalm iemand gezien. Hij legt zijn hand op die Colt en zegt: "Rudy, ik denk dat je het beste kunt gaan liggen." En Rudy lacht alleen maar! Hij zegt: "Sheriff, je kunt me maar één keer doden." Rafe geeft geen krimp. "Mr. Dubliner," zegt hij. "Ik kan je op zo'n rotmanier doden dat het zal voelen alsof het wel duizend keer is gebeurd. Ik heb al een beroep gedaan op je compassie, en op dit moment doe ik een beroep op je gezond verstand. Maar als dat ook niets uithaalt, weet ik nog wel iets anders."'

'Pijn,' zei ik. 'Pijn is gerechtigheid.'

Freebairn knikte. 'Zo zei de sheriff het ook. "We zullen het om beurten doen," zei hij. "Ik zal de vragen stellen. En als je antwoorden me niet bevallen, zal Mr. Freebairn je iets afnemen. Wat hij afneemt, en hoe hij dat doet, mag hij helemaal zelf bedenken. En als je dan nog steeds niet wilt meewerken, zal Sig iets doen wat nog erger is.'

'Wat was dat?'

'Het was mijn taak om hem in leven te houden,' zei dokter Lund. We luisterden naar het zagende gezoem van het beademingsapparaat. Archers borst ging op en neer tijdens zijn trage reis naar de dood. 'Hoelang heeft het geduurd?'

'De hele nacht,' zei Lund. 'Toen het eindelijk voorbij was, was er nog maar heel weinig van Rudy Dubliner over. Maar de duivel was met ons: hij leefde nog steeds.'

'En nog steeds had hij ons niet verteld waar hij onze kinderen naartoe had gebracht,' zei Freebairn. 'Het was toen misschien een uur voor zonsopgang. Je kon merken dat de sheriff niet alleen kwaad werd, maar ook bikkelhard. Zelf ik was bang voor wat ik vervolgens moest doen. Toen begon Rudy een raar droog keelgeluid te maken, *eh-eh-eh*, zo ongeveer. Was die smeerlap ons aan het uitlachen!'

Lund knikte. 'En hij zegt: "Ik zal een deal met jullie maken."'

'"Ik heb een getuige," zei hij tegen ons,' vertelde Freebairn. 'Die is op dit moment bij de kinderen. En hij wacht tot ik terugkom. Als ik niet bij zonsopgang terug ben, zijn de kinderen dood. Maar als jullie akkoord gaan met mijn voorwaarden, zal hij ze vrijlaten."'

'Wij wisten natuurlijk niet of hij gek was van de pijn, en op dat moment kon dat ons niet veel schelen,' zei Lund. 'Ik dacht dat hij blufte. Maar Archer vroeg: "Wat wil je?" Waarop Dubliner doodleuk zijn kin vooruitsteekt, alsof hij de dienst uitmaakt, en hij zegt...'

'"Jullie moeten me doden,"' vulde Freebairn aan.

'Rafe knikte,' zei Lund. 'En Dubliner – de duivel mag weten hoe hij toen nog kon ademen – zegt: "Kom eens dichterbij, dan zal ik het in je oor fluisteren." Ik dacht eerlijk niet dat hij dat zou doen, maar Rafe knielt bij hem neer en brengt zijn oor bij Rudy's lippen. En Rudy fluistert iets wat alleen de sheriff kan horen. En toen' – Lund huiverde '– drukte hij een bloederige kus in Rafes hals.'

'Rafe springt overeind, als door een adder gebeten,' zei Freebairn. 'En Dubliner zegt: "En sheriff? Hebben we een deal?" Rafe zegt geen stom woord. Hij trekt alleen die Buntline Special, langzaam en zorgvuldig... en jaagt een kaliber .45-kogel door Dubliners linkeroog.'

'Archer vertelde me dat die Colt verschrikkelijke dingen met een mens kan doen.'

'Het ding doet ergere dingen met de man die hem afvuurt,' zei Lund.

'Rafe liet aan ons over wat we met het lichaam gingen doen en reed weg. Een uur later kwam hij terug, overdekt met roet en as... en hij had de kinderen bij zich. Ze waren bewusteloos... er afschuwelijk aan toe... maar ze leefden nog.'

'Niet alle kinderen.' Freebairns ogen waren rood. 'Hij keek me aan en hij zei: "Het spijt me, Davis. Je zoon... is dood, verbrand."'

Freebairn sloeg zijn hand voor zijn gezicht.

'Dus hij heeft jullie nooit verteld waar de schuilplaats was?'

Lund schudde zijn hoofd. 'Je kunt het waarschijnlijk wel raden. Dat was de nacht van de brand bij Cathedral Lake.'

'En de getuige?' vroeg ik. 'Waar was die?'

De mannen keken elkaar aan. 'Die bestond niet,' zei Lund. 'Dat hebben wij althans besloten. Ik dacht dat het, afgezien van het verdriet, allemaal voorbij was. Maar toen...'

'Archer kwam de volgende dag bij me,' zei Freebairn. 'En hij zei dat ik de overlijdensakte van Theo moest opstellen. En dat ik maar "ongeluk bij bergwandeling" moest invullen, of wat dan ook, zolang men maar niet al te nieuwsgierig zou worden. En ik zei: "Rafe, je hebt het hier over mijn zoon. Wat je vraagt deugt van geen kanten." Hij kijkt me alleen maar aan. "En hoe noem je dan wat je vannacht hebt gedaan?" Ik zei dat ik geen probleem had met wat we met Rudy hadden gedaan en dat ik net zo lief nooit meer zijn naam zou willen horen. Maar ik wilde de nagedachtenis aan mijn zoon niet bezoedelen met een leugen. Nog diezelfde dag werd ik ontslagen.'

'En toen kwam Rafe naar mij toe,' zei Lund. 'Ik heb ongeveer hetzelfde tegen hem gezegd als Davis. Maar hij zei: "Sig, je móet dit voor me doen, want als bekend wordt wat er is gebeurd, zullen die kinderen hun hele leven lang de schande met zich meedragen. Niemand zal begrijpen dat ze onder dwang stonden. We moeten dit allemaal zo diep begraven dat het nooit meer boven kan komen." En uiteindelijk sprak ik af dat ik hem zou helpen.'

'En dat was het begin van de leugen,' zei ik.

'Ja,' zei Lund. 'En dat was het leven en de dood van Rudy Dubliner, die zich de Schaduwvanger noemde. Rafe nam niet eens de moeite om een verhaal over hem te verzinnen. Hij dacht, terecht, dat men zich die ouwe Vissenoog een jaar of wat later amper zou kunnen herinneren. Behalve die paar van ons die Rudy in zijn ziel hebben gekeken... en wij zaten vast aan het pact van zwijgzaamheid.'

'Maar iemand heeft dat pact verbroken,' merkte ik op. 'En de Schaduwvanger is weergekeerd.'

Er werd zachtjes op de ruit getikt. De zuster wees naar haar horloge.

Lund rekte zich uit. 'Heren, we hebben te lang gebruik gemaakt van de gastvrijheid.'

Ik stond op, terwijl hij de deur opendeed. 'Dokter, ik zou graag een ogenblik met de sheriff alleen willen zijn.' Ik moet iets tegen hem zeggen.'

'Hij zal je niet horen,' zei Lund.

'O, jawel.'

Lund knikte terwijl hij samen met Freebairn wegging en de deur achter hen dichttrok.

Ik ging bij het bed staan en pakte Archers knokige hand. Zijn vingers sloten zich om de mijne, als een baby. Zelfs in die paar minuten tijd was de oude man nog bleker geworden. Maar nog steeds dwong iets in hem om dat hart te laten kloppen. Iets wat meer was dan haat. Meer dan het gif in zijn lichaam.

'Het is meer dan pijn, sheriff. Het moet meer zijn dan pijn.'

TWEEËNVIJFTIG

Lund wachtte buiten onder een koperkleurige zonsondergang.

'Davis is naar huis gegaan,' zei hij. 'Dit was heel zwaar voor hem. Zijn hele leven draaide om Theo.'

'En jij?'

'Ik red me wel. Wat er ook gebeurt, ik denk dat de tijd voorbij is dat ik mijn ogen gesloten hou.'

'Jammer dat de sheriff die beslissing nooit heeft genomen,' zei ik. 'Hoe denk je dat iemand, die zo argwanend was als Archer, zich om de tuin heeft kunnen laten leiden door iemand als Rudy Dubliner?'

'Ik vermoed dat Archer, zoals de meeste mensen die denken dat ze moeilijk om de tuin te leiden zijn, een enorme blinde vlek had. In zijn geval was het een slechte gewoonte om nederigheid en loyaliteit met elkaar te verwarren.'

'Tussen haakjes: wat is er met Dubliners foto's gebeurd? Enige kans dat die het hebben overleefd?'

Lund dacht even na. 'Als dat zo is, wat ik betwijfel, dan zou de sheriff zelf de enige zijn geweest die ze zou hebben bewaard.'

'En uiteraard de getuige.'

'Als er ooit zo iemand heeft bestaan.'

'Ik denk dat hij echt bestaat. En dat denk jij ook.' Ik stak de foto omhoog van Theodore Freebairn. 'Theo heeft de camera met zijn linkerhand beet... maar hij heeft zijn rechteroog op de camera gericht. Net als Espero. Incongruente dominantie.'

'Je zou een prima arts zijn.' Lund bekeek de foto aandachtig. 'Ik herinner me de dag waarop Davis voor het eerst met Theo bij me kwam: de jongen was boos, snel afgeleid, hoogst destructief. Er waren moeilijkheden geweest bij het mortuarium. Davis wilde niet vertellen wat er precies was gebeurd. Maar ik begreep dat de jongen iets had... uitgehaald in de kamer waar werd gebalsemd.'

'Met een trocart?'

'Ja.' Lund huiverde. 'Volgens mijn diagnose was hij hyperactief en ik schreef Ritalin voor. Natuurlijk, Ritalin is een stimulerend middel... Toen zijn toestand verslechterde, realiseerde ik me dat het helemaal geen ADHD was. Ik maakte een röntgenfoto van zijn hoofd en zag toen de kneuzing. Die was al heel oud... zo goed als zeker van vóór zijn adoptie.'

'Heb je hem gevraagd hoe het was gebeurd?'

'Inderdaad. Hij begon te schreeuwen: "Stuur me niet weg. Ik wil hier blijven. Stuur me alstublieft niet weg." Ik had nooit een kind zo bang gezien.'

'Je hebt die röntgenfoto zeker niet toevallig bewaard?'

'Jawel... maar die doet er niet toe. Theodore Freebairn is dood.'

'Heb jij hem zien sterven? Of is dat een van de dingen die Archer je heeft verteld?'

'Natuurlijk was ik er niet bij, maar... Davis heeft hem nota bene begraven.'

'Heb je ooit in de kist gekeken?'

Hij zei niets.

'Dokter, stel nou even: als Theo was blijven leven, hoe onwaarschijnlijk dat ook lijkt, zou hij dan niet een voor de hand liggende verdachte zijn?'

'Ja, maar...' Hij dacht een lange tijd na. 'Dan zou hij een radicale verandering ondergaan moeten hebben. Voldoende om zijn eigen vader om de tuin te leiden. Iedereen verandert in de loop van de tijd. Maar dan nog...' Lund keek me aan, volkomen in de war. 'In dit stadium, Mike – en dat zeg ik in alle eerlijkheid – weet je net zoveel als ik.'

'Laten we hopen dat dat voldoende is.'

Hij zette grote ogen op. 'Dan blijf je dus.'

'Laten we zeggen dat ik elk moment kan ontdekken hoeveel pijn ik aankan.' Ik glimlachte. 'Ik moet Tippet vragen om me mijn baan terug te geven.'

Hij keek me ernstig aan. 'Dank je, Mike.'

Toen de dokter wegliep, zag ik dat het net was alsof hij een stukje was gegroeid.

DRIEËNVIJFTIG

Voor zover men op het politiebureau wist, was Tippet vanuit het gerechtshof naar de bajes gegaan. Daarna, 's avonds om twee minuten voor zes, had hij de patrouillewagen uit de garage gehaald en was hij weggereden. De agent in de getuigenkamer vermoedde dat Tippet waarschijnlijk was langs geweest, al dan niet om de trocart weer in bewaring te geven, maar om dat te weten te komen, zou ik persoonlijk toestemming moeten hebben van Tippet, de sheriff... of van de plaatsvervanger van de sheriff.

'En wie zou dat dan wel zijn?' vroeg ik.

Hij stak zijn handen omhoog. 'Als u het me vertelt, weten we het allebei.'

Ik liet hem alleen en ging op weg naar het cellenblok.

Pete Frizelle kwam de verhoorkamer binnen gestrompeld met een verse bloeduitstorting op zijn wang. Maar hij was zijn branie allerminst kwijt. Hij schoof aan de tafel aan alsof hij me elk moment kon vragen er een bod op te doen.

'Wat is er in godsnaam met je gebeurd?' vroeg ik.

'Uitgegleden in de jacuzzi,' zei hij. 'Als de service niet beter wordt, ga ik een klacht indienen bij het management.'

'Het spijt me je te moeten zeggen dat ik bij de nieuwe leiding weinig te vertellen heb.'

'Denk je dat Buford zich heeft bedacht wat betreft de baan?' Hij grijnsde. 'De levensverwachting van de gemiddelde sheriff wordt met het uur lager.'

'Wat vind je van wat Archer is overkomen?'

'Die man heeft zijn verdiende loon gekregen. Hoe zou ik het moeten vinden? Spijtig? Het spijt me dat ik hem achternaga.'

'Hij heeft je wel ooit het leven gered.'

'Ja, nou. Help me eraan herinneren dat ik hem voor de eerstkomende Heilige Zakkendag een kaartje stuur. Dat heeft mijn armetierige leven geen enkel voordeel opgeleverd.' Hij rilde. 'Waar hangt die Buford eigenlijk uit? Die lul zou me hieruit komen halen. En de versnellingsbak van die Jaguar deugt ook van geen kanten.'

'Ik denk niet dat iemand je er deze keer uit komt halen, Pete. Voorlopig is het alleen maar jij en ik. Waardeloos of niet, jij bent mijn enige link naar de man die je vriendin heeft vermoord.' Ik schoof de foto van de drie jongens in zijn richting. 'Vertel eens over Theodore Freebairn.' Pete staarde ernaar als een kat die een valse hond zag. 'Gewoon een joch met wie Dale en ik omgingen.'

'Maar niet zomaar een joch, toch? En niet zomaar iemand die de foto heeft genomen. R.D. – Rudy Dubliner? Herinner je je nog wat hij die ochtend tegen je zei?'

'Jezus, ik kan me mijn eigen naam niet eens herinneren. Waarschijnlijk heeft Tippet de helft van mijn hersenen buiten westen geslagen.' Hij wendde zijn blik af.

'Juist. Nou, bedankt voor je medewerking.' Ik pakte de foto en stond op.

'Waar ga je heen?'

'Ik verspil geen tijd meer aan jou. Ik hoop dat je de premie van je onthoofdingsverzekering bent blijven betalen.'

'Mr. Yeager, wacht.'

Gedurende twee ontmoetingen had hij me "gozer", "joh" en " Poppin' Fresh" genoemd. Nu sprak hij me voor het eerst aan met mijn eigen naam. 'Als ik je dingen vertel... belangrijke dingen... Alleen, niet weglopen, oké?' Hij lachte flauwtjes. 'Misschien dat een mens hier iets te eten kan krijgen? Maar dan wel iets zonder vergif? Behalve mijn eigen kapotte kiezen heb ik de laatste tijd weinig te slikken gekregen.'

Ik ging weer zitten. 'Frizelle, als je me de waarheid vertelt, zal ik je een broodje kalkoen met mayonaise en een zak uienchips komen brengen. Aan de andere kant: misschien dat ik het via een buis in je neus ga gieten. Ik heb het niet zo op getuigen die met een hongerstaking dreigen.'

'Is dat wat ik nu ben? Een getuige?'

'Was je dat dan niet?'

Hij dacht even na voor hij antwoord gaf. 'Heb je ooit gehoord van het Getuigenbeschermingsprogramma?'

'Ik heb ermee te maken gehad.'

'Dan geven ze je toch een nieuw leven? Een nieuwe naam, nieuw sofinummer... Eén ding kunnen ze je niet geven, en dat is een nieuwe jij. Ze kunnen niet vervangen wat een andere klootzak heeft afgepakt. Als ik naar die foto van me kijk... ken ik die Pete niet. Het enige wat ik me herinner is dat ik samen met Rudy was. Dat krankzinnige oog van hem. Alles wat voor mij het bewaren waard was, heeft hij afgepakt.'

'Ik zie dat je die Nikon hebt bewaard die je van hem kreeg.'

'Wat wil je daarmee zeggen?'

'Hij kon niet alles afpakken,' zei ik. 'En je dochter leeft nog.'

'Geef terug.' Hij pakte hem van me af. 'Deze foto is genomen op de Geheime Camera Club... alias "Chez Rudy". Dat moet geweest zijn voor de meiden in beeld kwamen.'

'En Theo?'

'Theo.' Hij rekte de lettergrepen. 'Het favoriete knuffeldier van Mr. D. Retenslim... maar volslagen gestoord. Ik wil geen kwaad spreken over de doden, maar hij kon iedereen het bloed onder de nagels vandaan halen.'

'Waarom gingen jullie dan met hem om?'

'Je had met die kleine bloedzuiger te doen, of zoiets... in het begin tenminste. Hij wilde zo graag dat mensen hem aardig vonden. Ik wist hoe dat was, omdat mijn moeder in die bordelenbusiness zat. En Dale... tja, Dale was een allemansvriend. Dus duldden we Theo om ons heen... tot hij ons te eng werd.'

'Hoezo?'

'Voor hem was de dood een lolletje.' Pete schudde zijn hoofd. 'Op een keer heeft hij ons het mortuarium van zijn vader binnen gesmokkeld, achterom, waar ze met de lichamen bezig zijn. Jongen, ik had nog nooit een lijk gezien, dus reken maar dat ik het in mijn broek deed! Daar lag zo'n dikke oude dame op de tafel. Theo pakt haar bij haar handen en zwaait ermee in het rond, terwijl hij zingt: "Miauw, miauw, miauw", zoals die kat in de tv-commercial. Dale zei dat ze respect verdiende en dat hij Theo ervan langs zou geven als hij niet ophield. Na die tijd kon Dale geen goed meer bij hem doen.'

'Maar jullie bleven vrienden.'

Pete stak zijn handen omhoog. 'Hij had al die foto's van blote vrouwen! Hij beweerde dat hij een man kende die naaktfoto's maakte van strippers in Las Vegas en dat we er een paar zouden krijgen als we bij hem langs gingen. Nou, natuurlijk bleek die man die goeie oude Rudy te zijn. We kregen de foto's... plus alle wiet die we konden inhaleren... Maar op een dag, toen we allemaal lekker opgenaaid en stoned waren, zegt Rudy: "Zullen we een feestje bouwen?"' Zijn gezicht betrok. 'Daarna... liep het uit de hand.'

'Heb je ooit geprobeerd aan iemand te vertellen wat er aan de gang was? Je moeder?'

'Ik was bang dat de mensen zouden denken dat ik homo was.' Frizelle staarde in de verte. 'In elk geval gebruikte Rudy Theo als een soort bemiddelaar, zodat niemand hem in verband zou brengen met ons. Alleen was Theodore waardeloos als het op meiden aankwam. Daarvoor kwam ik goed van pas.'

'Nog een bemiddelaar,' zei ik. 'Vond je destijds niet dat je iets slechts deed door Mary en Martha de Camera Club binnen te brengen?'

'Nee, want ik was toen al half op weg zelf een kleine Rudy te worden.' Hij schudde zijn hoofd. 'Dat klinkt nu gek, maar Mr. D. gaf ons allemaal het gevoel dat we alles mochten doen, zolang we maar deden wat hij wilde dat we deden. Hij deed altijd alsof hij ons van alles wilde bijbrengen. Bij god, dat deed hij volgens mij ook.'

'Maar nu ben je niet zo.'

'Nee, maar ik ben ook niet bepaald een rolmodel.' Hij wreef over zijn wang. 'Alleen een van ons is er ooit met geheven hoofd uit gekomen, en dat was Dale. En hij is degene met wie Rudy het allerergst heeft gerotzooid.'

'Hoe heeft Dale dat volgens jou kunnen overleven?'

'Geen twijfel mogelijk: door de ring van zijn vader.'

'Zijn ring.'

Pete knikte. 'Als we in dat ondergrondse hol waren, had Dale het de hele tijd over zijn vader die in Vietnam was gesneuveld. Hij beweerde dat ze hem alles mochten afnemen, maar dat hij wist dat hij er, zolang hij die ring had, altijd goed van af zou komen. Want op een goede dag zou hij, net als zijn vader, bij de Amerikaanse marine gaan. En mariniers mogen niet doodgaan zonder permissie.'

'Vandaar dat hij hem droeg.'

'Ja.' Hij sloeg zijn rood aangelopen ogen neer. 'Shit, ik heb altijd gedacht dat ik opgelucht zou zijn nadat ik mijn mond had opengetrokken.'

'Wie weet, op een goede dag. En Theo? Wat wilde hij later worden?'

'Waarom stel je zoveel vragen over een dood joch?'

'Is hij dood?'

'Dat hoop ik bij god.' Pete dacht na. 'Elke keer dat je je omdraaide, wilde Theo iets anders worden. Let wel, het moest altijd wel iets groots zijn, zoals hersenchirurg of filmmagnaat. Maar op één ding kwam hij altijd terug, en dat was spion voor de regering.'

'Werkelijk?'

Hij knikte. 'En dat joch was een onvervalste griezel, kan ik je verzekeren. Hij kon stemmetjes doen... Mensen imiteren, weet je. Hij had allemaal van die boeken waarin staat hoe je zelf bommen kunt maken... Postordercatalogi voor vuurwapens en elektronica en Ninja-troep. O, en wapens. Theo was gek op zijn wapens. Hij was degene door wie ik me ging interesseren voor samoeraizwaarden.'

'Heeft hij zelf ooit een zwaard gehad?'

'O ja. Ik zal nooit die keer vergeten dat hij mij er een op mijn nek zette en zei dat hij mijn kop eraf zou hakken.'

Ik dwong mezelf om niet te reageren. 'Wat deed je toen?'

Hij lachte schor. 'Ik draaide me om en ik heb dat ding uit zijn handen geslagen. Soms denk ik dat hij het echt zou hebben gedaan. Maar hij was een regelrechte lafaard als je hem zijn speeltjes afpakte.'

'Dus als hij nog geleefd had, denk je dat hij dan misschien zou hebben geprobeerd om bij de politie te komen werken?'

Pete haalde zijn schouders op. 'Mijn moeder zei altijd dat je alles kon worden. God weet of Theo het heeft geprobeerd. Maar één ding had hij nooit kunnen worden, en dat was een normaal mens. Hij mocht dan slim zijn, aardig of noem maar op... maar hij had dode ogen, als een lijk. En daar kon hij niets aan doen. Wij zeiden altijd dat Theo niemand was omdat hij niets anders van zichzelf kon maken. Misschien dat hij Mr. D. daarom zo aanbad. Rudy kon hem iemand laten zijn.'

'Nou, volgens mij is dat een broodje waard, Pete.'

Hij grijnsde. 'En uienchips?'

'Voor uienchips moet je wat harder werken,' zei ik. 'Waarover wilde rechercheur Tippet je spreken?'

Pete lachte. 'Waar wilde hij dat ik níet over sprak, zul je bedoelen.'

'En wat was dat?'

'Alles wat ik jou net heb verteld.' Hij knikte en hij keek me taxerend aan. 'Is dat een zak uienchips waard of niet?'

VIERENVIJFTIG

'Ja? W-wat moet je?' De stem op Tippets gsm werd door vele stiltes onderbroken. Omdat ik op mijn kantoor zat te bellen, moest ik aannemen dat het euvel aan de andere partij lag.

'Het wordt tijd dat we informatie gaan uitwisselen,' zei ik. 'Laat de politie de kolere maar krijgen. Ik ben bereid om je te geven wat je wilt, als jij dat ook doet.'

'Wat geeft jou het idee dat ik iets van je nodig heb?' Nu kwam hij duidelijker door. 'Het gaat anders prima met de zaak, Yeager, en opgeruimd staat netjes.'

'Hou op met die show, Tippet. Als jij de leiding over de zaak had gehad, zou je er op die persconferentie niet tussenuit zijn geknepen. Iets wat Archer heeft gezegd, moet je op de vlucht hebben gejaagd.'

Er viel een lange stilte, en één moment dacht ik dat ik de verbinding kwijt was. Toen klonk aan zijn kant de claxon van een zware vrachtwagen, waarna een snerpend dopplereffect optrad en weer verdween.

'Wat heb je?' vroeg hij uiteindelijk.

'Als jij me vertelt waar je die 8mm-film hebt gevonden, zal ik je vertellen wat die betekent.'

'Ga verder.'

'Jij mag met de eer strijken voor alles wat er gaat gebeuren,' zei ik. 'Wij vatten die vent in zijn kraag, brengen de kinderen terug... Jij mag het allemaal hebben. Het enige wat ik wil, is inzage in het belastend bewijsmateriaal. Daarbij hoort ook wat hij hebt meegenomen toen je me zondagavond dumpte.'

'Yeager, je bent een paranoïde zak,' zei hij. 'Ik dacht dat je zei dat je iets voor me had.'

'Ik weet alles over jou en de dochter van de sheriff,' zei ik. 'Je kunt die negatieven verbranden, maar er zullen er altijd nog een paar zijn die jij niet hebt kunnen vinden. En zelfs de Frizelles zullen je niet in bescherming nemen als het leven van Cassie gevaar loopt.'

Ik hoorde dat hij moeizaam ademhaalde. Vervolgens was de lijn dood.

Eerst kon ik me wel voor mijn kop slaan omdat ik het zo ver had laten komen dat hij ophing, te meer toen hij later de telefoon niet meer opnam. Maar toen ik aan de claxon van die vrachtwagen dacht, realiseerde ik me dat er niet zo heel weinig locaties waren waar hij zich kon bevinden. Die auto had zo snel gereden, dat het niet anders kon dan dat die over Highway 313 was gesjeesd. Ik hoefde alleen maar verder naar het zuiden te rijden. En hoe dichter ik Caritas naderde, hoe zekerder ik ervan werd waar hij zijn toevlucht had genomen.

De maan boven Morningstar Cemetery zat verscholen achter donderwolken. Vanuit de verte zag ik de blauwe lichten van Tippets patrouillewagen, die bij het hek geparkeerd stond. Hij zat niet in de auto. Ik sloop er voorzichtig naartoe, terwijl ik met mijn zaklantaarn een grote cirkel beschreef. Het was niet voor het eerst sinds mijn komst naar Dyer County dat ik wenste dat ik gewapend was.

Het portier aan de bestuurderkant stond op een kier. In de auto was het warm en de politiezender stond op. Ik keek op de dashboardcomputer. Kennelijk was hij net begonnen aan het invoeren van de gegevens over de auto, maar ver was hij daar mee niet gekomen. Iemand – of iets – had hem genoodzaakt de procedure te onderbreken en zijn patrouillewagen te verlaten voor hij de potentiële dreiging had kunnen identificeren.

Ik werd opgeschrikt door woest gejank: prairiewolven uit de bergen. Ik greep de microfoon van de politiezender.

'Meldkamer,' sprak een stem tussen zware storingen door.

Ik gaf mijn naam en locatie op. 'Inspecteur Tippet bevindt zich niet in of in de nabijheid van zijn patrouillewagen. Mogelijk zijn we een man kwijt.'

'Begrepen, sir. Verzoeke het voertuig niet te verlaten en op assistentie te wachten.'

Ik stond op het punt daar gehoor aan te geven, toen mijn zaklantaarn iets bij het hek in zijn straal ving. De donkergroene mouw van Tippets uniformjasje.

'Tippet?' Geen reactie. Het was alleen het jasje, dat als een vogelverschrikker keurig over een oud houten kruis hing. Ik liet de lamp over het hele kerkhof schijnen, waarna ik het hek openschoof en erdoorheen liep. Tippets cowboylaarzen stonden naast elkaar aan de voet van het kruis. Zijn riem met holster bungelde naast het jasje. Ik haalde zijn .38 uit de holster: nog volledig geladen. Terwijl ik de haan ervan spande, bewoog er iets achter me, lichtvoetig.

Ik tolde om mijn as, met het wapen in mijn hand. Een paar glanzend gele ogen keken me aan, waarna ze voorzichtig in het licht verschenen. Een prairiewolf. Er hing iets uit zijn bek wat een sok zou kunnen zijn. Het beest staarde naar me, roerloos, waarna het op een drafje wegliep, alsof ik van geen enkel belang was. De wolf schoot weg achter een graaf-machine, dook weer op naast een hoge berg vers omgewoelde aarde en sprong lenig over het open graf van Theodore Freebairn heen.

Toen ik op het graf af liep, hoorde ik iets boven het geruis van de wind uit. Een zwak geklop. Ik boog me over de open kuil. Onderin, ingebed in een cementen bekisting, zag ik een witte lijkkist. In de buurt van de sluiting zaten krassen, alsof iemand die kortgeleden had opengebroken.

'Goeie god,' zei ik.

De koperen handvatten van de kist schoten omhoog.

Christus nog aan toe.

'Hallo?' zei ik. 'Kunt u...'

Ditmaal hoorde ik wel degelijk gerommel in de kist.

Niet doen, Mike, zei ik tegen mezelf. *In godsnaam, wegwezen.* Maar wie weet zat er iemand in. Levend en krimpend van de pijn.

'Rustig maar, ik hoor je. Nog even volhouden.'

Het gebonk werd luider. Wanhopig.

'Ik zal je hier niet aan je lot overlaten. Ik beloof dat alles goed komt.'

Zonder te weten waarom, begon ik me behoorlijk onnozel te voelen.

Ik hoorde beweging daarbinnen. Gejammer. Voor ik wist wat ik deed, sprong ik het graf in en kwam met een smak op de kist terecht. De bovenste helft van het deksel schudde heftig op en neer. Ik stak de .38 in mijn zak en wriemelde aan de beschadigde beugel van de kist.

'Oké, oké,' zei ik, me bewust van mijn eigen ademhaling. 'Laten we maken dat we hierui—'

Terwijl ik het deksel optilde, duwde een spiernaakte man zich omhoog uit de doodskist en botste tegen me aan. Zijn vlezige handpalm, glibberig van het bloed, raakte me pal op mijn oog. Ik tuimelde achterover en hij kwam boven op me terecht. Er steeg een eigenaardig gekreun uit zijn keel op, weinig menselijk en eigenaardig vervormd. Mijn zaklantaarn scheen in het gezicht van Jackson Tippet.

Zijn ogen en zijn mond waren dichtgenaaid.

'MMMMNNHH! MMMGGHHNNHH!' Hij klauwde naar me als een dren-keling die probeert de badmeester kopje onder te duwen. Bloed en ande-re vloeistoffen sijpelden tussen de dicht bij elkaar zittende hechtingen door uit zijn mond, die aan de uiteinden omhoog krulde, wat het effect had van de wezenloze grijns van een lappenpop. Zijn ogen waren opge-zwollen, schuin oplopende spleetjes: een karikatuur van een vredige slaap. Uit zijn neusgaten spatte schuim in het rond, terwijl hij wanhopige po-gingen deed om adem te halen. En toen de gil zich naar buiten wrong, trokken de hechtingen aan de huid rond zijn lippen.

'Kalm nou maar!' schreeuwde ik. 'Kalm aan! Je bent in...' *Veiligheid?*

Dacht ik. *Goeie god.* Zijn knie ramde in mijn borst, terwijl hij zich over me heen werkte. Hij werd als een biefstuk tegen de bekisting gesmakt, waarna hij terugviel in de met satijn gevoerde lijkkist. Nu zag ik waarom zijn laarzen waren uitgetrokken. Die zou hij niet meer nodig hebben.

Tippets voeten waren bij de enkels keurig afgehakt.

VIJFENVIJFTIG

Ik reed als een bezetene naar het bureau, waar ik de hele weg naar mijn kantoor bekijks trok: mijn hemd zat nog onder het zand van het kerkhof en Tippets bloed. De telefoon rinkelde toen ik de deur opendeed.

'Ja?'

'Mike, met Peggy. Ik probeer je al de hele... Wat is er in godsnaam aan de hand?'

'Van alles. Robbie wordt vermist en... Heb je mijn boodschap ontvangen? De naam die ik op je voicemail heb achtergelaten –'

'Rudy Dubliner, jazeker. Luister even. Dat gedoe bij jullie doet heel wat stof opwaaien. Ik heb telefoontjes gehad van de Beroepscodecommissie, van het kantoor in Las Vegas en van de adjunct. En iedereen wil weten wat er vandaag live op televisie in godsnaam aan de hand was met jullie sheriff. En waarom de naam van het Bureau erbij wordt gehaald. Wat is er aan de hand?'

'Een halfuur geleden sprong een blinde, spiernaakte vent uit een lijkkist op me af.'

Ze haalde diep adem. 'Heeft hij ook verteld waarom?'

'Dat zou pas een stunt zijn geweest, aangezien ze zijn mond hadden dichtgenaaid.' Het was Tippet.'

'Jezus.'

'Hij is niet dood, maar... in elk geval doet hij geen mond open. Luister, ik bel je later nog wel.'

'Mike, w–'

'Ik moet hier het fijne van weten, Peg. Op dit moment ben ik nogal warrig.'

Ik hing op, nog natrillend van de adrenalinestoot. Ik haalde een paar keer diep adem, waarna ik dokter Lund opbelde.

De dokter stond al te wachten toen ik uit de badkamer kwam.

'Al iets over Tippet gehoord?' Ik trok een hemd aan dat ik uit de fitnessruimte had geleend.

'Hij leeft nog, volgens de laatste berichten. Hoe laat zei je ook alweer dat je hem had gesproken?'

'Rond acht uur heb ik via zijn gsm met iemand gesproken. Maar pas twintig minuten later vond ik hem.'

'Dat kan niet genoeg tijd zijn geweest om... te doen wat ze met hem hebben uitgehaald. Je hebt waarschijnlijk met iemand anders gesproken.'

'Pete vertelde inderdaad dat Theo goed was in het imiteren van stemmen,' zei ik. 'Weet Davis wat er met het graf van zijn zoon is gebeurd?'

'Nee. Maar ik vind niet dat hij het verdient om dat op de radio te horen.'

'Laten we hem voor zijn eigen veiligheid in bewaring stellen,' zei ik. 'Ik neem aan dat Buford voor ons klaarzit.'

Hij knikte. 'En de rechter.'

De beide mannen zaten in Archers kantoor op ons te wachten. De rechter zat zomaar de whisky van de sheriff op te drinken. Ik moest mijn uiterste best doen om me hem in zijn gerechtelijke tenue voor te stellen, en niet zoals ik hem op die foto's uit de Sweet Charity had gezien. Buford liep te ijsberen alsof hij eigenlijk op de stoel van de sheriff wilde gaan zitten, maar daar niet helemaal de moed voor kon opbrengen.

'Heren,' zei ik. 'Dank dat u bent gekomen na een nacht waarin u het allebei waarschijnlijk razend druk hebt gehad.'

'Dat kun je wel zeggen,' gromde Warburton. 'Ik neem aan dat je weet dat deze zaak niet langer onder jouw jurisprudentie valt.'

'Ik vrees van wel, of je het er nou mee eens bent of niet. De verdachte heeft een poging gedaan me van het leven te beroven. Een FBI-agent met geweld dreigen is een overtreding.'

'Gelul.'

De rechter tuurde over zijn whiskyglas heen. 'Laat de man uitpraten, Buford.'

'Tippet is vrijwel zeker geattaqueerd om hem het zwijgen op te leggen,' zei ik. 'Wat ook jou tot doelwit maakt, Buford. Ik stel voor dat je je mond opentrekt nu het nog kan.'

Zijn mond hing al open terwijl ik dat zei, waardoor hij nog even moest wachten voor hij iets kon zeggen. 'Jij noemt me geen Buford, hoor je? Vanaf het sluiten van de stemming van vandaag, ben ik de gekozen sheriff van deze regio.'

Ik keek de rechter aan. 'Is hij dat echt?'

'Nou... misschien,' zei de rechter. 'Zoals je wellicht weet, ging de ballotage in twee etappes. Etappe één ging over de kwestie van het rappel van de sheriff. Mocht het rappel worden ingewilligd, dan zou hij zijn ambt neerleggen zodra de uitslag van de stemming officieel was verklaard. In etappe twee zou zijn opvolger worden benoemd. Buford won met overtuigende meerderheid van de andere kandidaten.'

Buford stak zijn handen omhoog. 'Meer heb ik ook niet beweerd.'

'Desalniettemin,' sprak de rechter verder, 'ziet het er niet naar uit dat etappe één, hoe ongelooflijk het ook lijkt, erdoorheen komt. Rafe Archer mag dan misschien de nacht niet halen, het rappel schijnt hij wel te hebben overleefd.'

Warburton knipperde met zijn ogen.

'Wie heeft er nu dan de leiding?' vroeg ik.

'De plaatselijke verordeningen zijn zeer rechtlijnig. In het geval de sheriff komt te overlijden of onverhoopt op non-actief wordt gesteld, gaat de rol van waarnemend sheriff automatisch naar...' Hij gebaarde naar Lund.

'De lokale lijkschouwer.' Lund zuchtte. 'Daar was ik al bang voor.'

'Nu we dat hebben opgehelderd,' zei ik, 'mag ik je dan beleefd vragen... Buford: waar heeft Tippet de voorwerpen gevonden die je vandaag op de persconferentie liet zien?'

Hij liep rood aan. 'Ik weet nergens van. Tip heeft al het veldwerk gedaan. Ik eh...'

'...hield alleen hoogdravende toespraken, ik weet het. Dat is het nou juist. Als je de moeite had genomen je een beetje in de persoon te verdiepen, zou je weten dat hij een behoorlijk groot ego heeft. Ik denk niet dat het hem beviel dat hij een satansaanhanger met een hersenbeschadiging werd genoemd.'

Buford slikte moeizaam. 'Tip had die naald in het huis van Dale gevonden. De brief ook. Ik weet niet precies waar. Hij belde me zaterdagochtend meteen op... Ik zei dat dat een meevaller was en dat we daar ons voordeel mee moesten doen.'

Hij zei het allemaal zonder het geringste schijntje van gêne.

'Tip zei dat we niet zomaar verborgen konden houden wat we hadden gevonden,' vertelde hij verder. 'Dat het dan achterhouden van bewijslast zou zijn. Maar ik vond dat we het risico wel konden nemen om ze onder aan de inventarisatie weg te moffelen, waar Archer ze niet zo snel zou zien. Dus noteerde hij "metalen voorwerp" in plaats van "trocart"...'

De rechter vertrok zijn gezicht.

'Waar is de brief?' vroeg ik.

'Ik heb hem niet. En ook het moordwapen niet. Ik zweer op het graf van mijn moeder: Tippet heeft ze meegenomen toen hij wegging.'

Ik keek de rechter aan. 'Edelachtbare, ik zal u niet langer afhouden van de onderhandelingen met Mr. Warburton en het verkiezingscomité. Dokter Lund en ik hebben dringende zaken die onze aandacht vragen.'

'Natuurlijk.' De rechter stond op, terwijl Buford afdroop.

'Vertelt u eens,' zei ik. 'U bent toch niet toevallig dezelfde rechter die de voogdijzitting van Cassandra heeft voorgezeten?'

'Jawel,' zei hij minzaam. 'Waarom?'

'Ik was gewoon benieuwd waarom u genoegen nam met een transcriptie van haar verhoor, terwijl door het kantongerecht meestal video wordt geëist.'

Hij schroefde zijn glimlach terug. 'We hadden wel degelijk video. Ik heb de band op de rechtbank bekeken.'

'Waar is de band nu?'

'Op een veilige plaats, neem ik aan.' Hij haalde zijn schouders op. 'Kennen wij elkaar eigenlijk? U leek me te herkennen toen u binnenkwam.'

'Ik heb foto's van u gezien,' zei ik. '*Fourth of July.*'

'O.' De rechter bloosde. 'Deksels.'

Hij blies haastig de aftocht.

Ik wendde me tot Lund. 'Nou, meneer de waarnemend sheriff, zullen wij maar eens gaan kijken wat er in de kluis met bewijsmateriaal zit?'

In een van de vergaderzalen beneden werden ons een paar dozen met dossiers gebracht.

'Tippet is een druk baasje geweest,' zei ik, terwijl ik de inventarisatie doornam. 'Hier is zijn verslag van mijn vechtpartij met Dale... van de inbraak bij Freebairn and Son...'

'Wat is er precies op het kerkhof gebeurd, Mike?'

'Zoiets had ik nog nooit meegemaakt. Iemand had met de graafmachine van de beheerder het graf uitgegraven.'

Lunds gezicht vertrok. 'In godsnaam, waarom?'

'Volgens mij om te bewijzen dat de lijkkist leeg was,' zei ik. 'Onze man wil de mensheid laten weten dat hij nog leeft. Waarschijnlijk heeft hij Tippet voor de grap in de kist gestopt, en de zwaailichten aangelaten om ervoor te zorgen dat iemand het graf direct zou vinden.'

'Tippet heeft zich niet eens verzet?'

'Voor zijn patrouillewagen loopt een vers bandenspoor. Voor zover ik kan bedenken is hij erlangs gereden, zag hij iemand weglopen en hield hij de man aan. Vervolgens is hij naar het andere voertuig gelopen... en kreeg hij zo'n ding in zijn oog.' Ik stak de trocart omhoog. 'Ik kan me niet voorstellen dat iemand zich zonder slag of stoot overgeeft.'

'We zullen moeten kijken van wie de auto was. Ik denk niet dat Tippet daar toevallig was. Hij is de rechtszaal uit gerend vlak nadat Archer zei: "Ik heb hem daar moeten achterlaten."'

'Je denkt echt dat Rafe het over Theo had.'

'Ja, en ik denk ook dat Tippet dat begon door te krijgen. Misschien door iets wat in deze brief staat.'

Ik stak hem omhoog: één enkel vel papier uit een computerprinter, vol bloedspatten. 'Buford heeft alleen het eerste deel voorgelezen,' zei ik. 'Hier is de rest.'

Als je me met lafhartigheid en verraad tegemoet treedt, zul jij haar verbrande en gebroken staat op je geweten hebben. Denk niet dat je me nog eens kunt doden. Jij bent nu oud en ik ben onsterfelijk. Jij bent hol en ik ben vol licht en vuur. Jouw zaad zal het laten afweten en dat van mij zal spoedig een nieuw werktuig vinden. Vergeet niet, vergeet niet.
Zeg hier geen woord over, anders zal ze bloeden.

'Hij heeft wel een hoge dunk van zichzelf,' merkte Lund op toen hij was uitgelezen.

'Klinkt dat als iets wat van Rudy Dubliner afkomstig is?'

'Als een stem uit het graf,' zei hij.

'Weet je, toen Buford die brief voorlas, zei hij "jullie", maar hier staat het duidelijk in het enkelvoud. Dit is waarschijnlijk voor Archers ogen bedoeld geweest. Alleen heeft hij het dankzij Tippet nooit te zien gekregen.' Ik draaide het vel papier om. 'Dit is alles. Wat wordt er volgens jou bedoeld met "vergeet niet, vergeet niet"?'

'Het komt uit een Engels kinderversje voor Guy Fawkes Day. "Vergeet niet, vergeet niet de vijfde november: buskruit, verraad, samenzwering."'

'5 november staat als de sterfdag op Theo's grafsteen.'

Lund knikte. 'En is de datum van de brand bij Cathedral Lake.'

De ambtenaar van bewijsbeheer stak zijn hoofd om de deur. 'Hier is een lijst van Tippets verhoorverslagen,' zei hij.

'Brigadier,' zei ik. 'Ik heb gisteren een latexmonster ingeleverd. Kan dat geanalyseerd worden?'

'Dan moet u met het lab gaan praten.' Hij gebaarde dat hij het ook niet kon helpen.

'Latexmonster?' vroeg Lund toen de deur dichtviel.

'Iets wat ik bij het zomerkamp heb gevonden. Er stond een deel van een handafdruk in. De expert van de technische recherche heeft het naar het lab gebracht; het lab beweert dat het hier terug moet zijn. Ergens tussen hen en ons is het verdwenen.' Ik begon de verhoorverslagen door te nemen. 'Eens kijken met wie Tippet heeft gesproken. Davis Freebairn... Evelyn Maidstone... hmmm.'

'Wat is er?'

'Het brandwondencentrum van Mead Hospital,' zei ik. 'Hier heb ik er nog een. Een telefoontje naar het Medisch Centrum Plastische en Reconstructie Chirurgie van Noord-Nevada.'

'Heeft hij genoteerd waarover ze hebben gesproken?'

'Er staat alleen "oriëntatiegesprek".' Toen viel mijn oog op de datum.

'Wauw.'

'Tippet was kennelijk bijdehanter dan ik dacht.'

'Meer dan we allemaal hadden gedacht. Moet je kijken.' Ik draaide het dossier naar hem toe.

'De datum klopt niet.'

'Jawel, die klopt wel,' zei ik. 'Hij is sinds medio oktober verder in de materie van gezichtsreconstructie gedoken. Twee weken voor de ontvoering van Cassie. Wat is er medio oktober gebeurd, dat hij deze weg ging bewandelen?'

'De verdwijning van Espero,' zei Lund.

Ik knikte. 'En Cassies verhoor in verband met de voogdij. Dat heeft allebei plaatsgevonden op 13 oktober.'

'Wat zou Tippet gevonden kunnen hebben?' vroeg Lund, terwijl we door de gang liepen. 'Je zou bijna denken dat hij al aan het onderzoek was begonnen voor er iets te onderzoeken was.'

'Niet helemaal. Tijdens de hoorzitting van Cassandra vertelde ze Connor iets over een schuilplaats: "Je kunt nog iets van hem zien als je naar beneden gaat, onder de grond." Archer heeft een notitie op de transcriptie gemaakt om Connor te laten weten dat Tippet er achterheen zou gaan. Ik weet niet precies waar Tippet ging zoeken of wat hij heeft gevonden, maar hij moet iets ontdekt hebben wat zijn interesse heeft gewekt voor brandwondencentra en gezichtsreconstructie.'

'Het zomerkamp waarschijnlijk,' zei Lund. 'Ik weet bijna zeker dat Rudy daar de kinderen gevangenhield.'

'Ik ben daar gisteren geweest. Ik heb niets gezien wat leek op wat jij hebt beschreven.'

Hij haalde zijn schouders op. 'Volgens Rafe lag het goed verscholen.'

'Archer is daar afgelopen weekend driemaal geweest. Als hij iets belangrijks had gevonden, zou hij de speurtocht daarop hebben geconcentreerd in plaats van die over de halve regio te verspreiden.'

'Niet per se. Je moet bedenken dat geheimhouding altijd het allerbelangrijkst voor hem was.'

'Ik begin een idee te krijgen waarom. Vlak voor hij in elkaar zakte, zei de sheriff: "Ik moest een keuze maken." Hij kon niet alle kinderen meenemen. Misschien heeft hij Rudy's getuige in dat vuur achtergelaten.'

Lund fronste zijn voorhoofd. 'Mike, morgen is het de vijfde. Wat denk je dat er gaat gebeuren?'

'Hij heeft het ons al verteld. "Zeg hier geen woord over, anders zal ze bloeden." En nu ligt de zaak hoe dan ook in de openbaarheid.'

'Dokter.' De ambtenaar van bewijsbeheer stak zijn hoofd om een deur in de gang. 'Telefoon voor u.'

'Ik kom eraan,' zei Lund. 'Wat nu, Mike?'

'Ik ga naar de mediatheek.'

Hij keek me verbaasd aan.

'Archer en Gavin hebben Connor gevraagd of hij Cassandra wilde ondervragen. Toen de rechter zei dat hij de video had bekeken, schoot me te binnen... dat als jij Rafe Archer was en je kleindochter was betrokken in een strijd om de voogdij, waar zou jij dat gesprek dan coûte que coûte willen laten plaatsvinden?'

'Hier in huis.' Zijn ogen lichtten op.

'Ga je telefoontje maar aannemen. Ik ga op zoek naar die tape.' In de mediatheek stonden de bewakingstapes in zes rijen ijzeren stellingen, keurig geordend op datum en locatie.

'Ik laat die film van u bewerken, zoals u hebt gevraagd.' De technicus keek me over zijn schouder aan. 'Jullie mensen in Las Vegas zeiden dat het een fortuin gaat kosten om het morgen klaar te krijgen.'

'Zeg maar dat ze de rekening naar mij moeten sturen.' Ik vergeleek de banden met de inventarisatiecatalogus. 'Wie moet goedkeuren dat die banden worden meegenomen?'

'Niemand.' Hij keek me met nauwelijks verholen trots aan.

'Stel dat het voor de sheriff is?'

'Als de sheriff iets nodig heeft, maken we een kopie voor hem.' Hij wees naar een videorecorder. 'Maar hier gaat nooit iets de deur uit. Zijn orders.'

Dokter Lund kwam me een paar minuten later gezelschap houden. 'Al wat gevonden?'

'Ik zou een week nodig hebben om iets te vinden. Maar bekijk dit eens.' Ik liet hem een bladzijde uit het inventarisatierapport zien. 'Connor Blackwell had vergaderzaal drie op 13 oktober van acht tot negen uur 's morgens geboekt. Let wel: hier gaat niets de deur uit, maar' – ik wees naar een lege plek in de kast – 'juist die tape schijnt met onbepaald verlof te zijn.'

'De rechter zei dat hij de videoband in de kamers had bekeken.'

'Juist. Laten we hopen dat die kopie nog bestaat.' Ik zuchtte. 'Ik hoop dat jij beter nieuws hebt dan ik.'

'Ik vrees van niet. Dat telefoontje kwam van het ziekenhuis.'

'Archer?'

'Tippet,' zei hij. 'Hij is een kwartier geleden overleden. Kennelijk heeft hij zelf zijn hechtingen eruit getrokken.'

'Ik was niet zijn grootste fan, maar... hij had beter verdiend.' Ik dacht even na. 'Weet je, er zaten geen blauwe plekken op zijn onderarm.'

'Waarom hadden er blauwe plekken op moeten zitten?'

'Zaterdagavond werd ik besprongen door twee mannen,' zei ik. 'Een van hen heb ik een klap in zijn gezicht gegeven, en de volgende dag bleek Clyde een gebroken neus te hebben. Ik heb een fietsketting om de rechterarm van de ander getrokken. Op z'n minst zou dat een rode plek veroorzaakt moeten hebben... maar op Tippets arm was niets te zien.'

'Nu je het zegt,' zei Lund, 'ik heb net de labmedewerker gesproken die ons latexmonster zou bekijken. Hij had zelf geen gelegenheid gehad om het te analyseren... maar na enig aandringen herinnerde hij zich uiteindelijk wie dat het laatst had gehad.'

'Niet Tippet.'

Lund schudde zijn hoofd. 'Zijn partner, Clyde. Naar het schijnt is hij sinds de begrafenis in geen velden of wegen te bekennen.' Hij kneep zijn ogen samen. 'Wat is het wat je daaraan niet bevalt, Mike?'

'Hij is de politieman die tot taak heeft Robbie te bewaken,' zei ik.

Na één blik in het dossier over het arbeidsverleden van Clyde was het hele verhaal duidelijk. In een kleine sectie kon één politieman vele petten op hebben... en zo te zien had Clyde die allemaal op gehad. Motoragent, forensisch laborant, administratie, beslaglegging, bewaker bij het gerechtshof... Zoals hij me op de gang bij Archers kantoor al had verteld, werd hij inderdaad vaak overgeplaatst.

'De hele week daarna had Clyde nachtdienst in de mediatheek,' zei ik. 'Iedereen was zo gewend om hem te zien dat hij niet eens meer werd opgemerkt.'

'Denk je echt dat hij de videoband kan hebben weggenomen zonder dat hij werd betrapt?'

'Jij en ik zijn er net de deur uit gelopen. Zijn we soms gefouilleerd?' Ik bleef door het dossier bladeren. 'Ik had die kleine gluiperd moeten arresteren toen ik hem betrapte terwijl hij aan het rondsnuffelen was. Beter nog: ik had hem moeten pletten.'

'Afijn, we hebben de transcriptie tenminste.'

'Nee, die hebben we niet,' zei ik. 'Shit.'

'Wie heeft hem dan wel?'

'Iemand die ik zojuist misschien behoorlijk veel last heb bezorgd.' Ik legde het dossier neer en zette er de pas in.

'Mike, waar ga je heen?'

Er zaten een stuk of vijf politiemensen in de kantine koffie te drinken en met gedempte stem te praten. Ze vielen allemaal stil toen ik een roffel op de deurpost gaf.

'Weet een van jullie ook waar Clyde te vinden is?' vroeg ik.

Een van hen stak aarzelend zijn hand op. 'Ik weet wél waar hij het altijd op een zuipen zet.'

ZEVENENVIJFTIG

Op weg naar de deur hield ik even halt om op te bellen.
'Dorothy, met Mike.'
'Michael! Mijn god, heb je naar het nieuws gekeken?'
'Daarom bel ik juist. Het ziet er allemaal... niet zo mooi uit. Ik vind niet dat je vanavond alleen moet zijn.'
'O? Ga je me in zo'n cel van jullie stoppen, of is dit een regelrecht aanzoek?'
'Ik wil geen enkel risico nemen,' zei ik. 'Geef me je adres, dan zal ik een patrouillewagen sturen.'
'Michael, ik woon helemaal aan het einde van de wereld. En met de regentijd in het vooruitzicht... In elk geval heb ik geen zin in een ritje achter in een politiewagen.'
'Goed, dan kom ik naar je toe. Dat kan even duren, want ik moet eerst nog even ergens anders heen.'
'Om misverstanden te voorkomen,' zei ze. 'Bied je me bescherming... of vraag je of je me mag spreken?'
'Een beetje van allebei, geloof ik.'
'Nou, ik heb geen bescherming nodig.'
'Ik wil je graag spreken,' zei ik. 'Het is hoognodig.'
Ze wachtte even. 'Laat mij dan naar jou komen, oké? Dat gaat sneller.'
'Ik vind dat echt geen goed idee.'
'Dan vrees ik dat je gewoon je mannelijke trots moet inslikken en me vertrouwen,' zei ze. 'Ik beloof je dat ik niet zal stoppen voor vreemdelingen.'
Voor ik kon protesteren had ze opgehangen. Dokter Lund stond in de hal te wachten, met een regenjas over zijn arm.
'We zijn zoekteams aan het organiseren,' zei hij. 'Sinds het nieuws over Robbie bekend werd, hebben zich een paar vrijwilligers gemeld.' Hij gaf de regenjas aan mij. 'Weet je zeker wat je doet?'
'Ik heb meer kans als ik hem op deze manier overval.' Ik zag wat hij in zijn andere hand had. 'Waar is dat voor?'
'Je kunt hem nodig hebben,' zei hij. 'En ik geloof dat Rafe zou hebben gewild dat jij hem kreeg.'
Hij overhandigde me de Buntline Special.

Amargosa Roadhouse, ruim veertig kilometer ten noorden van de kruising, was volgens zeggen het enige etablissement in Dyer County waar je een biertje kon krijgen, evenals een paar gram methadon en een mond vol kapotte tanden – en dat allemaal zonder je van je barkruk te verheffen. Mijn schuilplaats was een voormalige brouwerij. Die bood weinig bescherming tegen de wind, maar bij de in- en uitgangen had je er een breed zicht.

Het hoosde van de regen toen de klanten van Amargosa de deur zowat uit rolden. 'Goddomme wat is het koud!' riep de ene dronken motorrijder na de andere. Eindelijk verdwenen de laatste Harley's en Dodge pick-ups in de nacht... waarna er alleen nog één witte Chevrolet Silverado met kapotte koplichten stond.

Vijf minuten later gingen de klapdeurtjes weer open. Clyde stak voorzichtig zijn neus om de hoek, waarna hij zijn gulp openritste en ter plekke van de veranda af piste. Hij zwaaide enigszins op zijn benen terwijl hij zijn pik uitschudde, met zijn toegeknepen ogen van opluchting. Dat zou toch zo'n schitterend schot zijn geweest, bedacht ik. Ik had hem in de dij kunnen treffen, in de schouder, of waar ik maar wilde. Maar ik moest zien dat ik hem in een conditie te pakken kreeg waarin hij nog kon praten.

Clyde ritste zijn gulp weer dicht en wankelde weg. Ik sloop achter hem aan, in de pas met hem en met de Colt omhoog gericht. Het geraas van de regen overstemde mijn voetstappen. Clyde probeerde zijn sleutel te vinden en liet ten slotte zijn hele sleutelbos in de modder vallen. Toen hij bukte, draaide ik de revolver in mijn hand rond en gaf hem een klap tegen de onderkant van zijn schedel. Zijn voet schoot uit, waardoor hij met zijn gezicht tegen het portier van de pick-up knalde. Slap als een ledenpop viel hij in de modder.

'Brigadier Clyde,' zei ik, 'je bent gearresteerd.'

Petes oude Silverado deed het niet eens zo slecht, bedacht ik toen ik over de slingerweg terugreed naar de kruising. Af en toe slipten de wielen op het gladde asfalt. Ik reed nergens harder dan negentig kilometer en ik deed kalmaan bij bochten.

'Dus jij was degene die Frizelles pick-up van het terrein heeft weggehaald,' zei ik. 'En Tippet was zondagavond niet bij je, hè?'

Clyde had weinig gezegd sinds hij weer bij kennis was. Met zijn handboeien aan de stang achter de voorbank geketend en zijn enkels omwikkeld met duct tape keek hij uit het raam en jammerde.

'Waarom kijk je steeds in de zijspiegel, Clyde.'

'Ik ben zo dood als een pier,' zei hij zeurderig. 'Morsdood, verdomme.'

'Niet dat je mij hoort klagen, maar misschien was het niet zo slim om op weg de stad uit ergens iets te gaan drinken.'

'Ik had met iemand afgesproken,' zei hij. 'Ik had iets voor hem.'

'Je bedoelt dit?' Ik stak een videocassette omhoog. 'Wat was je ermee van plan: aan de media verkopen?'

'Ik heb pijn aan mijn kop.' Hij vertrok zijn gezicht. 'Ik moet je iets zeggen. Dat in elkaar slaan was niet mijn idee. En ook niet om Ada te vermoorden. Ik ben er ingeluisd en nu wil ik er gewoon uit.'

'Wie heeft je er ingeluisd?'

Hij keek me aan, trillend als een rietje.

'Clyde, op het moment dat je collega's op het bureau erachter komen dat jij hielp bij het in brand steken van Ada, is je leven geen stuiver meer waard. Als je meewerkt, valt er misschien over te praten op het bureau. Maar ik denk dat je me in de maling probeert te nemen...'

Hij keek even op toen ik gas terugnam. 'Wat ga je doen?'

'Ik rij liever niet wanneer ik kwaad ben.' Ik zette de auto langs de kant. 'Als jij probeert me te belazeren, Clyde, zal ik hier ter plekke met je afrekenen, waar geen surveillancecamera's zijn. Dus vertel: voor wie werk je?'

'Het was niet wat ik wilde.' Ik rook de alcohol die hij uitzweette. 'Het was alleen maar bedoeld om Pete erbij te lappen. Niet om de kinderen kwaad te doen. Ik zweer het verdomme tot God.'

'Je overtuigt me niet, Clyde.'

'We moeten doorrijden.' Hij slikte moeizaam. 'Ik zal je alles vertellen wat je wilt, eerlijk waar, maar niet hier. Er zit iemand achter me aan. Als hij ziet dat ik met je praat...'

Ik bracht mijn vuist in de aanslag. Hij kromp in elkaar.

'Jezus op een pony, man... Kijk dan in je achteruitkijkspiegel!'

Ik wendde liever niet mijn ogen van Clyde af, maar iets vertelde me dat hij het meende. Ik wierp een snelle blik in het spiegeltje. Een meter of achthonderd achter me, amper zichtbaar door de dichte regen, zag ik een paar gele hoge koplampen. Een pick-uptruck misschien, of een terreinwagen. Die had ik eerder gezien zonder er aandacht aan te besteden. Nu stond hij langs de kant van de weg. Te wachten.

'Wie is dat?'

'Rij nou maar door. O god, alsjeblieft, rij door.'

'Doe je ogen dicht,' zei ik. 'Doe wat ik je zeg.'

Ik wachtte tot hij zijn ogen dichtdeed, waarna ik de videoband onder het dashboard schoof. Zodra we weer in beweging kwamen, gingen de koplampen achter ons aan en volgden ons met aangepaste snelheid.

'Ik zat op een dood spoor,' zei hij. 'Ik kon geen kant op zolang ik voor Archer werkte, die ouwe smeerlap. Toen kwam hij naar me toe en hij zei dat hij en nog een paar anderen ervoor zouden zorgen dat er een rappel kwam. En als dat gebeurde, zou ik eindelijk kunnen opklimmen.'

'Wie was dat? Tippet?'

'Nee, godverdomme. De dominee, broeder Gavin.'

Ik keek hem aan. 'Wil jij me wijsmaken dat Gavin McIntosh achter dat rappel zat?'

Hij knikte.

'En hij heeft zeker ook zijn eigen zoon ontvoerd?'

'O, man, hij haalt ons in!'

Ik keek in de spiegel. Het andere voertuig was nog vijfhonderd meter van ons vandaan en kwam steeds dichterbij.

'Hou je vast.' Ik zette de auto in de hoogste versnelling, waardoor ik voelde hoe de wielen extra toeren draaiden toen we hellingopwaarts reden.

'Nu begint het gesodemieter pas echt,' zei hij.

'Clyde, doe me een lol en hou je mond tot ik weer op de snelweg ben.' Ik drukte door tot honderdtwintig kilometer per uur. Ik zou die rotzak met geen mogelijkheid voor kunnen blijven. En het was nog bijna vijftien kilometer naar de kruising.

'O, shit, kijk uit!'

Ik stond iets te laat op de rem. Er waren rotsblokken op de weg gevallen. Ik begon te slingeren en we vlogen de smalle berm over. De auto maakte een schuiver van wel honderd meter langs de helling naar beneden. Ik voelde hoe de banden het begaven toen we neerkwamen. Een paar eindeloze seconden was er alleen duisternis en hevige regen.

Ik keek rond. De terreinwagen was nergens te bekennen. 'Waar is die –'

Clyde had het portier aan zijn kant al opengeduwd en probeerde de auto uit te komen. Hij gleed uit in het natte zand en viel, terwijl hij nog altijd met zijn handboeien vastzat aan de stang boven zijn hoofd.

'Clyde, terug in de auto, verdomme!'

Toen ik hem vastgreep, gilde hij, terwijl hij de chromen stang losrukte. Hij kwam op zijn voeten terecht, huppelde op zijn aan elkaar getapete benen een paar meter en kwam opnieuw te vallen. De regen kwam nu met bakken neer, af en toe opgelicht door bliksemschichten.

Ik liep rondjes voor hem uit. Clyde kroop over de grond.

'Yeager, je moet me vrijlaten, laat me vrij. Hij gaat me vermoorden.'

Ik hield de Colt voor zijn opgeheven gezicht. 'Luister, ik schiet eigenhandig luchtgaten in je als je nog één millimeter verder gaat. Wie zit er achter het stuur van het andere voertuig?'

Hij hees zich op zijn knieën omhoog. 'Hij ging bij me naar binnen,' jammerde Clyde. 'Ik zat in de nesten, ik was zwak en hij ging bij me naar binnen. Ik zei dat ik zou helpen, maar dat ik geen kinderen pijn wilde doen. Maar toen deed dat kleine meisje haar mond open, snap je? En toen vond Tippet iets.'

'Wat? Wat vond hij?'

'Foto's,' zei hij. 'Ik zei dat hij ze moest laten liggen, maar hij wilde niet luisteren... En nou, jezus, moet je hem nou zien...'

'Clyde, heeft Archer je de filosofie achter de Buntline uitgelegd?'

Hij kneep zijn ogen stijfdicht.

'Dus je weet dat ik niet met je sta te dollen.' Ik trok de hamer terug.

'Wie heeft de kinderen?'

'Laat me het niet zeggen!' Zijn ogen gingen wijdopen. 'Toe nou, Yeager! Je zult me nooit meer zien, ik zweer...'

Ik voelde hoe mijn vinger zich om de trekker spande.

'Laatste kans,' zei ik.

'O god Yeager hij is hier!'

Ik draaide me om. Waarna ik tegenover een muur van duisternis stond.

ACHTENVIJFTIG

De donkere man was groot, en hij gromde. Ik draaide me net op tijd om om een diagonale, zilverkleurige flits te zien die met een maaibeweging neerkwam.

'O jezus!' gilde Clyde. 'O, man!'

De Colt vuurde als een bezetene. Ik smakte tegen de pick-uptruck. Ik voelde geen pijn in mijn hand, waardoor ik een paar tellen dacht dat hij was afgehakt. Mijn belager stak het zwaard omhoog. Terwijl ik wegrolde, doorkliefde het mijn jack alsof het van gaas was en sloeg het vonken uit het metaal van de truck. Ik sloeg mijn slag en trakteerde hem op een trap, regelrecht in zijn solar plexus. Hij ging met een doffe klap neer.

De revolver stak met de loop in de modder. Ik trok hem los en liep een paar stappen achteruit. De donkere man kwam overeind. Zijn ogen vormden zilveren puntjes in de duisternis.

Ik richtte de Colt met beide handen. Een bliksemschicht. Opeens was hij er niet meer. Een seconde later schoot mijn hand omhoog toen hij het vuurwapen wegtrapte.

Verdomme, waar is hij in godsnaam? Verdomme, waa–

Mijn hoofd kwam in aanraking met de grond.

Clyde gilde het uit.

Mijn volgende logische gedachte was dat ik maar beter de auto in kon gaan, omdat het nu echt stortregende. Het water kwam als een deken naar beneden en geselde mijn blote hals en schouders.

'Clyde?' zei ik. 'Verdomme, waar zit...'

Clyde was verdwenen. De duct tape lag in slierten op de grond. Ik zag een ondiepe geul in de modder, onder het bloed, alsof een dier hem had weggesleurd. Ik kwam overeind, wankelde naar de witte pick-uptruck en trok het portier aan de passagierskant open.

Waar is verdomme die videoband gebleven? Ik meende me te herinneren dat ik hem onder de stoel had geschoven – nee, onder het dashboard. Als ik bofte lag hij daar nog. Misschien had hij de tijd niet gehad om ernaar te zoeken. Misschien stond hij wel ergens te wachten tot ik liet zien waar ik hem had verstopt.

De revolver! Ik deed de koplampen aan. *Die moet daar ergens zijn,* dacht ik terwijl ik struikelend om de auto heen zocht. *Ik kan me hier niet ongewapend in m'n kladden laten grijpen.*

In de verte scheen één enkele koplamp, vijftig meter verderop. Glibberend vond ik mijn weg terug, waarna ik over de berm van de snelweg sprong. Een donkere, onder een capuchon schuilgaande gestalte reed op me af.

'Michael?' Een hoge stem in de wind.

Ik schermde mijn ogen af tegen het licht. 'Dorothy?'

'O, god,' zei ze, waarna ze van de Vespa op me af rende. 'Michael, wat hebben ze met je gedaan?'

NEGENENVIJFTIG

Terwijl ik bij haar achter op de scooter zat, werd het bij vlagen zwart voor mijn ogen en een paar keer moest ik alle moeite doen om er niet vanaf te vallen. We reden over smalle slingerpaadjes omhoog. Op het laatst kwamen we boven de boomgrens uit, waar dor kreupelhout en naakte rots plaatsmaakten voor espen en pijnbomen: door de regen heen rook ik ponderosa's. Aan het eind van de weg stond een kleine houten hut. Een windgong klingelde in de wind. Binnen brandde een warm licht. 'Zo, we zijn er.' Dorothy trok een hoes over de scooter heen. 'Kom mee, straks voel je je vast beter.'

De douche was een miezerig straaltje, maar het water was warm, en naderhand voelde ik me schoner dan ik me in dagen had gevoeld. Pas toen ik mezelf in de badkamerspiegel zag, drong tot me door wat een geweldig pak slaag ik had gehad.

'Een gezicht waarvan alleen een moeder kan houden,' mompelde ik tegen mijn spiegelbeeld. 'Op de dag dat ze haar kostgeld ontvangt.'

Het onweerde. De lampen flakkerden, waarna ze zich moeizaam herstelden.

'Hé, waterrat!' zei Dorothy aan de andere kant van de deur. 'Zet je schrap!'

De deur ging knarsend open, waarna haar kleine hand een geruit nachthemd naar me toe gooide.

'Waar zijn mijn kleren?'

'Die hangen te drogen,' zei ze. 'Je doet dit nu aan, of moet ik soms bij je komen?'

Ik sputterde tegen, maar ik trok het geval toch aan. Dorothy's afgelegen hut, hoog in de noordelijke heuvels, was opgesierd met tapijten en vruchtbaarheidsbeeldjes. In haar woonkamer rook het naar wierook en verschaalde wijn.

'In dit ding zie ik eruit als opa Walton.' Ik trok de badkamerdeur achter me dicht.

'Je ziet er een stuk beter uit dan toen ik je vond.' Dorothy had zelf een blauwe badjas en dikke sokken aan. Ze sloeg haar armen om me heen en

drukte zich tegen me aan. 'Mmm, je ruikt naar mijn shampoo. Het is...
Goh, je trilt helemaal.' Ze streek zachtjes met haar vingerstoppen door
mijn haar. 'Hoe voel je je?'

'Ik heb me wel eens beter gevoeld,' zei ik. 'Hoe heb je me kunnen vinden?'

'Dat is de route die ik altijd naar de snelweg neem. Eerst wist ik niet
dat jij het was. Ik zag alleen een auto aan de voet van de heuvel. Als je
je lichten niet had aangezet, was ik er waarschijnlijk finaal langs gereden.'

'Had je niet beloofd om niet voor vreemdelingen te stoppen?'

'Wees maar blij dat ik het deed. Eerst snapte ik niet wat je zei. En het
ziekenhuis is mijlenver weg.'

'Wat zei ik dan?'

'Je vertelde dat iemand ons bespiedde en dat we niet moesten blijven
staan. Maar dat we niet weg konden zonder de videoband.'

'De videoband,' zei ik. 'Heb jij hem?'

Ze knikte. 'Die lag onder het dashboard, zoals je zei.' Ze haalde hem
uit haar regenjas naast de deur. 'EIGENDOM POLITIEBUREAU DYER COUN-
TY. Is dit wat ik denk dat het is?'

'Dat mag ik hopen.' Ik keek om me heen. 'We moeten zorgen dat hij
terugkomt op het bureau. Waar is de telefoon?'

Ze wees. 'Naast de deur. Maar...'

Ik pakte de hoorn. Geen kiestoon. 'Shit.'

'De telefoons vallen altijd het eerst uit,' zei ze.

'Hoe zijn de wegen?'

'Ik zou me er maar niet op wagen tot het ophoudt met regenen. Niet
op mijn Italiaanse scooter.' Ze kwam naast me bij het raam staan. 'Michael, ik vind echt dat je moet rusten. Zo te zien ben je nog steeds in
shock.'

Ik keek naar buiten. De wind was in kracht toegenomen en geselde de
bomen. Water en modder gleden via de natte weg de vallei in. Verder was
er alleen maar duisternis.

We bekeken de band op Dorothy's tweedehands video. De eerste paar minuten was er alleen maar geruis, en even dacht ik dat ik was belazerd.
Toen werd op het scherm een totaalshot van een verhoorkamer zichtbaar.
De kleuren waren verbleekt en het geluid bestond voornamelijk uit gesis,
maar ik herkende onmiddellijk Cassandra Dupree. Ze zat met haar armen over elkaar: een tengere gestalte in roze en paars, alleen in een wit
vertrek. Af en toe keek ze met enige belangstelling omhoog.

'Wat is ze tenger,' zei Dorothy.

'Zie je wat ze doet?'

Dorothy knikte. 'Ze kijkt in de camera. Waarschijnlijk gewoon zenuwachtig omdat ze wordt gefilmd.'

'Ik ben vaak in die kamers geweest. De camera is niet gemakkelijk te zien, tenzij je weet dat je erop bedacht moet zijn. Of ze heeft heel scherpe ogen.'

'Ze ziet heel veel.'

Even later ging de deur open en kwam Connor Blackwell binnen. Hij zette een plastic blad neer, volgeladen met papier en kleurkrijtjes.

'Bevalt het je hier een beetje?' vroeg hij. 'Wil je iets drinken?' Cassie zei iets terug, maar zelfs toen het volume voluit werd gedraaid kon ik het amper horen.

'Heb jij de transcriptie nog?' vroeg ik.

Ze knikte en liep de kamer uit. Op beeld ging Connor zitten met wat leek op een uitgetypte vragenlijst. Telkens wanneer Cassie een vraag had beantwoord, vinkte hij die af. Zo te zien stonden er weinig vinkjes op dat vel papier.

Dorothy kwam terug met de transcriptie. 'Heb ik iets gemist?'

'Het lijkt wel of hij een scenario afwerkt,' zei ik. 'Hij stelt telkens dezelfde vragen, maar zij werkt niet mee.'

'Tja, geen wonder.' Dorothy bladerde door de transcriptie. 'Ik bedoel, het ligt niet aan die vragen; die zijn in geen enkel opzicht misleidend of manipulatief. Maar je ziet dat hij zenuwachtig is, en dat voelt ze.'

'Wat zou jij anders hebben gedaan?'

'Ik zou haar niet in de gevangenis hebben verhoord. Zo denkt ze misschien dat ze onder druk wordt gezet.'

'Het is niet gebruikelijk.'

'Ook weer niet zó ongebruikelijk,' zei ze. 'Ik kan me een meisje herinneren met wie ik me een keer heb beziggehouden. De vader had haar verkracht... het hele gezin had zich tegen haar gekeerd. Maar ze bleef bij haar verhaal. Vervolgens hebben ze haar naar die verhoorkamer gebracht, en daar raakte ze volkomen overstuur. Acht jaar oud, en iedereen behandelde haar als een crimineel.'

'Behalve jij, natuurlijk.'

Ze schudde treurig haar hoofd. 'Ze hebben nooit een woord gehoord van wat ik zei.' Ze verdiepte zich opnieuw in de transcriptie. 'Vandaar dat Connor zo zenuwachtig is, denk ik. Hij voelt de adem van de sheriff in zijn nek. Hij kan niet anders dan zich aan het scenario houden.'

'Connor heeft zelf toegegeven dat het geen goed gesprek was.'

Na een paar minuten kwamen we bij het gedeelte waarin Cassie haar nachtmerrie beschreef.

'Wat is je nog meer overkomen in je boze droom?' vroeg Connor. 'Kun je me er iets over vertellen?'

'Het is niet met mij gebeurd, maar met Belle.' Terwijl ze dat zei, stak Cassie haar hand uit naar het blad met papier en krijtjes.

Er lag een dodelijke ernst in de manier waarop ze de krijtjes uitzocht. Eerst tekende ze zichzelf, staarde toen een hele tijd naar het vel papier, waarna ze Belle onderin neerzette en in het midden een plek openliet.

Connor keek ernaar. 'Weet je zeker dat je jezelf tekent?'

Ze knikte.

'Waar is je mond dan?' vroeg hij met een vriendelijke glimlach.

'In mijn slaap heb ik geen mond. Alleen wanneer ik wakker word.' Vervolgens werkte ze weer verder aan Belle.

'Wat denk je dat dat betekent: "Alleen wanneer ik wakker word"?' vroeg ik.

'Geen idee.' Dorothy fronste haar voorhoofd. 'Het zou kunnen betekenen dat waar ze niet over mag praten alleen 's nachts plaatsvindt.'

'Van wie heb je die pup gekregen?' vroeg Connor.

'Van papa,' antwoordde Cassie zonder omwegen.

Ik zette de band even stil. 'Dat had ik niet eerder opgemerkt,' zei ik. 'Ze heeft die pup niet van haar vader gekregen, maar van haar opa.'

'Weet je dat zeker?'

'Volgens de sheriff was het beest een verjaarscadeau.'

'Er zijn een heleboel kinderen die me per ongeluk mama noemen,' zei ze. 'Soms halen ze de dingen gewoon door elkaar. Alle mannen zijn pappies en alle vrouwen mammies.'

'Is Cassie volgens jou een slim kind?'

'Heel slim.'

'Zij haalt de dingen niet door elkaar.' Ik tikte tegen het beeldscherm. 'Ze kijkt recht in de camera. Cassie weet waar ze is. Ze weet dat haar opa kijkt.' Ik pakte de afstandsbediening. 'Laten we even doordraaien. Ze noemde de man die haar pup heeft doodgemaakt ook "mijn papa", maar...'

Het beeld ging op zwart toen het licht flikkerde. Onweer. Even later zaten we in het donker.

'Mooi is dat.'

'Het duurt niet lang,' zei ze. Het licht floepte weer aan, dimde en stierf vervolgens weer weg. 'Oké, ik denk dat we een hele tijd zonder licht zullen zitten.'

'Wat doen we dan?'

Ze keek me ernstig aan. 'Ons tot het kannibalisme bekeren,' zei ze. 'Of gewoon browny's gaan eten. En, storm of geen storm, ik ga een glas wijn drinken.'

ZESTIG

Ik stak zo veel kaarsen aan als ik maar kon vinden. Even later was Dorothy uit de keuken terug met een schaal en een fles rode wijn. Toen ze ging zitten, viel haar badjas een ietsje open, waardoor de ronding van haar borst zichtbaar werd. Gedachteloos trok ze de kamerjas recht. 'Oké,' zei ze. 'Als dit niet helpt, weet ik het ook niet meer.'

Ik pakte een browny. 'Origineel recept, of spacecake?'

'Er is maar één manier om daarachter te komen.' Ze griste de browny uit mijn hand en stopte hem in mijn mond. 'Wil je daar iets bij drinken?'

Ik kauwde. 'Niet iets waar ik nog slomer van word.'

'Misschien zou dat niet eens zo slecht zijn.' Ze schonk zichzelf een glas in. 'Jij schijnt altijd met je neus in de boter te vallen.'

'Dat is ook een manier om niet te hoeven twijfelen.'

'Dat is pas vreemd.' Ze legde een hand tegen haar wang. 'Waarom zou je bang zijn om aan jezelf te twijfelen?'

'Je bezighouden met een ontvoering is net zoiets als proberen een geval van brandstichting op te lossen terwijl er nog mensen als ratten in de val van het vuur vastzitten,' zei ik. 'Je hebt altijd het meeste kans om een kind levend terug te vinden als dat binnen achtenveertig uur gebeurt. Daarna worden de ontvoerders wanhopig, koelt het spoor af... Kinderen zijn kwetsbaar. Er is geen plaats voor twijfel. Je wordt gedreven door zenuwen en adrenaline.'

'Wat drijft je nadat de adrenaline uitgeput raakt?'

'Soms houdt het dan gewoon op. Geen wonder dat zo veel agenten opgebrand raken.'

Ze nam een slok. 'Ik vraag me alleen maar af hoe het komt dat je nog leeft.'

'Die vraag stel ik mezelf al dagenlang,' zei ik. 'Die kerel heeft op zijn minst drie kansen gehad om me te doden. Eerst op zaterdagavond, daarna met een bom in die telefooncel. En nu vanavond weer. Hij wil niet dat ik doodga... Maar wat wil hij dan wél?'

'Hij wil dat jij je voelt zoals híj zich voelt,' zei ze. 'Hij wil dat je bang bent.'

'Jij hebt je een profiel van die man gevormd, hè?'

'Ik weet alles van wrede mensen,' zei ze. 'Ze denken dat zij het slacht-offer zijn. Het is zoals Dale zei over de huilende baby. Binnenin zit altijd een kind.'

'Hij kan niet doden, tenzij het slachtoffer kwetsbaar voor hem is,' zei ik. 'Het slachtoffer moet zwak en bang zijn.'

'Goed. Dus jij bent hij. Wat zou je op dit moment doen?'

'Er als de bliksem achter zien te komen waar Mike Yeager bang voor is.'

'En wat is dat, denk je?'

Ik zette mijn tanden in een volgende browny. 'Ik ben nergens bang voor.'

'Echt niet?' zei ze. 'Waar ben je dan voor op de vlucht?'

'Wie is er op de vlucht?'

Ze veegde de kruimels van mijn gezicht. 'Niemand trekt de woestijn in, tenzij diegene iets anders probeert te vergeten.'

'Ook jij?'

'Ja, maar het bevalt me hier wel,' zei ze. 'Wacht maar tot je het bij zons-opgang ziet.'

Dorothy glimlachte. Tot dat moment was ik me er niet van bewust ge-weest hoe dicht ze bij me zat.

'Ik zou Philadelphia niet mijn thuis willen noemen,' zei ik uiteindelijk. 'Zelfs de FBI niet. In zekere zin ben ik altijd op doorreis geweest.'

'Je hebt toch wel een ouderlijk huis gehad? Ik weet dat je zussen had die met de schillen van maïskolven speelden.'

'Natuurlijk. En dat er dagelijks twee uur uit de Bijbel werd voorgele-zen, en al die verrekte appelbomen. En die klootzak van een vader van mij, wiens enige echte lol het was te kijken wie van zijn kinderen er als eerste onderdoor zou gaan. Weet je dat we op het laatst zo bang voor hem waren dat als een van ons werd geslagen, de anderen er alleen maar bij stonden en net deden of het niet gebeurde?' Ik ademde diep in. 'Soms dwong hij ons om toe te kijken.'

'En je moeder?'

'Ik heb haar amper gekend,' zei ik. 'Ze was alleen maar die... schim in een nachthemd. Het was mijn taak om haar in de gaten te houden... er-voor te zorgen dat ze niet, je weet wel...'

'Zichzelf iets zou aandoen.' Dorothy knikte. 'Was ze depressief?'

'We mochten er nooit een naam aan geven.' Ik zag haar opeens voor me: lang donker haar dat in klitten om haar hals zat, als een strop. Na-gels die elke avond geknipt moesten worden zodat ze die niet in haar ei-gen vlees zou zetten. En die ogen, die blauwe ogen die ze had: vol pijn, en altijd op zoek.

'Toen ik negen was, kreeg ik een nachtmerrie over haar,' zei ik. 'Zo'n droom waarin je denkt dat je nog wakker bent. Ze stond vlak voor mijn neus... en ze zakte weg in de grond.'

'In de grond?'

'Ja, als in drijfzand. En ze gilde: "Help, iemand, help me alsjeblieft." Alleen... Ik kon me niet verroeren. Ik moest gewoon toekijken hoe ze verdween.'

Dorothy streek door mijn haar. 'Wat een vreselijke droom.'

'Het was niet echt een droom.' Ik pakte de fles wijn. 'Mijn kleine broertje schudde me wakker en toen hoorde ik haar nog steeds beneden, schreeuwend dat iemand haar moest komen helpen. Mijn vader zei iets terug tegen haar, maar zijn stem was te zacht om te verstaan wat hij zei. Maar wat dat ook was... Zo te horen raakte ze daarvan flink overstuur.'

Plotseling leek het of de kamer gigantisch was en dat Dorothy mijlenver van me af zat. Maar de stem van mijn moeder klonk van dichtbij en evenwichtig als mijn eigen hartslag.

'Wat heb je toen gedaan?' vroeg Dorothy.

'Niets, Dorothy. Ik deed net of ik sliep en even later ging mijn broertje weer naar bed. Zoals ik al zei: zo bang waren we.'

'Je was pas negen,' zei ze. 'Je had hem niet kunnen tegenhouden.'

'Ik probeerde het niet eens,' zei ik. 'De volgende morgen vonden we haar in de kelder. Mijn eerste gedachte was dat ze er... vrij goed uitzag. Haar huid was zachtroze. Natuurlijk kwam dat alleen door de koolmonoxide die door haar haarvaten gutste. Ik geloofde die ouwe van mij niet toen hij me vertelde dat ze dood was. Dus heb ik mijn hoofd op haar borst moeten leggen om me ervan te overtuigen. En hij zei: "Heb het hart niet om te grienen. Dit heb jij op je geweten."'

'O, Michael.'

'Hij had gelijk. Het was de allereerste plaats delict waar ik present was. En nog wel aan de verkeerde kant.'

'Híj was verkeerd, Michael. En jij vergist je: je kunt niet je hele leven lang jezelf blijven straffen.'

Ik glimlachte. 'O, ik denk van wel. Je vroeg wat me dreef als de adrenaline uitgeput raakt. Soms is dat de geur in die kelder waaraan ik denk, soms is het de stem van mijn vader. Maar meestal... is het de droom over mijn moeder, die in de grond wegzakt. Dat is geen fantastisch gevoel, maar meestal werkt het.'

'Dat is niet wat je drijft,' zei ze. 'Dat kan niet.'

'Wat is er anders?'

'Kom hier,' zei ze.

Het volgende moment lag ik in haar armen.

Haar lippen waren vol en zacht, met een vleugje rode wijn, en ik voelde haar zoete adem in mijn hals, licht op mijn huid bij de eerste verkennende kusjes, terwijl ze tegen me fluisterde. *Lief, mijn lief.* Woordjes die ik amper kon begrijpen. Ze hield me eindeloos lang vast. Toen nam ik haar in mijn armen. Ze liet toe dat ik me tegen haar aan drukte en dat haar badjas openviel.

'...weg met dit ding,' zei ze.

'Met wat?'

'Het nachthemd,' zei ze. 'Ik vind dat die zijn dienst nou wel heeft bewezen.'

'Ik weet niet of je... leuk zult vinden wat je... o...'

Ze had zich in de richting van de zoom gewurmd en zocht zich vervolgens een weg naar boven, zachtjes wroetend, terwijl haar donkere haar over mijn dijen viel. Ik lag naakt in haar armen. De badjas gleed van haar schouders en was het volgende moment verdwenen. Toen ik mijn arm uitstrekte om de kaars te doven, hield ze mijn hand tegen.

'Nee,' zei ze. 'Ik wil je zien.'

Nu hing ze boven me: ronde jonge borsten rustten zwaar op mijn borst. 'Al die littekens...' zei ze. 'Wat hebben ze...' Met haar lippen beroerde ze de gekneusde rib.

Ik tastte naar de ronding van haar heupen die tegen de mijne lagen. Met haar mond ging ze op verkenning uit: naar mijn hals, mijn gezicht. Ze kuste elk groefje, elk litteken, terwijl haar handen over mijn lichaam zwierven, van mijn borst tot mijn dijen. Ze glimlachte en kromde haar rug boven me, om me de ruimte te geven. Dorothy's hand tastte tussen mijn benen en bracht mijn harde geslacht naar haar gladde, warme buik. Waarna ze ermee over haar huid wreef.

'Je trilt,' zei ze.

'Het is lang geleden,' zei ik. 'Dorothy, ik denk niet dat ik het klaarspeel.'

Ze trok een wenkbrauw op. 'Je lijkt me er anders behoorlijk toe in staat.'

'Ik wil het graag,' zei ik. 'Meer dan ooit. Maar...'

Ik trok me terug.

'Voel je je schuldig?' vroeg ze na een lange stilte. 'Is het... je vroegere vriendin? Of waar we net over hebben gesproken?'

'Nee.' Ik legde een hand op mijn voorhoofd. 'Geen idee, Dorothy, het voelt verkeerd. Wij liggen hierboven te rollebollen en beneden zijn mensen op zoek naar de kinderen. En de kinderen wachten... en ik ben niet bij ze. Het zou behoorlijk rot van me zijn om in die wetenschap met je te vrijen.'

'En als ik wel met jou kan vrijen, wat zegt dat dan over mij?'

'Dat bedoel ik niet. Maar in feite is het niet jouw verantwoordelijkheid. Je hebt geen idee wat ik voor mijn kiezen krijg.'

Ze dacht even na. 'Misschien zal ik je op een dag mijn verhaal vertellen. Dan denk je misschien anders over me.'

Ze legde haar hand op mijn schouder. Die pakte ik vast en ik drukte er zachtjes een kus op.

'Ik kan beter gaan,' zei ik.

'Michael, dat kun je niet maken. Het is niet veilig.'

Ik kwam overeind. 'Waar zijn mijn kleren?'

Ze fronste haar voorhoofd, waarna ze naar de slaapkamer wees. 'Aan het rek.'

Toen ik er naar binnen ging, vond ik mijn spijkerbroek op een droogrek naast de kachel. Terwijl ik hem aantrok, zag ik dat ze me achterna was gelopen.

'Lieverd...' Ik draaide me om. Ze trok al een trui aan. 'Dorothy, waar ga je naartoe?'

'Ik begrijp het, Michael, echt waar. Ik denk dat je stapelgek bent om vannacht de weg op te gaan, vooral in de staat waarin je verkeert. Maar je wilt die kinderen niet in de steek laten. Ik ook niet. Dus gaan we samen terug naar de stad.'

'Schatje, het is niet veilig.'

'O nee? Wiens hachje moest er vannacht worden gered?'

'Het mijne.' Ik hapte naar lucht. 'Luister nou, ik had je de transcriptie niet moeten laten zien, en ik had je helemáál niet naar de tape moeten laten kijken. Het was puur egoïsme van me.'

'Je had mijn hulp nodig.'

'Ja. Maar er zijn mensen gesneuveld omdat ze te dicht in de buurt kwamen van de identificatie van de moordenaar. En als jou iets overkomt omdat ik toegaf aan een moment van zwakte... zou ik het mezelf nooit kunnen vergeven.'

Ze keek me aan met een pijnlijke deernis. 'Je weet zelf niet eens waarom je het zo moeilijk hebt. Ik ben net zo min degene die je probeert te beschermen als hij degene is die je wilt straffen. Het gaat alleen maar om jou, Michael. En zo is het altijd geweest.'

'Wat betekent dat in godsnaam?'

'Denk er maar over na.' Ze liep langs me heen naar de kast. 'Niet de geschiédenis herhaalt zich. Jij denkt dat ik je zal kwetsen als je te veel om mij geeft. Of dat ik dan doodga. Nou, ik sta op het punt om je te bewijzen dat er niets klopt van alles wat je ooit hebt geleerd.'

Ze deed de deur van de spiegelkast open...

... waarna de duisternis bezit van haar nam.

EENENZESTIG

Hij nam de hele kast in beslag. Een grote man in het zwart, met zilverkleurige ogen die door de spleetjes in zijn bivakmuts heen schitterden. Hij omklemde met twee tot klauwen gekromde handen haar blanke lichaam. Dorothy gilde.

'*O, mijn god, Michael, help me. God, het doet zo'n pijn!*'

Ik wierp me met mijn hele lijf boven op hem. Zijn spieren waren hard en onvoorstelbaar sterk. Vingers als ijzeren tangen. De handschoenen met scherpe mesjes als nagels sneden in haar huid. Bloed vloeide uit striemen over haar buik.

'*...snijdt in me, o, Michael, alsjeblieft...*'

Toen ik hard met mijn vuist tegen zijn slaap ramde, gromde hij. Een onmenselijke klank, furieus. Terwijl hij met zijn linkerhand Dorothy in bedwang hield, haalde hij met zijn rechterarm naar me uit, waardoor ik tegen de muur van de slaapkamer werd geslingerd.

'*Laatmeloslaatmeloslaatmelos...*'

Dorothy verzette zich uit alle macht. Ze greep zich vast aan de stijl van de kastdeur, waarna haar vingers naar beneden gleden. Hij tuimelde met haar mee: op de grond.

Ik sprong naar voren. 'Dorothy, volhouden!'

'O, god, hij snijdt in me...'

Hij was me haar aan het afnemen. Ik greep haar hand, glibberig van natte aarde en haar eigen bloed.

'*Snijdt in me...*' Haar gejammer zwol aan tot een gil. Haar hand gleed uit de mijne: weg.

Er zat een groot zwart gat in de bodem van de kast. Ik kon haar onder de grond nog steeds horen gillen.

Ik sprong ze achterna.

Eerst zag ik alleen duisternis en modder. Daarna klonk er een soort gefladder en ontdekte ik een schemerige grijze gaping tussen de fundamenten. Terwijl ik daar tussendoor kroop, kwam gierend een achtcilindermotor tot leven. Bemodderde banden draaiden op topsnelheid, terwijl twee rode achterlichten uit het zicht verdwenen.

Ik was aan het schreeuwen. Zonder woorden. Een geluid dat zich uit het onderste van mijn ruggengraat leek los te wrikken. Ik brulde haar naam, keer op keer.

Zet je eroverheen, verzet je! Blijf kalm. Ik drukte me overeind. *De scooter.* Ik rende naar de Vespa, trok de plastic hoes eraf en duwde de scooter naar de heuveltop. Het andere voertuig was te ver weg om te kunnen zien. Het enige wat ik zag, waren de remlichten die opgingen in de duisternis.

Ik hees me op de scooter en liet me de heuvel af rollen. Het andere voertuig had een voorsprong van ruim een kilometer en begon aan de flauwe bocht tussen de steile rotswanden. Nu won de Vespa snelheid. Ik trapte de koppeling in en liet hem in zijn vrij naar beneden rijden. De banden gleden meer dan dat ze zelf ronddraaiden, terwijl het stuur bokkig heen en weer schoot. Ik voelde een koude wind op mijn gezicht. Blauwzwarte steile rotswanden schoten langs me heen.

Dit is mijn enige kans. Toen ik de koppelingspedaal omhoog liet komen, sputterde de scooter hevig tegen. Maar de motor kwam tot leven, net op het moment dat de rode lichten de bocht om verdwenen.

Ik probeerde me te herinneren hoe we naar boven waren gereden: de weg had een bocht naar links gemaakt, toen naar rechts en daarna weer naar rechts. Als ik ervan af raakte, zou ik regelrecht het ravijn in gaan. De Vespa raakte uit balans en hing zowat op zijn zij. Ik boog me naar rechts om het te ondervangen en wist zo nog op het nippertje het evenwicht te herstellen. De achterlichten kwamen weer in zicht, zo'n vierhonderd meter voor me uit. Ze schoten omhoog bij een hobbel op de weg, waarna het voertuig weer vaart kreeg en weg scheurde.

Ik raakte haar kwijt.

De figuur aan het stuur zwenkte scherp naar rechts. Ik was nu zo dichtbij dat ik in zijn achteruitkijkspiegel kon kijken. Hij rukte aan de zwarte capuchon die zijn gezicht aan het oog onttrok.

Nu kan ik elk moment zijn gezicht te zien krijgen. Dat was mijn laatste heldere gedachte voor ik van de scooter werd afgeworpen.

TWEEËNZESTIG

De wind was aan het afnemen toen ik op de bodem van de afgrond belandde. De nacht verkleurde van gitzwart naar asgrijs. Als scherven doorkliefden cirruswolken de hemel toen in Dyer County de dag aanbrak op woensdag, 5 november. Dorothy had gelijk: de woestijn was inderdaad mooi bij zonsopgang.

Ik volgde de weg, met alleen mijn smerige broek aan, die als een tweede huid aan mijn lijf plakte. Mijn gezicht was donkerbruin van de modder. Mijn oren zaten er vol mee. Ik zag Dorothy vallen, waarna ze bij me weggleed. De zonsopgang reikte als bloederige klauwen over de zwarte Sangre de Los Niños. Een rouwstoet van telegraafpalen. En Highway 313.

'Hé, vriend.'

Iemand riep naar me.

'Hierzo!' Een jongeman met dikke bakkebaarden zat achter het stuur van een Dodge Ram.

'Ik ben de weg kwijt.' Hij grinnikte. 'Weet jij soms waar een vent hier in de buurt van bil kan gaan?'

Een halfuur later stond ik voor het Lucky Strike Motel. De storm had nog meer letters van het uithangbord geblazen, zodat er nu stond:

> BLE E
>
> D   MOV E
>
> KID S FR

Bleed. Move. Kid Suffer – Bloeden. Weg. Kind Lijdt.

Ik sleepte me de betonnen treden op. Er was een blauw windjack over de televisie gegooid dat me niet bekend voorkwam. De ronding van een vrouwenrug op het bed.

'Dorothy?' Mijn keel was van schuurpapier.

'Ik ben in slaap gevallen,' zei ze, terwijl ze zich uitrekte. 'Ik droomde... Jezus, Yeager. Waar heb je nou weer in liggen rollen?'

Ze knipte de lamp aan.

Peggy Jean Weaver.

DRIEËNZESTIG

'Wat ziet er hier lekker uit?'

Peggy speurde het ontbijtmenu van het Silver Star Café af. Het was druk in het restaurant, maar niemand zei iets, afgezien van de spaarzame bedankjes en verzoeken om de ketchup door te geven. De afgelopen paar dagen waren Dyer County niet in de koude kleren gaan zitten.

'...je om vroeg,' zei Peggy.

Ik keek op. 'Wat zei je?'

'Ik heb de achtergrondinformatie over Rudy Dubliner waar je om vroeg.' Ze legde de menukaart neer. 'Serieus, Yeager, wanneer heb je voor het laatst geslapen?'

'Ik denk dat ik misschien...'

'Wat kan ik jullie komen brengen?' Meghan, de serveerster van vrijdag, glimlachte zenuwachtig naar me. Ze had iets met lange mouwen aan en ze had een vers blauw oog.

'Roereieren en sinaasappelsap,' zei Peggy. 'En jij, Mike?'

Ik was bijna vergeten wat een georganiseerde, beheerste indruk Peggy Weaver altijd maakte. Haar zwarte reisblazer was opengevallen, waardoor de zwarte platte holster zichtbaar was die strak tegen haar middenrif was gegord. De 9mm-Glock die ze verkoos boven de standaard .38, met het reservemagazijn.

'Mike.' Peggy zwaaide met haar hand voor mijn gezicht. 'Niet in lucht opgaan, lieverd. Laat ons niet in de steek.'

De serveerster was verdwenen.

'Ik heb voor je besteld,' zei Peggy. 'Wat zei je ook alweer?'

'We zitten hier gewoon maar,' zei ik. 'Waarom zitten we hier gewoon maar? Hij heeft haar meegenomen, Peg. We moeten verder.'

Ze keek me bezorgd aan. 'Daar hebben we het al over gehad, Mike. We gaan haar heus wel zoeken. Maar nu moet je iets eten. Op deze manier heb je voor niemand enig nut.'

Ik zuchtte. 'Ik ben op dit moment niet veel waard, geloof ik.'

'Daarom ben ik hier.' Ze reikte me een papieren servet aan.

'Wat moet ik ermee?' vroeg ik. 'Bloed ik?'

'Je huilt,' zei ze. 'Het geeft niet.'

'Hier hebben we onze man dus.' Peggy spreidde het dossier over de formica tafel uit. 'Rudolph Ignatius Dubliner. In 1939 geboren in Missoula, Montana. Vader was vertegenwoordiger voor een bedrijf dat in jaarboeken voor scholen deed; waarschijnlijk heeft de jongen zo leren fotograferen. Ze hadden geen vaste woon- of verblijfplaats, tot Rudy senior in 1955 overleed.'

Ik bekeek de foto van het tweetal. De kleine Rudy had een lui oog en een grijns met eigenaardig grote tanden. Op het eerste gezicht leek de houding van de vader vaderlijk, tot ik zag hoe hoog zijn hand op de dij van de jongen rustte.

'Waar is hij aan overleden?'

'Aangenomen wordt een ongeluk bij het jagen. Als dat zo is, dan is dat het eerste gerapporteerde geval van iemand die per ongeluk met een geweer in de mond werd geschoten. Hij was net vrijgesproken van seksueel misbruik van kinderen in Orme, Tennessee. Kennelijk besloten de vaders om voor eigen rechter te spelen.'

'Om de kinderen de schande te besparen,' zei ik.

'Het oude liedje. De zoon legde het eerste contact, waarna de vader bijsprong om te doden. Rudy was toen nog minderjarig. Hij is regelrecht naar de politie gegaan om te vertellen dat zijn vader kinderen misbruikte. Toen dat niets uithaalde, heeft hij een zelfmoordpoging gedaan.'

'En toen?'

'Ze stuurden hem ter observatie naar een katholieke inrichting, waarmee ze de kapelaan een vriendje bezorgden. Pater X liet hem overbrengen naar een boerderij voor jongens in Iowa, waar Rudy in de slachterij werkte. Twee jaar later hebben ze hem eruit getrapt omdat hij een jongetje van twaalf had verkracht. Ditmaal hebben ze hem als een volwassene berecht, alleen werd de aanklacht nietig verklaard omdat...'

'...hij een ander kind als tussenpersoon had gebruikt.'

Ze knikte. 'Daarna zwierf hij van hot naar her in het Midwesten, waar hij voornamelijk in de bouw werkte. In 1966 werd Dubliner achter slot en grendel gezet als lid van een pedofielennetwerk. Van een douw van tien jaar heeft hij achttien maanden uitgezeten.'

'En toen?'

'Toen kreeg hij zijn tweede kans,' zei ze. 'Hier, in Dyer County. Zedendelinquenten hoefden zich destijds niet bij de reclassering te melden, dus hij kon zijn verleden achter zich laten.'

'Ze hadden hem vergeven,' zei ik. 'Voor lieden als hij staat vergiffenis altijd gelijk aan toestemming.'

Ze klapte het dossier dicht. 'Heb je hier iets aan?'

'Wie weet, als ik mijn kop erbij zou kunnen houden.' Ik wreef over mijn slapen. 'Ik moet er steeds aan denken... dat als ik gisteravond niet naar Dorothy's huis was gegaan, hij haar ongemoeid zou hebben gelaten. Ik heb haar vermoord, Peg.'

Ze leunde achterover op haar stoel. 'Hoe heb je dat dan wel klaargespeeld?'

'Door hem duidelijk te maken dat ze belangrijk voor me was,' zei ik. 'Door hem duidelijk te maken... dat ik het mezelf niet zou vergeven.'

Ze keek me oplettend aan. 'Mike, zie je kans om je hier overheen te zetten?'

'Ik doe mijn best,' zei ik. 'God sta me bij, maar als ik op dit moment oog in oog kwam te staan met die klootzak, denk ik dat ik niets van hem heel zou laten.'

Peggy keek ongemakkelijk om zich heen. 'Laten we weggaan.'

Terwijl zij het ontbijt ging afrekenen, hoorde ik een bekend muziekje in het aanpalende vertrek. Toen ik om de hoek keek, zag ik twee jongetjes die zich om hetzelfde videospelletje verdrongen waarmee Robbie vrijdag had gespeeld.

'Achter je,' zei de ene jongen. 'Arresteer hem!'

'Shit, ik ben omsingeld!'

Voor het eerst kon ik zien wat zich op het videoscherm afspeelde: DE-MON FIGHTER II. Een blonde oorlogsheld knokte zich met zijn flitsende zwaard door een onderaards doolhof heen. Computergestuurde draken uit de hel belaagden hem van alle kanten en spogen bloed en slijm, terwijl de held op hen in hakte.

'Spring! Springen!!! Ai, sukkel... Je bent gestikt.'

'Kalm.' Het tweede jongetje klopte zijn vriendje op de schouder. Ze draaiden zich allebei naar me om.

'Wat zijn jullie aan het doen, jongens?'

Ze deden nonchalant een paar stappen achteruit. 'Gewoon... spelen.'

'Hoe werkt dat?'

'Je moet je de hel in vechten.' Terwijl hij dat zei, dromden de demonen samen en rukten ze de krijger een voor een zijn ledematen van zijn lijf. 'Hoe verder je naar beneden gaat, hoe meer demonen er zijn.'

GAME OVER flikkerde het over het scherm, en nu zag ik de lijst met hoge scores langskomen.

Het jongetje lachte. 'Nu ben je dood.'

VIERENZESTIG

We reden in Peggy's gehuurde witte Honda naar de kruising. Tijdens de regen was ook sneeuw gevallen, die op de toppen van de Sangre de los Niños was neergedwarreld.

'Raad eens wie de kampioen Demon Fighter II van Dyer County is?'

'Ik zou niet durven dénken dat ik het wist,' zei ze.

'Robin Archer McIntosh. De jongen die bij de Amish wilde gaan wonen. Je wilt niet weten hoe bloederig dat spel is. Ik heb het hier over ingewanden.'

Ze keek me aan. 'Wie is de op één na beste speler?'

'Die is er niet. RAM is de eigenaar van alle toptien speelautomaten.' Ik wachtte even. 'De leerling steekt de meester naar de kroon.'

'Wat houdt dat in?'

'Ik begin te begrijpen waarom de verdachte zo geïnteresseerd is in Robbie,' zei ik. 'Frizelle vertelde dat Dubliner de rol van leermeester op zich nam, door de lessen door te geven die hij van zijn vader had geleerd. Dat je in afgelegen gebieden moet gaan jagen, waar bescherming van de openbare orde beperkt is, en hoe je kinderen als bemiddelaars moet gebruiken. En Theo is altijd zijn beste leerling geweest.'

'Denk je dat de verdachte zijn eigen bemiddelaar wil?'

'Of een opvolger. In zijn briefje voor Archer zei hij: "Jouw zaad zal falen en het mijne zal spoedig een nieuw werktuig vinden."'

'Waarom zou de verdachte een gehandicapt kind als opvolger willen?'

'Robbies benen zijn gehandicapt,' zei ik. 'Zijn hersens niet. Juist zijn fantasie maakt Robbie tot een doelwit.'

'Of juist gevaarlijk,' zei Peggy.

We naderden het Unocal pompstation, waar twee patrouillewagens stonden te wachten.

'Peggy, waar zit mijn blinde vlek?'

'Hè?'

'Dokter Lund zei dat Archer een blinde vlek had voor mensen als Rudy Dubliner... de mannen op wie je niet hoeft te letten. Waar zit míjn blinde vlek?'

'Vraag je dat aan mij als voormalige baas of als ex-vriendin?'

'Maakt niet uit.'

'Je vertoont de neiging van iedere streber om alles te wantrouwen wat te gemakkelijk gaat,' zei ze. 'Als ik er zeker van wilde zijn dat je iets zou vinden... zou ik het ergens neerleggen waar je er heel moeilijk bij kon.'

'En als je er zeker van wilde zijn dat ik iets over het hoofd zou zien?'

'Dan zou ik het op je voorhoofd plakken.' Ze wees voor ons uit op de weg. 'Is dat niet die lijkschouwer van je?'

Ik knikte. 'Laten we dan maar even stoppen. Was dat de voormalige baas of de ex-vriendin?'

Ze glimlachte en deed het portier aan de passagierskant open voor Lund. 'Dokter, ik ben undercoveragent Weaver. We hebben elkaar vanmorgen aan de telefoon gesproken...'

'Natuurlijk, Miss Weaver. Hoe maakt u het?' Lund stapte in en ging op de achterbank zitten. 'Mike?'

'Ik loop op mijn wenkbrauwen.' Ik reikte naar achteren om hem een hand te geven. 'Hoe gaat het met de sheriff?'

'Niet beter en niet slechter. Zijn ademhaling is stabieler... maar hij wordt nog altijd gedialyseerd. Misschien haalt hij de ochtend.'

'Laten we hopen dat dat voor ons allemaal geldt.'

We reden terug naar het Amargosa Roadhouse. Uiteindelijk stuitten we op de witte Chevrolet, die nu tot de wielkasten in de blubber stond.

'Er is een kleine vooruitgang geboekt,' zei Lund. 'We hebben dat latexmonster teruggevonden dat je bij het zomerkamp hebt genomen. Zonder identificatie van de afdruk, maar het materiaal blijkt een zware kwaliteit camouflagespul te zijn, make-up.'

'Juist,' zei ik. 'Peg, heb jij bij Jeugdcriminaliteit niet ooit te maken gehad met een geval van gezichtsreconstructie?'

Ze knikte. 'In Harrisburg, ja. Dat was gruwelijk. Een behandeling van drie jaar. Goddank was het alleen de opperhuid.'

'Hoe is het nu met haar?'

'Tja, ze kunnen je nooit je oude gezicht teruggeven, maar de huidtransplantaties zijn mooi geheeld... Ze heeft veel van haar spierbeheersing teruggewonnen. En, weet je, ze gebruikt altijd latex camouflagecrème om de littekens weg te werken.'

Ik wendde me weer tot Lund. 'Zijn er al rapporten van de autopsie binnen?'

'Ik heb Davis Freebairn tijdelijk als schouwer aangesteld. Hij zou me om tien uur bellen.' Lund keek op zijn horloge. 'Dat is over een minuut. Gaan jullie maar vast vooruit.'

We stapten uit. 'Heb je een blik op je belager kunnen werpen?' Peggy liep behoedzaam over het losliggende grind.

'Ik zou bijna willen dat ik het kon vergeten. Hij was ongeveer één meter tachtig, en zo sterk als een os. Ik herinner me dat hij zilverkleurige ogen had.'

Peggy trok een wenkbrauw op. 'Je bedoelt zeker grijs.'

'Zilver. Net zoals Cassie in het verhoor beschreef.'

We waren nu op de bodem van het ravijn aangeland. 'Er lopen sporen in het zand,' zei Peggy. 'Heen en terug.'

'Die moeten van na de regen zijn,' zei ik. 'Een soort terreinwagen.'

'Gloednieuwe banden.' Peggy ging op haar knieën zitten. 'Pirelli's, zou ik zeggen... het neusje van de zalm. We zouden hier de verkeerspolitie op moeten zetten.'

'Niet nodig,' zei ik. 'Het is een zwarte Nissan fourwheeldrive. Eigenaar: Gavin McIntosh.'

'Ben je...' Ze wierp een blik over haar schouder. Dokter Lund strompelde naar ons toe met ogen waarin doodsangst stond te lezen.

Ik pakte hem bij de arm om hem te ondersteunen. 'Wat is er?'

'Ben je er absoluut zeker van dat ze Mary Frances vrijdagmiddag in de kerk hebben gezien? En in huize Dupree?'

'Tenzij alle getuigen liegen. Hoezo?'

'Davis heeft zijn schouwing op Mary Frances voltooid. En hij is er behoorlijk zeker van dat ze minstens vijf dagen voor je haar onder de woonwagen vond is overleden.'

'Hoe is dat nou mogelijk?' vroeg Peggy.

'Ze had een tweelingzus,' zei ik.

287

VIJFENZESTIG

Lund bleef achter, terwijl Peggy en ik naar San Cristobal reden.

'Er is geen ik meer,' zei ik.

'Hè?'

'Al die maffe dingen die Martha zei, beginnen eindelijk op hun plaats te vallen. Ze vertelde dat als haar zusje een pak slaag kreeg, zij degene was die huilde. En toen ik haar vroeg hoe het was om gescheiden van Mary Frances te zijn, zei ze dat het net was alsof ze was geamputeerd.'

'Zo te horen is ze emotioneel één met haar zuster.' Peggy keek me aan. 'Denk je echt dat ze de maskerade zou klaarspelen?'

'Misschien, met de juiste haarkleur en make-up. Ik betwijfel of ze Cassie om de tuin had kunnen leiden. Maar ik begin te begrijpen waarom ze in de buurt van Frizelle die donkere bril droeg.'

'Ben je zeker van die terreinwagen?'

'Martha McIntosh reed erin op de dag dat Espero werd vermist, in de omgeving van de ranch van de Rosario's. Zonder verklaring van wat ze daar uitspookte.' Ik zuchtte. 'Die vrouw is gek... maar ik snap niet wat voor motief ze had om te participeren in de moord op haar zuster.'

'Zoals je al zei: elk gezin heeft geheimen.'

'Dat heb ik inderdaad gezegd.' Ik keek haar aan. 'Peggy...'

'Ja?'

'Het... Ik vind het fantastisch dat je hier bent,' zei ik. 'Met al die reglementen van het bureau en... nou ja, al dat andere... Het was vast niet eenvoudig.'

Ze wachtte even, alsof ze niet wist hoe ze daarop moest reageren. 'Laten we ons daar nu geen zorgen over maken.'

Toen keek ze in de achteruitkijkspiegel.

'Wat is er?' vroeg ik.

'Een ambulance,' zei ze. 'Met een rotvaart.'

Ze ging langs de kant staan. De ziekenwagen scheurde met zwaailichten langs, waarna hij afzwenkte in zuidelijke richting.

'Peg, mag ik je gsm even lenen?'

Ze gaf hem aan me. Ik voerde een kort gesprek met de meldkamer, waarna ik de telefoon teruggaf.

'De ambulance is op weg naar San Cristobal,' zei ik. 'In huize McIntosh zijn schoten afgevuurd.'

Toen we langs het bewakershokje reden, zag ik dat iemand, waarschijnlijk de ambulancebroeders of een politieman, dwars door de slagboom heen was gegaan, waarbij het hek aan diggelen was gereden. De ziekenwagen en twee patrouillewagens stonden voor het huis van de McIntoshes. Twee agenten stonden bij de deur. Buren keken vanaf de veilige positie achter hun vitrages uit het raam. De zwarte Nissan stond dwars over de oprit.

'Mike.' Peggy wees naar verse modder op de nieuwe Pirelli-banden. Ik knikte.

'Wat is de situatie?' vroeg ik aan een jonge agent die achter de postbus zat gehurkt.

'Ik zou willen dat ik het u kon vertellen, sir. Er kwam een melding op het alarmnummer... dat er een hoop gegil was, volgens een buur. Toen werd er een schot afgevuurd. De dominee zei dat hij op iedereen zou schieten die probeerde binnen te komen.'

'We moeten het hier niet moeilijker maken dan het is,' zei ik. 'Onder geen beding een poging doen om het huis binnen te gaan.'

Peggy en ik slopen op het huis af.

'Mike, is die dominee zo agressief? Zo labiel?'

'Nee. Maar misschien zal Martha een ander verhaal vertellen.' Ik voelde aan de deurknop. 'Hoe wil je naar binnen?'

'Aanbellen, om te beginnen.'

Ze drukte op de bel. Er klonk een diep getwinkel, gevolgd door het geluid van schuifelende voeten.

'Wie is daar?' vroeg Gavin aan de andere kant van de deur.

'Eerwaarde, het is Mike Yeager. Mogen we binnenkomen om met je te praten?'

Hij aarzelde. 'Waarom?'

'We willen ons er alleen maar van overtuigen dat het in orde is met jou en je gezin.'

'Ben je gewapend?'

'Nee, eerwaarde. Ik ben niet gewapend. De ambulancebroeders zijn ook niet gewapend. Ze willen jou, je vrouw en je dochter helpen.'

'Er is niets met ons aan de hand,' zei hij. 'Aardig dat je zo bezorgd bent, maar we zijn nu erg moe en we willen alleen maar rust.'

'Eerwaarde McIntosh?' Geen reactie. 'Gavin?' Ik keek Peggy aan. 'Jij bent de onderhandelaar.'

'Vraag naar zijn dochter. Noem haar bij haar naam.'

'Eerwaarde, zou je iets voor ons willen doen? Zou je even bij Hannah willen kijken en ons daarna vertellen of alles goed is met haar?'

Er volgde een lange stilte.

'Als ik opendoe,' zei hij, 'beloof je dan dat jullie me niet aanvliegen?'

'Ik zal je niet aanvliegen. Mag ik de ambulancebroeders meenemen?'

Alweer een pauze. 'Zoals je wilt, het zal wel goed zijn.'

Ik wenkte het ambulancepersoneel dat ze mee moesten komen. Peggy pakte me bij de arm.

'Hij heeft het niet over zijn dochter gehad,' zei ze.

Zo te horen werden grendels weggeschoven en kettingen losgemaakt. Krakend ging de deur open. Daar stond eerwaarde McIntosh, in een T-shirt en een pyjamabroek. Zijn armen en de voorkant van zijn hemd zaten onder het bloed. Aan de lok die over zijn voorhoofd heen viel, hing een roze botsplintertje.

In zijn rechterhand had hij de Buntline Special.

'Eerwaarde,' zei ik. 'Waar heb je dat vuurwapen vandaan?'

'Martha... Ze had hem vanmorgen meegenomen,' zei hij lusteloos. 'Ze... had hem gisteravond gevonden. Ik was van plan het in te leveren bij... gevonden voorwerpen. Maar ze zei dat het van haar vader was geweest en...'

Hij hield het wapen vast alsof hij een baby naar het doopvont droeg. Op de notenhouten kolf zat bloed. En een van de kamers was leeg.

'Je had het recht niet om het te houden.' Hij keek me aan. 'Dat zei zíj. Ik wilde het van haar afpakken...'

'Gavin, geef de revolver maar aan mij.'

Hij drukte het wapen tegen zijn borst.

'Ik zal je geen kwaad doen,' zei ik. 'En ik wil alleen niet dat jij je bezeert.'

Hij knikte. Bedeesd legde hij de revolver in mijn hand.

'Mike.' Peggy wees in de richting van de woonkamer.

Ik herinnerde me hoe schoon de kamer was geweest toen ik voor het eerst op bezoek kwam. Twee kleine kinderen, en nergens een smetje. Nu lag Martha wijdbeens op het kleed, met haar kamerjas tot aan haar middel opgestroopt. Haar linkeroog was een bloederige put. De schoorsteenmantel was bezaaid met flinters bot en huid.

'Ik wilde het van haar afpakken...' zei Gavin. 'Ik heb haar gesmeekt om... ons kind met rust te laten.'

'Eerwaarde,' zei Peggy zachtjes. 'Waar is Hannah nu?'

'Boven,' zei hij huilend.

Twintig minuten later kwam dokter Lund in het trappenhuis bij me staan.

'De toestand van het kind is voldoende stabiel om haar te vervoeren,' zei hij. 'De broeders waren nog net op tijd bij haar.'

'En de eerwaarde?'

'Ik heb hem een mild kalmeringsmiddel gegeven,' zei hij. 'Hij is in staat om vragen te beantwoorden, maar wees alsjeblieft voorzichtig. Hij is in shock.'

'Dokter, Martha's baby –'

Hij schudde verslagen zijn hoofd.

'Ze wilde dat kind nog wel met alle geweld beschermen,' zei ik. 'Lijkt het waarschijnlijk dat een vrouw die met een revolver de hand aan zichzelf wil slaan de loop op haar oog zet? Nog wel terwijl iemand probeerde om haar het vuurwapen af te pakken?'

'Het lijkt me... niet logisch. Maar dat wil niet zeggen dat dat niet is gebeurd.'

'Had sheriff Archer Rudy Dubliner niet door zijn linkeroog geschoten?'

Hij gaf geen antwoord. Peggy kwam de trap af, gevolgd door de ambulancebroeders die Hannah droegen. De vingertoppen van het kind waren blauwachtig wit: zuurstofgebrek. Ze had een kapje over haar mond en haar neus.

'Je bent heel flink,' fluisterde Peggy haar toe. 'We brengen je naar het ziekenhuis, en dan zul je je gauw beter voelen. Oké, liever?'

Hannah keek met angstig heen en weer schietende ogen om zich heen. Toen ze dichtbij was, zag ik de haarfijne rode afdruk in haar hals.

'Doe nu je ogen maar dicht,' zei Peggy. 'Ik wil niet dat je pijn aan je ogen krijgt van de felle zon.'

Toen Hannah gehoorzaam haar ogen dichtdeed, stelde Peggy zich tussen de brancard en de doorgang naar de zitkamer op om Hannah het zicht te blokkeren.

'Mike...' Lund volgde hen met zijn ogen naar buiten.

'Het is goed, dokter. Ga jij maar naar het ziekenhuis. Wij nemen het wel over.'

Ik stapte de woonkamer binnen. Om de een of andere reden kon ik met geen mogelijkheid mijn ogen afhouden van die snijwondjes die Martha bij het scheren van haar benen had opgelopen. Ze deden me heel erg denken aan het feit dat ik in het mortuarium hetzelfde had gezien op de benen van haar zus. Toen liet ik me op mijn knieën zakken voor een blik op ooghoogte. De linkerhelft van Martha's gezicht was bedekt met bloed... maar toen ik aan haar linkerwang voelde, liet de vleeskleurige camouflagemake-up met gemak los. Daaronder zag ik een zo goed als geheelde snee van een scheermes.

Ik trok de la open waarin ik de foto uit het zomerkamp had gevonden: weg.

'Heeft Hannah je verteld wat er is gebeurd?' vroeg ik.

'Moederlief had geprobeerd een plastic zak over haar hoofd te trekken. Ze zei dat haar moeder beweerde dat ze... haar wilde beschermen.'

'Waarvoor?'

'Ze zei alleen... "de boze man, de boze man".' Peggy wierp haar hoofd in haar nek. 'Mike, ze was al blauw. Waarom wilde hij in godsnaam de ambulancebroeders niet binnenlaten?'

'Laten we het hem gaan vragen,' zei ik.

'Ga jij maar eerst naar binnen,' zei ze. 'Ik moet nog even iets doen.'

Ik kneep haar even in haar arm. Toen stapte ik de slaapkamer op de benedenverdieping binnen.

Robbies kamer was zo kaal als een bouwkeet en, op de halogeenlamp op het bureau na, aardedonker. Gavin lag in foetushouding in een smal bed, met een kussen tegen zijn borst gedrukt. Foto's van zijn zoon waren met plakband aan de muur bevestigd, voornamelijk stillevens: deurknoppen en grassprietjes, de eerste moeizame experimenten van een kind. Zo te zien had hij een voorkeur voor groothoeklenzen. Op een andere foto stond hij met Cassie, en ze hadden allebei identieke jonge beagles in hun armen. Ze glimlachten, maar er lag iets van onderdrukte angst in hun ogen.

In de la lag een toeristische landkaart van Dyer County. Op het bureau stond een enkele rij boeken: *The Annotated Alice, Osma of Oz, Stories of Robert Browning*. Allemaal verhalen over toverkunst en ontsnapping, over de uitersten van goed en kwaad.

Ik sloeg het boek van Browning open op het verhaal van de Rattenvanger van Hamelen. WAT EEN GELUL stond er in kinderlijke letters over de gehele bladzij gekalkt.

'Het is een pracht van een jongen,' zei de geestelijke. 'Vind je ook niet?'

Ik keek om. Gavin zat op de rand van het bed en wreef over zijn wang.

'Eerwaarde.' Ik bladerde door het boek. 'Heb je wel eens aandachtig naar de boekencollectie van je zoon gekeken?'

Gavin knipperde met zijn ogen. 'Ze zijn wat voorlijk voor zijn leeftijd. Maar ja, we hebben hem dan ook al vanaf zijn vierde schoolvakken bijgebracht. Zijn onderwijzer heeft ons op het hart gedrukt –'

Ik stak het boek omhoog. 'Hoe oud was hij toen hij hiermee begon?'

De geestelijke zette grote ogen op.

Er was geen bladzijde in het boek die niet was ontdaan van gezichten.

Obsceniteiten in een kinderhandschrift. Donkere strepen staken als naalden uit de kinderen op de illustraties. Vuur. Bloed.

Alle gezichten waren stuk voor stuk uitgegumd.

'Waar... wat deed je...'

Peggy kwam binnen.

'Het stond hier gewoon tussen de andere boeken.' Ik sloeg een ander boek open, en toen nog een. 'Hier, en hier... Dat is nou je zoon.'

Haar ogen schoten over de bladzijden. 'Mike, wat is er aan de hand?'

'De familie McIntosh heeft een ongewone opvatting over thuisscholing,' zei ik. 'Van wie heeft hij dit geleerd, Gavin?'

'Dat kan helemaal niet.' Hij staarde me aan, met een asgrauw gezicht. 'Robbie doet dat niet meer. Hij... is ermee opgehouden.'

'Neem me niet kwalijk,' zei ik. 'Zei je net niet dat hij ermee was opgehouden?'

'Mike,' zei Peggy.

Ik was niet te stoppen. 'Hij *is ermee opgehouden*? Waarmee is Robbie nog meer opgehouden?'

'Mijn zoon is een goede jongen, Mr. Yeager. Een vriendelijk, christelijk kind. Hij is niet in staat tot... hij zou nooit...' Gavin begon te grienen. 'Ik ben geen slechte vader.'

'Mike.' Peggy's stem werd steeds scherper. 'Laten we dit buiten voortzetten en de eerwaarde de gelegenheid geven om...'

'Ik weet wat jullie van plan zijn,' zei Gavin. 'Jullie denken dat ik de moord op mijn vrouw zal bekennen. Waarom beschuldigen jullie me niet ook nog van al die andere moorden?'

'Was het de moeite waard?'

'Wat?'

'Al die waterrechten zijn nu van jou, Gavin. Denk je dat het je zal troosten in de donkere uren?'

Nu liep hij rood aan. Peggy tuurde naar de grond.

'Mijn vrouw is dood, Yeager. Ik wil niet dat haar nagedachtenis... of mijn nagedachtenis wordt bezoedeld door dergelijke laag-bij-de-grondse aantijgingen.'

'Háár nagedachtenis? Jóúw nagedachtenis? En je zoon dan, Gavin? Of is hij niet meer dan het zoveelste kind dat je onder het tapijt wilt vegen?'

Hij bond in. 'Dan weet je meer dan ik.'

Peggy pakte me mijn schouder. 'Zo is het genoeg.'

'Peg...'

Ze hield voet bij stuk. 'Ga je met de plek des onheils bemoeien, Mike. Ik zal wel met de eerwaarde praten.'

'Je mag hem helemaal hebben,' zei ik.

ZESENZESTIG

Ik bleef lang genoeg om te zien hoe ze Martha McIntosh naar buiten droegen. Toen ging ik naar boven.

Hannahs kamer was een studie in roze kwikjes en strikjes en miniatuurtjes van My Little Pony. Aan de voet van het bed lag een plastic zak en een stuk vislijn, aangemerkt als bewijsmateriaal. En een felrode teddybeer met een opengereten rug.

Mijn beer ging kapot, had Hannah tegen me gezegd. Eerst kon hij praten. Toen heeft Robbie hem kapotgemaakt.

Een kwartier later trof Peggy me op de stoep voor het huis.

'Yeager, wat moest dat in godsnaam voorstellen?'

'Je hebt de foto's van Robbie gezien,' zei ik. 'Ik bedacht nu pas dat ze erg veel leken op een van de Dupree-foto's. Nummer 21. Hetzelfde gebrek aan scherpte en dezelfde extreme close-up.'

'Waar heb je het over?'

'Robbie zei dat hij foto's maakte, en ik heb toen niet geluisterd. Als Robbie die foto heeft gemaakt... dan was hij op de plaats delict. En Gavin wist dat. Als jij hem niet arresteert, doe ik het.'

'Voorlopig arresteert niemand iemand.' Ze kwam naast me zitten. 'Wat doe je met die teddybeer?'

'O, dit.' Ik stak hem omhoog. 'Blijkbaar is het een zingende beer. Als je tegen hem praat, gaat hij voor je zingen. Een erg duur speeltje. Alleen heeft iemand er de spraakvervormer uit gehaald.'

'Dus nu wil je me wijsmaken dat een jongetje van acht heeft meegeholpen om een bom in een telefooncel te plaatsen.'

'Geen idee,' zei ik. 'Maar Robbie gedraagt zich bijna net zoals Theo nadat Rudy Dubliner hem in zijn klauwen kreeg. De foto's, de obsceniteiten... We moeten deze vis echt snel binnenhalen: de eerwaarde onder de hete lampen zetten, uitvissen wie er nog meer bij de kinderen zijn geweest...'

'Mike, hou alsjeblieft op.'

'Wat scheelt eraan?'

'Ik had het je eerder moeten vertellen.' Ze ademde diep in. 'Ze willen dat ik de zaak naar me toe trek.'

'Wat?'

'De adjunct heeft me hiernaartoe gestuurd om de situatie in te schatten,' zei ze, 'en om vervolgens toe te zien op de overdracht aan de plaatselijke jurisdictie.'

'Het Bureau wil zijn handen niet aan deze zaak branden, omdat het hier uiteindelijk allemaal uitdraait op dode kinderen.' Ik staarde haar aan.

'Waarom jij?'

'Ik heb gevraagd om me uit te zenden. Ik dacht dat het gemakkelijk zou zijn. En ik hoopte maar steeds dat jij me... iets... zou laten zien.'

'Iets wat erop zou wijzen dat de zaak goed was voor het imago van het Bureau. En dat ik helemaal was doorgedraaid.'

'Dat bedoelde ik niet. Maar je weet even goed als ik dat jij hier te dicht bij betrokken bent om iets te kunnen bereiken.'

'Moet je horen, ik ben heel erg gebeten op Gavin, maar als jij had meegemaakt wat ik –'

'Dat is nou precies waarover ik het heb. Je hebt te veel doorgemaakt. En als dat niet genoeg is, ik heb het over Dorothy Corvis.'

'Hoezo, Dorothy Corvis?'

'Hoe belangrijk is ze voor jou?'

Ik aarzelde voordat ik een antwoord gaf. 'Ik mocht haar graag, Peggy. Heel graag. Ik had het gevoel dat... ik me voor haar wilde openstellen.'

'Ben je met haar naar bed geweest?'

Ik trok een wenkbrauw op. 'Wie wil dat weten?'

'Neem dit aan van een oude vriendin en collega: jij kunt je niet bezighouden met dit onderdeel van het onderzoek. Niet als ze zo onder je huid is gekropen als blijkbaar het geval is.'

'Ik ben niet met haar naar bed geweest,' zei ik. 'Dat wilde ik wel.'

Ze gaf geen krimp. 'Waarom heb je het dan niet gedaan?'

'Ik weet alleen dat het niet is gebeurd.' Ik keek haar aan. 'Denk je soms dat ik niet objectief kan zijn?'

'Ik meen dat je exacte woorden waren: "Als ik oog in oog kom te staan met die klootzak, zou ik niets van hem heel laten." En dat je het jezelf niet kon vergeven dat jij hem duidelijk had gemaakt hoeveel je om haar gaf.'

'Ben je...' Ik maakte mijn zin niet af, omdat het me opeens begon te duizelen. 'Weet je zeker dat je zelf objectief bent? Dat je niet alleen maar...'

'Jaloers?' Ze schudde haar hoofd. 'In godsnaam, Yeager.'

Als ze boos was geweest, had ik daarmee kunnen omgaan. Maar omdat ze me aankeek met ernstige, oprechte bezorgdheid, moest ik uiteindelijk mijn ogen afwenden.

'Laat mij dit afmaken,' zei ik. 'Jij mag het overnemen en iedereen inbrengen die je wilt. Maar neem me niet het heft uit handen. Ik ben er zo ongelooflijk dichtbij.'

'Veel te dichtbij. Als je geen afstand neemt, ben jij uiteindelijk degene die zal branden als de zaak wordt opgeblazen.'

'En als ik geen afstand neem?'

'Het laatste wat de adjunct wil is een nieuwe pr-ramp,' zei ze. 'Als jij zorgt dat dit een soepele overdracht wordt, kun je, als het even meezit, over drie jaar met vervroegd pensioen.'

'Door twee kinderen dood te verklaren,' zei ik. 'Wat vind jij van deze deal?'

'Ik denk dat het stinkt... en ik denk dat je niets beters kunt doen, Mike. Het spijt me.'

Ik wachtte even voor ik zei: 'Hoelang mag ik hierover nadenken?'

'Ik zou niet wachten tot de zon ondergaat.'

'Veel langer hebben we sowieso niet. Vandaag is het de vijfde november.' Ik kwam overeind. 'Ik ga even naar het hek voor het huis kijken. Wil je één ding voor me doen?'

'Wat dan?'

'Iemand de achtergrond van Dorothy Corvis laten natrekken.'

ZEVENENZESTIG

Het bewakershokje was onbemand. Ik zag hoe een oude dame in een groene Eldorado de oprit op reed, haar toegangscode intoetste en doorreed zonder ook maar op te merken dat dat verdomde ding stuk was. Net op het moment dat de versplinterde stomp van de slagboom omhoogging, floepte het lampje van de bewakingscamera aan.

'Goedemiddag.' De bewaker floot tussen zijn tanden toen hij dichter bij het hek kwam. 'Jeminee. Wanneer is dat gebeurd?'

'Ongeveer een uur geleden,' zei ik. 'Ga me niet vertellen dat je al die tijd met pauze bent geweest.'

Hij trok zijn neus op. 'Het was geen pauze, sir. Ik heb de sprinklers aangezet. We hebben hier een waterdicht beveiligingssysteem en...'

'...de camera's leggen iedereen vast die naar binnen en naar buiten gaat,' zei ik. 'Maar alleen wanneer iemand het hek in werking zet.'

'Ze wilden waarschijnlijk op tapes bezuinigen.' Hij deed het wachthokje van het slot.

'Verstandig,' zei ik. 'Wie is hier op de hoogte van je rooster?'

'Alleen mijn meerdere. En de mensen die hier wonen, natuurlijk.'

Terwijl ik langs de slagboom liep, zag ik twee diepe sporen in het gras: wielsporen.

'Wel allemachtig,' fluisterde ik.

Als Robbie werkelijk uit zijn eigen voortuin was ontvoerd, zou de ontvoerder het looprek niet nodig hebben gehad. Maar als hij er op eigen houtje vandoor was gegaan, zou er voor hem tussen het hek en de schutting net genoeg ruimte zijn geweest om er ongemerkt doorheen te glippen. Aangenomen dat er aan de andere kant iemand op hem had staan wachten.

Ik wendde me weer tot de bewaker. 'Heb je gisteren misschien vreemde auto's gezien? Gewoon, op de straat geparkeerd?'

'Nee. En voordat u het vraagt, want ik heb het al aan de politie verteld: ik heb Robbie maar één keer in de buurt van het hek gezien sinds hij vrijdagmiddag werd thuisgebracht, en dat was om naar de begrafenis te gaan. En hij was met zijn vader.'

Ik sprong bijna een gat in de lucht. 'Zijn vader heeft hem vrijdag bij het hek afgezet?'

Hij draaide met zijn ogen. 'Nee. Zijn vader nam hem mee naar de begrafenis. Die andere vent heeft hem vrijdag afgezet.'

'Welke andere vent?'

'Ik weet zijn naam niet. Hij is hier de hele tijd. Een vrij aardige heer.' Hij sloot zich in in het hok. 'Hij werkt voor de dominee, meen ik.'

Het was nog maar even over vieren toen ik met een politieman bij het Arbor Vitae Community Center aankwam, maar het was er donker en de luiken waren nog dicht, alsof men zich voorbereidde op een belegering. De parkeerplaats was leeg. Op een briefje dat op de deur was geplakt stond: ALLE ACTIVITEITEN TOT NADER ORDER AFGELAST.

'Op slot.' De agent probeerde een paar keer de deur. 'Wat doen we? Teruggaan naar het huis van de predikant?'

Ik keek door de ruit van de deur. 'Er is nog iemand binnen. Ik zie een schim heen en weer lopen.' Ik gaf een roffel op de deur, en nog eens. Geen reactie. 'Laten we achterom gaan.'

Het stalen rolluik van de goedereningang stond open. Terwijl we naar binnen gingen, zag ik bordkartonnen heuvels en muizenpakken die aan de haken hingen. We bevonden ons op het podium van de aula, waar alleen een waaklamp brandde. Toen ik een schakelaar omdraaide, gebeurde er niets. Alle grote schijnwerpers waren weggehaald.

'Het is hier wel erg leeg,' zei de politieman.

'Zo te zien hebben ze ook alle camera's meegenomen,' zei ik. 'Iemand is 'm als een haas gesmeerd.'

We gingen de aula uit en kwamen toen op een kruising van gangen. Ik wees dat hij linksaf moest gaan en liep zelf verder naar de afdeling waar de administratie zat. Toen ik het kantoor naderde, hoorde ik een schurend mechanisch geluid: een papierversnipperaar, leek het wel.

'Hallo?' Wederom stilte. Er kwam een schim op de deur af. Intuïtief drukte ik me plat tegen de muur. Even later kwam een tienermeisje met gele staartjes het kantoor uit. Ze had een stapel paperassen in haar handen en ze zong in zichzelf.

'Miss...' Ze keek niet op of om. Toen zag ik dat ze een walkman op had. Toen ik op haar schouder tikte, slaakte ze een gilletje.

'Godver... shit!' De paperassen schoten uit haar handen en vlogen alle kanten uit. Ze draaide zich met een ruk naar me toe, bang en pisnijdig. 'Sodemieter ogenblikkelijk op, man, hoor je me? Ik kan karate en dat bedoel ik serieus.'

'Rustig maar,' riep ik naar de agent. 'Ik ben van de politie, oké? De FBI.'

'Hè?'

'Haal die walkman van je hoofd.'

Eindelijk drong de boodschap tot haar door en ze zette haar mp3-speler af. Inmiddels was de agent bij ons komen staan.

'Hé, Leta.'

'Hé!' Ze sloeg haar ogen neer. 'Ik doe niets verkeerds door hier te zijn, hoor. Ik heb een sleutel.'

'Ik neem aan dat je niet al die tv-apparatuur in je eentje hebt weggehaald,' zei ik.

'Daar weet ik niets van. Ik werd gebeld of ik wilde komen om wat klusjes te doen, meer niet.'

'Je bedoelt deze paperassen die je in de versnipperaar gooit?'

'Ja, maar... Hé! Daar moet je van afblijven. Tenzij je een huiszoekingsbevel hebt.' Een triomfantelijke glimlach verscheen op har gezicht toen ze me zag aarzelen.

Ik rechtte mijn schouders. 'Je heet Leta?'

Ze knikte, op haar hoede.

'Leta Brauning? Van de naschoolse opvang in de kerk?'

'Eh... jawel.'

'Jij bent degene die dienst had toen Cassandra Dupree vrijdagmiddag werd meegenomen.'

Nu was het haar beurt om te blozen.

'Ik heb helemaal geen witte Chevrolet gezien. In geen velden of wegen.' Leta zat tegenover me in het directiekantoortje, terwijl de politieman de deur in de gaten hield. 'Ik zei dat ik Pete de deur binnen zag gaan en dat was dat. Maar hij vroeg maar steeds: "Weet je zeker dat je die pick-uptruck niet hebt gezien? Die zou vlak voor het raam hebben gestaan. Weet je het zeker?" En ik wist het eigenlijk niet zeker. Dus zei ik op het laatst maar dat er een pick-up had gestaan.'

'Wie vroeg je dat?'

Ze wachtte even voordat ze antwoord gaf. 'Broeder Gavin.'

'Heeft hij je nog op een andere manier gesouffleerd voordat je met rechercheur Tippet sprak?'

Ze schoof ongemakkelijk heen en weer. 'Nou, hij heeft nooit met zo veel woorden gezegd dat ik moest liegen. Hij stelde alleen net zo lang vragen tot ik in de gaten had wat ik moest zeggen. Zoals hij min of meer aangaf dat het geen goed idee zou zijn om aan iedereen te vertellen dat hij nog in de kerk was toen Mrs. Dupree langskwam.'

'Was hij dan nog in de kerk?'

'Ja, hoor! Ik weet het zeker, want ik ben hem gaan halen om met haar te komen praten. Maar ze wilde hem niet zien... en hij haar zeker niet. Hij bleef gewoon in zijn kantoor in zijn gsm praten.'

'Zijn gsm.'

Ze knikte instemmend. 'Dat vond ik nogal raar, omdat hij vlak voor zijn neus een gewone telefoon op zijn bureau had staan.'

'Wat zei hij allemaal?'

'Nou, hij vroeg of het goed was dat Mrs. Dupree Cassie meenam... en of degene met wie hij sprak Robbie bij de Silver Star wilde ophalen, want zijn vrouw nam de telefoon niet op.' Ze keek angstig. 'Ik krijg hier toch geen last mee, hè?'

'Je bedoelt, wegens het afleggen van valse getuigenissen in een onderzoek naar een moord?' Ik trok mijn strenge FBI-gezicht. 'Ga jij eens samen met de agent de papieren halen die je zo druk aan het versnipperen was.'

Leta slikte moeizaam. 'Yessir.'

'Ik zal intussen wel over je sleutels waken.'

Zenuwachtig gaf ze me haar sleutelbos en droop af. Een deur verder liet ik mezelf binnen. Het kantoor van Connor Blackwell.

Ik had zondag alleen maar een blik geworpen op zijn boekenverzameling, maar nu onderwierp ik elk boek aan een nader onderzoek. *De Nieuwe Jij. Zo Sluit Je Vriendschap voor het Leven. Nooit Meer Contactgestoord.* En een boek getiteld *De Waarheid over Demonen.* Op het bureau lag een wit cassettebandje: hetzelfde bandje dat hij in zijn auto had beluisterd. Het heette *Een Meester en Metgezel.* Ik stopte hem in de gettoblaster.

'*De allerergste straf is verwaarlozing.*' De stem klonk me nog bekender in de oren, nu ik me realiseerde hoeveel die op Connors stem leek. Het bereik was ietsje lager, maar hij had dezelfde zalvende cadans: zelfbewust, intelligent en warm. '*U moet bereid zijn zuinig met aandacht te zijn om geen controle en respect te verliezen. Geef een dier nooit de indruk dat het uw gelijke is. Denk eraan: U bent de meester. U bent het mens. U bent de alfa.*'

'Wat krijgen we nou?' Ik verwijderde het bandje en las de ondertitel: *Nuttige Discipline Voor Uw Hond.* Was dit de man door wie het leven van Connor was veranderd? Kennelijk. Want ook al waren zijn luisterboeken door minstens twintig verschillende auteurs geschreven, ze werden stuk voor stuk door dezelfde acteur voorgedragen. Ik zette er een op getiteld *Blue Colorado Skies.*

'*Die zomer in Vallecito Reservoir was lange tijd mijn laatste dierbare herinnering.*' Daar was die rustige, troostende stem weer. '*Ik had een joekel van een forel gevangen. Bijna twee kilo. Ik moest hem teruggooien van mijn vader. Hij zei...*'

'Dat niets hoefde te sterven om een man te bewijzen wat hij waard was,' mompelde ik in mezelf, en ik merkte hoe zorgvuldig Connor de milde treurigheid in de stem van de acteur had geïmiteerd. Nu ik de foto bekeek waarop zogenaamd de kleine Connor met zijn ouders stond, zag ik hoe schitterend van korrel die was – alsof hij uit een boek was gescand. HET IS NOOIT TE LAAT VOOR EEN GELUKKIGE JEUGD. Toen ik op de muis klikte, verdween de screensaver. Er verscheen een e-mailprogramma. Een van de recente boodschappen was getiteld: RE: OVERDRACHT DOSSIER PATIËNT MFY *(Music For Youth, vert.)*. Ik herkende onmiddellijk de naam van mijn eigen psychiater in Philadelphia, wiens telefoonnummer op mijn flesje kalmeringsmiddelen stond.

> Gelieve nota te nemen van dossiers betreffende Michael F. Yeager, ingevolge akte vertrouwelijke vrijlating patiënt, ondertekend door Mr. Yeager en mondeling bevestigd tijdens zijn gesprek op 1/10.

Kennelijk had ik op een gegeven moment, terwijl ik een cel in de bajes van Dyer County warm hield, tijd weten te vinden om mijn psychiater op te bellen om hem een ontslagformulier toe te faxen. Ik opende het bestand. Alles stond erin: mijn nachtmerries over de zaak-Madrigal, mijn slapeloosheid, zelfs dingen die ik was vergeten, zoals mijn ambitie om geestelijke te worden. Alles, op één ding na waarover ik nooit heb gesproken: de zelfmoord van mijn moeder.

'Hij hoort hier helemaal niet te zijn.' Leta kwam aangelopen, met de agent. 'Straks word ik nog ontslagen.'

Ze had een stapel paperassen in haar handen. 'Laat maar eens kijken,' zei ik.

'Dat zijn gesprekken met patiënten,' wierp ze tegen. 'Die horen vertrouwelijk te zijn. U mag ze niet inkijken. Daar krijg ik last mee.'

Het waren inderdaad gesprekken met patiënten.

ACHTENZESTIG

Een halfuur later stond ik in de vergaderzaal op het hoofdbureau van politie. Er hadden zich nog vijf anderen om de tafel opgesteld: Peggy, Lund, Freebairn en de sergeants van het arrestatieteam en de mobiele eenheid. 'Tree of Life heeft een verrassend wervingssysteem,' zei ik. 'De kerk verwijst haar leden door naar de hulpverleningsinstantie, en vice versa. De transcripties betreffen onder andere gesprekken met Dale Dupree, Mary Frances Dupree, Martha McIntosh, Ada Rosario... en onze vriend brigadier Clyde.'

'We mogen ze niet gebruiken om arrestaties te verrichten,' zei de man van het arrestatieteam. 'Niet als het patiëntengegevens betreft.'

'Correctie,' zei Peggy. 'De notities kunnen in de rechtszaal worden gebruikt als daaruit blijkt dat Connor heeft verzuimd bewijzen van kindermisbruik te melden.'

'En is dat het geval?'

'Dat zullen we wel zien,' zei ik. 'Ik vond het in elk geval interessant dat Gavin degene was die een beroep op Leta heeft gedaan om het buurthuis dicht te gooien en de transcripties door de papierversnipperaar te halen. Dat heeft hij gedaan exact vijf minuten nadat er in zijn huis schoten waren gehoord.'

'Nadat?' Lund schudde ongelovig zijn hoofd.

'Nadat. Terwijl zijn vrouw dood op de grond lag en zijn dochter boven nog amper ademde.' Ik pakte de afstandsbediening. 'Ik vroeg aan Leta hoe ze die transcripts maakte en toen legde ze uit dat ze meestal cassettebandjes van Connor kreeg. Alleen voor dit ene gesprek had hij haar een videoband gegeven. Na enig aandringen liet ze me uiteindelijk de kluis zien waar Tree of Life hun kopie bewaarde – het origineel, moet ik zeggen.' Ik stak de videoband omhoog.

'Hel en verdoemenis,' zei Lund.

Ik dimde het licht en startte de tape. De kwaliteit van het origineel op VHS was verbluffend: frisse kleuren en uitstekende geluidskwaliteit. Je kon het zweet praktisch op Connors voorhoofd zien parelen. En Cassies paarse schrift met spiraalrug, dat nog net zichtbaar op haar schoot lag.

'Wat zoek je?' vroeg Connor op de video. 'Probeer je soms... wil je blijven tekenen? Welke krijtjes wil je –'

Cassie wees regelrecht naar de doos met krijtjes. 'Die wil ik.'

De kleuren waren op Dorothy's videoapparaat te flets geweest om ze goed te kunnen zien. Maar op het origineel was het absoluut duidelijk dat het krijtje dat Cassie pakte huidkleur was en niet bruin. Precies de kleur van Connors haar.

'Welk? Dit, of...'

Connor pakte het huidkleurige krijtje weg en rolde een bruine naar haar toe. Ze pakte hem niet op.

'Hier, toe maar.' Zijn stem was opgewekt als altijd. 'Je hoeft niet bang te zijn. Toe dan, maak je tekening maar af.'

Ze stak haar hand uit naar het huidkleurige krijtje. Opnieuw schoof hij het opzij en duwde het bruine exemplaar in haar richting.

'Kun je me vertellen wie dat is?' vroeg hij, ondanks het feit dat ze nog niets had getekend.

'Ik wil die voor de ogen.' Ze bleef een paar seconden koppig voor zich uit staren. Toen maakte hij nonchalant met een rood krijtje een paar halen over de onderkant van het vel papier.

'Wat doet hij nu?' vroeg Freebairn.

'Hij tekent bloed op Cassie hondje,' zei ik.

'Wat zei je?' vroeg Connor vriendelijk.

Cassie was op dat moment bijna in tranen. 'Mag... mag ik alstublieft nog een krijtje?'

'Natuurlijk.' Hij schoof het bruine krijtje in haar richting. Deze keer pakte ze het op.

'Wie is het dan, die je tekent?' Hij tikte op het blanco gedeelte in het midden van de bladzij. Zijn lichaamstaal was subtiel maar vastberaden: het was geen vraag maar een commando.

'Mijn papa.' Verslagen begon ze te tekenen. Ze barstte in snikken uit.

Ik zette de band stil. Van alle gezichten in het vertrek stond op dat van Davis Freebairn de grootste afschuw te lezen.

'Connor Blackwell gebruikte zijn patiënten om informatie over hun kinderen in te winnen,' zei ik. 'In de loop van tien jaar therapie had hij Martha McIntosh bijna volkomen in zijn macht. Hij kon haar van alles laten doen: van hem de sleutels lenen van haar terreinwagen tot zich uitgeven als haar eigen zuster en medeplichtigheid aan moord.'

'Hoe kreeg hij dat voor elkaar?' vroeg Peggy.

'Hij wist al van jongs af aan hoe hij macht over haar kon krijgen,' zei ik. 'Voor een deel was dat een ruilhandeltje. Hij zou Hannah en haar ongeboren kind met rust laten, als zij hem volledig de vrije hand liet met

Robbie. Dat was een van Connors favoriete machtsspelletjes. Hij dreigde de troeteldieren van de kinderen iets aan te doen om Cassie en Robbie onder de duim te houden. En dat was bijna gelukt, behalve wat betreft dit ene vraaggesprek waarin Cassandra Dupree de gelegenheid aangreep om een rechtstreekse boodschap aan haar grootvader over te brengen. Kijk maar wat ze doet aan het eind van het gesprek.'

Ik spoelde door naar het einde. Op het scherm was de deur van de verhoorkamer opengegaan en kwam Ada Rosario binnen. Ik voelde een lichte huivering toen ik haar zag.

'Het geluid is iets minder goed te verstaan vanwege al dat geschuifel,' vertelde ik. 'Ada komt hem vertellen dat de rechter wil dat al het materiaal ogenblikkelijk ingelogd wordt. Connor protesteert even, maar Ada wint het. En in die fractie van een seconde dat zijn aandacht wordt afgeleid...'

Ik zette de tape stil, waarna ik wees naar Cassies hand op het scherm.

'...moffelt Cassandra haar cahier tussen de stapel materiaal dat op weg is naar het gerechtshof. Ada pakt alles op en gaat weg. En Connor heeft nergens iets van gezien.'

'Goed van haar,' zei Lund.

'Waar is... die persoon nu?' Freebairn was doodsbleek.

'Hij is in geen velden of wegen te zien,' zei de man van de mobiele eenheid. 'Zijn flat is leeg. Het is net alsof hij nooit heeft bestaan.'

'Dat laatste begin ik ook te denken,' zei ik. 'Peggy?'

'Goed werk, Mike.' Ze knikte zwijgend: officiële goedkeuring van de baas. 'We hebben via het korps mariniers van St.-Sherman een paar helikopters weten te bemachtigen, evenals een reddingsteam van National Park Service. We gaan onze zoektocht op de Sangre de los Niños concentreren, over op de kop af...' Ze keek op haar horloge. 'Vijftien minuten.'

Ik keek Lund aan. 'Zijn we klaar?'

De dokter knikte. 'Davis, gaat het een beetje?'

'Ik weet het niet.' Freebairn leek amper adem te halen.

Ze liepen in het gelid het vertrek uit, waardoor ik alleen met Peggy overbleef.

'Hier heb ik nog iets om aan het zoekteam te geven.' Ik gaf haar de plattegrond van Dyer County uit Robbies kamer. 'Zowat alles wat met rood is aangegeven concentreert zich rond de bergwegen. Met nog een paar in de buurt van Cathedral Lake.'

'Denk je dat de jongen weet wat er vanavond gaat gebeuren?'

'Robbie staat zelf centraal in zijn plannen,' zei ik. 'Theo was Rudy's getuige. En nu is Robbie de getuige. Het is bijna precies hetzelfde als wat er in 1978 is gebeurd.'

'Hetzelfde maar anders,' zei Peggy.

Ik knikte. 'De leerling heeft geleerd van de fouten van zijn leermeester. De vader van Dubliner werd slordig; Rudy zelf had een doodsverlangen. Ergens denk ik niet dat Connor zich er niet op verheugt om in een vuurgevecht ten onder te gaan. Hij is de dood al eens eerder te slim af geweest. Ik geloof dat hij vastbesloten is om iets te bereiken wat zelfs Dubliner nooit is gelukt. Bewijzen dat hij de beste van de twee is.'

'Weet je zeker dat het Connor is?'

'Het enige wat ik nodig heb is informatie. We hebben het digitale ruggensteuntje op die 8mm-film... Als het een beetje meezit, zullen we snel over iets beschikken om met behulp van de software te laten zien hoe iemand ouder wordt. Dan hebben we het gezicht van die ploert.' Ik wachtte even. 'Ik heb het er best aardig afgebracht, vind je niet?'

'Je hebt het fantastisch gedaan.' Deze keer zei ze het vriendelijk. 'We hebben een heel pak rekeningen voor verzendkosten gevonden in de werkkamer van de eerwaarde. Onder andere voor ontwikkelaar: Ilford Perceptol.'

'Zit Gavin McIntosh in verzekerde bewaring?'

'Hij is onderweg,' zei ze. 'Maar hij wil alleen met jou praten. Ik denk dat hij de moorden gaat opbiechten.'

'Ik dacht wel dat dat zijn volgende stap zou zijn. Goed, ik zal met hem gaan praten. Dan kom ik wel te laat voor de zoekactie.'

'Je hoeft alleen maar het grote witte lichtspoor te volgen,' zei ze. 'Ik hoop dat je gelijk hebt over dat zomerkamp, Mike. We krijgen daar boven nog een grotere invasie dan op D-day. Om nog maar te zwijgen over alle media die popelend op nieuwtjes staan te wachten. Wat er vanavond ook gebeurt, het zal een evenement worden.'

'Het is een sprong in het duister, maar ik vind dat we die moeten wagen.'

'Mee eens.' Ze wilde zich omdraaien, maar bleef toen staan.

'Wat is er?' vroeg ik.

'Je wilde iets weten over Dorothy.'

Ze gaf me een dossier van de sectie in San Francisco.

'Dorothy Corvis is niet haar echte naam,' zei Peggy. 'Ze heeft die wettelijk veranderd van Rebecca Ann Morgenstern. Haar vader was gedragsdeskundige in Berkeley.'

'Ik zag haar aktes aan de muur,' zei ik. 'Kinderpsychologie, pedagogie...'

'De aktes zijn echt. Die behaalde ze onder haar nieuwe naam. Hier kun je zien waarom ze die heeft veranderd.'

Ze pakte de gefaxte overlijdensadvertentie uit een krant uit het dossier. Doctor Morgenstern had net zulk schitterend zwart haar en dezelfde slimme ogen als Dorothy. Alleen haar glimlach ontbrak.

'Toen ze acht jaar was, is haar moeder met haar naar de dokter gegaan vanwege buikkrampen. Die huisarts stuitte op vaginale en rectale bloedingen. Ze beschuldigde haar vader, maar de familie sloot de gelederen. Onderzoek leidde tot niets; papa had te veel vrienden.'

'En de politie ondervroeg haar in de gevangenis,' zei ik, 'en behandelde haar als een crimineel.'

'Heeft ze het je verteld?'

'Ze zei dat het over een meisje ging aan wie ze werkte,' zei ik. 'Wat is er na het onderzoek gebeurd?'

'Ze hebben Dorothy bij haar enkels aan de plafondbalken van de kelder opgehangen,' zei ze. 'Uiteindelijk wist ze zich te bevrijden... en ze bonkte net zo lang op deuren tot iemand opendeed. Haar vader sneed in het bad zijn aderen open... Rebecca kwam bij de kinderbescherming terecht. Op de een of andere manier wist ze ondanks alles te overleven.'

'Hoe?'

'Het is geen antwoord, Mike. Het is alleen informatie.' Ze nam het dossier terug. 'Waarom wilde je het per se weten? Denk je dat zij erbij betrokken is?'

'Nee. Maar ze is kwetsbaar. En ik moet weten wat hij haar gaat proberen af te pakken.'

'Wat hij haar gaat afpakken?'

'Robbie vertelde me dat de Schaduwvanger de donkere delen van je afpakt. De delen die niemand wil. En die gebruikt hij om je te vernietigen. Je angsten, je schaduw.'

Ze knikte, begrijpend. 'Heeft hij de jouwe?'

'Ik vrees van wel.' Ik keek op mijn horloge. 'Ik moest maar eens met de predikant gaan praten.'

'Mike...'

Ze drukte een kus op mijn wang: de kus van een oude, erg dierbare vriendin.

'Het is je schaduw maar,' zei ze.

Nadat Peggy was weggegaan belde ik de receptie met instructies om me te waarschuwen zodra Gavin McIntosh binnenkwam. Vervolgens ging ik zitten om de digitaal overgezette 8mm-film nog eens te bekijken.

Na enkele minuten werd ik onderbroken doordat er op de deur werd geklopt: Davis Freebairn.

'Zo te zien ben je niet verbaasd me te zien,' zei hij.

'Ik zag je gezicht tijdens de vergadering.'

'Waarom zei je...' Hij liep rood aan. 'Waarom zei je dat die Connor Blackwell... Martha van jongs af aan heeft gekend? Wie denk je dat hij is?'

'We weten allebei wie hij is,' zei ik. 'We weten allebei dat hij niet bij die brand is omgekomen.'

'Mijn Theo... is dood.' Hij kneep zijn ogen dicht om zijn tranen tegen te houden. 'De man die jij me liet zien, is iemand die ik nog nooit heb ontmoet.'

'Maar hij is niet geheel onbekend, neem ik aan.' Ik pakte de afstands-bediening. 'Zie je waar ik nu naar zit te kijken?'

Hij knikte zonder te kijken.

'Herken je het gezicht op het scherm?'

Het duurde even, maar uiteindelijk deed Freebairn zijn ogen open.

Het beeld was nu duidelijk, duidelijk genoeg om aan te tonen dat het gezicht in de spiegel geen masker was. De jongen was voor de helft kaal en zijn linkeroor ontbrak. Zijn neus was bijna weggesmolten. De onder-lip hing omlaag en hij kwijlde, de huid eromheen was verbrand en rim-pelig als oud spek. De ogen van Theo Freebairn keken star in de came-ra. Dode ogen, precies zoals Pete had gezegd. Zo te zien probeerde hij te glimlachen.

'Hij is mijn zoon.' Davis huilde zachtjes. 'Moge God me vergeven.'

NEGENENZESTIG

De dienstdoende sergeant van de mobiele eenheid gaf me een boodschap van Peggy; een van de verkenningpatrouilles had in het voorgebergte iets gevonden en zij ging alvast een onderzoek instellen.

'Heeft ze ook gezegd wat ze hebben gevonden?'

'De telefoon is afgesneden,' zei de sergeant. 'Dat komt door die bergen. Ik kom er zelf net vandaan. De eerwaarde zit boven op u te wachten. Hier zijn alle rekeningen die we in zijn kantoor hebben gevonden.'

'Die zijn allemaal van aannemers,' zei ik. 'Enorme tanks en generatoren.'

'Dat klopt. Zogenaamd voor een nieuwe vleugel van het ziekenhuis. Alleen mag u één keer raden: niemand van het ziekenhuis heeft ze ooit gezien. Al jarenlang zeg ik tegen iedereen dat die man niet deugt.'

Ik moest op mijn lip bijten om niet te vertellen dat we de eerwaarde moord en ontvoering ten laste probeerden te leggen in plaats van corruptie. Maar toen herinnerde ik me de verdwenen tv-camera's. En wat Robbie had gezegd over zijn hart onder de grond bewaren.

'Hoe groot zijn die gastanks eigenlijk?' vroeg ik.

'Verrekte groot,' zei hij.

Uit de stemmen op de politiezender klonk grote verwarring.

'...*Verzoek om* FBI-*escorte. Herhaal 20, escorte*'

'...*We hebben geen contact meer met verkenningsploeg.*'

'*Meldkamer, we hebben een burger aan de telefoon die melding maakt van een explosie drieënhalve kilometer van de Madre de Dios-pas...*'

'*Twee agenten verloren. Verdachte is ontvlucht.*'

'*Er is brand aan de voet van de Sangre de los Niños.*'

Peggy beantwoordde haar gsm niet.

Gavin McIntosh zat met zijn armen over elkaar in mijn kantoor.

'Je kunt niets doen om het tegen te houden,' zei hij. 'Het is nu in Gods hand.'

'Wat is hij van plan met al die apparatuur? Een privétitanenstrijd of zoiets? Wil hij zichzelf filmen bij het doden van de kinderen?'

'Hij gaat ze niet doden,' zei Gavin. 'Dat doe jij.'

'In godsnaam, eerwaarde –'

'Niet vloeken in mijn bijzijn, alsjeblieft.'

'Hier hebben we geen tijd voor,' schreeuwde ik.

Gavin kruiste zijn armen strak over zijn borst. 'Het bestaat niet dat hij Martha heeft willen doden,' zei hij. 'God had hem vergeven. Het bestaat niet dat ik heb meegewerkt aan... het verwekken van een monster. We waren van plan deze woestijn weer groen te maken...'

Ik ging zitten om hem recht in de ogen te kunnen kijken.

'Eerwaarde,' zei ik. 'Wie was Connor Blackwell voor je hem onder je hoede nam?'

Hij keek me een hele tijd aan voor hij antwoord gaf. 'Hij was een gepijnigde ziel, agent Yeager. Meer was hij niet. Een gepijnigde ziel.'

'Wat voor pijn precies?'

'Hij was verbrand,' zei Gavin. 'Hij kwam de eerste hulp in Las Vegas binnen... en zij hebben hem als een hond de straat op gestuurd. Waar een fatsoenlijk mens al niet toe in staat is, en zichzelf nog christen durven noemen ook.' Hij stak zijn handen omhoog. 'Tree of Life heeft alles betaald. Met tijd, met gebed... met Gods liefde... hebben we die jongen een nieuw gezicht gegeven. Een mooi, vriendelijk en moedig gezicht.' Hij slaakte een diepe, berustende zucht. "We noemden hem onze Verloren Zoon."'

'U bent verbonden met de mobiele telefoon van geheimagent Weaver. Wilt u een boodschap achterlaten...'

Peggy's telefoon was nooit ver bij haar uit de buurt. Nooit. Of ze lag onder vuur... of het ding was haar afhandig gemaakt. Met die laatste mogelijkheid wenste ik geen rekening te houden. Maar als zij de explosie had gezien, zou ze zo snel mogelijk hebben gebeld.

'Hallo?'

Ik was zo gewend aan het bandje dat ik bijna had opgehangen. De lijn was vol geknetter.

'Peggy?'

'Sorry,' zei de stem aan de andere kant. 'Agent Weaver kan niet aan de telefoon komen. Wilt u een boodschap achterlaten?'

'Connor,' zei ik. 'Of moet ik je Theo noemen?'

'Jij mag het zeggen.' Hij geeuwde. 'Zeg eens Mikey, hoe voelt het om nog twee teven op je geweten te hebben?'

Ik zei niets.

'Mocht je in haar mond klaarkomen?' vroeg hij. 'Was het daar helemaal warm en slijmerig? Als butterscotch ijs? Ik denk niet dat die zaadjes de kans krijgen om uit te komen. Jij?'

'Ik weet wat Rudy met je heeft uitgehaald.' Ik wachtte even. 'Maar dan hoef je hén nog niet te vermoorden.'

'O nee?' Zijn stem zakte tot een parodie op zijn stem van de betrokken therapeut. 'Zo te horen ben je bezorgd, Mike. Wil je soms ergens je hart over luchten?'

De verbinding werd verbroken.

Er buitelden een stuk of vijf aanvechtingen door mijn hoofd. Voor ik wist wat ik deed, graaide ik mijn jack van de haak aan de deur om de duisternis in te stuiven. Archers revolver zat nog steeds in een van de zakken, waar ik hem in had gestopt nadat ik hem Gavin afhandig had gemaakt. Nog steeds met bloedspatten van Martha. Nog steeds geladen. Waarom had Connor het wapen laten liggen? Hij had kunnen bedenken dat ik het zou meenemen.

Toen kwam het antwoord: omdat hij wíst dat ik het zou meenemen.

Connor had alles uitgestippeld, zelfs onze aanvaring in de bergen. Net als Rudy had hij alles jarenlang voorbereid. Het enige wat hij niet had kunnen plannen was mijn komst, en zelfs dat feit had hij wonderwel weten in te passen. Zelfs ik was een deel geworden van het plan van Connor Blackwell.

Ik toetste opnieuw een nummer in.

'FBI,' luidde de reactie.

'Yoshi, met Mike. Ik moet de exacte GPS-gegevens hebben van de gsm van agent Weaver. Spoed.'

'Dat mogen we niet doen, Mike. Niet zonder goedkeuring op ten minste twee niveaus...'

'Haar leven is in gevaar,' zei ik. 'Zorg dat ik ze krijg.'

Hij haalde diep adem. 'Oké, baas. Blijf hangen.'

Terwijl hij op jacht ging naar de informatie deed ik oproepen naar het zoekteam. Daarna belde ik de gevangenis en gaf opdracht dat ze moesten zorgen dat Pete Frizelle klaarstond.

ZEVENTIG

'Wat is dit in godsnaam?' Pete keek op, terwijl ik de envelop boven de tafel leegschudde.
'Je portefeuille,' zei ik. 'Autosleutels, condooms... de hele mikmak.'
'Ik mag dit van je hebben? Waarvoor?'
'Laten we zeggen dat ik op het punt sta om erachter te komen uit welk hout je bent gesneden,' zei ik. 'Op dit moment heb ik mensen op alle toegangswegen naar Sangre de los Niños gezet. Maar als we daar met rokende revolvers naar boven gaan, zal hij Cassandra vermoorden. Net zoals een paar andere mensen die niet verdienen om dood te gaan. Ik moet een weg omhoog te weten zien te komen die niet in de gaten wordt gehouden.'
Pete trok plotseling wit weg. 'Hoe kom je op je het idee dat ik dat kan?'
'Omdat jij er al eerder bent geweest,' zei ik. 'Een hele tijd geleden.'
'Hij knikte. 'Lost Lake.'

'...met een live verslag van de impasse in Dyer County, Nevada, waar, onder leiding van federale agenten, minstens honderd gewapende politiemannen paraat staan...'
Ik zette de radio uit.
'Ik durf te wedden dat iedereen meekijkt,' zei Pete. 'Ik durf te wedden dat dat hele verrekte Dyer County aan zijn tv gekluisterd zit.'
Ik reageerde niet. We gingen deze keer via een brandgang: smaller, steiler en duidelijk minder platgetreden. We hoefden alleen de verse bandensporen van motorfietsen maar te volgen.
'Vertel eens waar we uitkomen, Pete.'
'Je gaat via het hoofdgebouw naar binnen,' zei hij. 'Achter de haard loopt een soort trap naar de kelder, waar ze vroeger stookolie opsloegen. Het is er niet groot en er ligt een cementen vloer. Veel meer kan ik je niet vertellen, want ik was geblinddoekt. Ik herinner me dat ze ons in een leren harnas ophesen of naar beneden lieten zakken.'
'Wat is daarbeneden?'
'Daar is de kamer waar hij ons elke avond waste, nadat hij klaar was.'
Hij huiverde. 'Het is er helemaal wit. En er zijn ook tunnels. Kamers met... haken aan het plafond. En...'

Zijn stem begaf het. Pete kon elk moment gaan hyperventileren.

'Wat herinner je je over de avond van de brand?'

'Dat was de enige keer dat ik Theo bang heb gezien,' zei hij. 'Elke avond liet Rudy hem alleen, met orders om ons te doden als hij tegen de morgen niet terug was. En voor het eerst zag het ernaar uit dat Theo dat zou moeten uitvoeren. Martha smeekte hem om het niet te doen. Ze zei dat hij alles met haar mocht doen, zolang hij ons maar niet zou vermoorden. Maar daar was Theo te bang voor.'

'Hoe is de brand ontstaan?'

'Nou, er waren altijd van die gastanks, en Theo zwaaide met lucifers in het rond alsof hij de god van het vuur was. Op het laatst keek Dale me doodleuk aan en zei: "We gaan sowieso dood, Pete. Dan kunnen we net zo goed vechtend doodgaan." Dus maakte hij ons allebei los. En we gingen ook de meisjes losmaken. Daardoor raakte Theo in paniek, dus stak hij de pit aan. Die hut fikte als een kerstboom.'

'En toen?'

'Toen dook Archer plotseling op,' zei hij. 'Ik weet nog dat hij bloed op zijn uniform had. En dat Theo jammerde en jankte dat hij net zo goed een slachtoffer was als wij. Mary zei: "Papa, je moet hem niet geloven. Je weet niet wat we allemaal moesten doen van hem." Archer trekt zijn pistool, richt... maar dan zegt hij alleen: "Help me, Theo. Help me om ze in veiligheid te brengen."'

'Wat deed Theo toen?'

'Hij rende weg,' zei hij. 'Zo het vuur in. Intussen was Dales gezicht helemaal opengebarsten en ik kon mijn arm niet gebruiken. En de meiden waren... zaten helemaal onder het bloed, net als pasgeboren baby's. Maar Archer heeft ons er allemaal uit gekregen.' Pete krabde op zijn hoofd. 'Wij schreeuwden met z'n allen tegen hem dat hij moest gaan rijden, want het vuur was overal. Maar hij zei: "We kunnen hem niet achterlaten. Hij is nog maar een kind." Maar uiteindelijk is hij... toch doorgereden.'

'Je hebt niet gezien wat er met Theo gebeurde?'

'Ik hoorde hem gillen,' zei hij. 'Ik vond dat het mooiste geluid van de hele wereld.'

'Ik zie de brand.' Ik beschreef een strakke bocht. 'Dat is Peggy's auto, honderd meter rechts van ons. Zie je dat andere pad dat omhoog loopt?'

'Waar –'

Op dat moment schoot de neus van de auto omhoog, waardoor we bijna over de kop gingen. We kwamen onder de glassplinters van de voorruit te zitten. Toen de auto weer recht stond, voelde ik dat de voorwielen ergens op stuitten.

'Wat krijgen we nou weer, verd...' Ik stapte uit en keek naar de gebutste grille. Zwarte rook kringelde van onder de motorkap omhoog. De explosie was een fractie te vroeg gekomen, anders had de benzinetank vlam gevat.

'Een kabel met explosieven onder de auto,' zei ik. 'We moeten maken dat we wegkomen.'

Pas op dat moment merkte ik de piepende ademhaling van Pete op. Hij voelde aan zijn borst en keek naar het kleverige bloed aan zijn hand. En hij barstte in lachen uit. Een flard metaal had zich in zijn borstbeen geboord.

'Precies... in... dat... gat,' zei hij. 'Dit is... komisch.'

'Laten we daar later om lachen.' Ik sleurde hem tot op veilige afstand en zette hem tegen een jonge pijnboom. 'Dorademen, Pete. Ik zal Cassie naar je toe brengen.'

'Agent Y... Mike...'

'Ja, Pete?'

'Zorg dat hij niet... met je hersens klooit.'

'Ik zal het proberen.'

Ik trok de Colt en klom tegen de bergkam op. Toen hoorde ik de schoten.

EENENZEVENTIG

Het kreupelhout stond in brand toen ik de andere brandgang bereikte, waar het zwartgeblakerde pantser van een terreinwagen van de politie op zijn kant lag, nog warm van de explosie. Twee mannen lagen dood op de grond. De wapens van de brigadier waren verdwenen. Uit de walkietalkie klonk krakend een stem: '...herhaal 20, Unit Vier. Hoort u mij? Wilt u naar...'

Ik raapte de radio op. 'Basis, dit is speciaal agent Yeager. Unit Vier is uitgeschakeld.'

Ik kon het geluid van naderende helikopters al horen.

'Sir, opvang voor de gegijzelden en stormtroepen zijn onderweg...'

'Nee, 10-22. U houdt zich aan mijn eerdere instructies. Zonder mijn gecodeerde permissie wordt er geen poging gedaan om het gebied te naderen. Roep die helikopter terug.'

'Sir.' Het duurde een paar seconden, maar uiteindelijk stierf het geluid van de propellers weg. Mocht Connor luisteren, en dat moest wel, dan wist hij dat zijn bloederige climax hem niet gegund zou zijn. Tenzij hij me de code wist te ontfutselen.

Waar de brandgangen ophielden, zigzagden sporen van motorbanden via een smal ruiterpad omhoog. Peggy's voetafdrukken in de rode aarde waren nog vers. En nu hoorde ik alweer een hoog, dof geknal van een schot. De Glock van Peggy. Zij zou nooit schieten als er een kind in de buurt was van een vuurgevecht. En ze verspilde zelden een kogel.

'Robbie, blijf liggen!' riep ze.

Ik ging dwars door een groep dode dennen op haar stem af. Ze zat geknield achter een rotsblok en ze had haar wapen gericht op de schoorsteenmantel van de grote hut. Toen ik over een helling in haar richting sloop, draaide ze de Glock razendsnel in mijn richting. Ze had een verse blauwe plek op haar voorhoofd en een rode vlek op haar kraag.

'Ik ben het.' Ik kroop naar haar toe. 'Hoe is het met de kinderen?'

'Cassandra heb ik niet gezien. Hij gebruikt Robbie als schild.' Ze wees naar de grote hut. 'Die gebouwen staan waarschijnlijk met elkaar in verbinding. Die klootzak duikt overal op, het lijkt wel een mol.'

'Er zijn tunnels,' zei ik. 'Is hij gewapend?'

'Alles wat die agenten maar hadden: een geweer, revolvers. Plus het een of andere steekwapen om de kinderen onder controle te houden. Zo'n groot mes. Intussen heb ik nog maar twaalf kogels. Ik hoop dat jij je revolver bij je hebt.'

Ik knikte. 'Praat hij ook?'

'Niet sinds hij mijn gsm heeft ingepikt,' zei ze. 'Volgens mij probeert hij iemand op te bellen.'

'Gavin waarschijnlijk,' zei ik. 'Hij staat op instorten.'

'Enige kans dat de cavalerie aanrukt?'

Ik haalde diep adem. 'Ik heb bevel gegeven dat ze op afstand moeten blijven.'

'Hè? Mike, ben je gek geworden?'

'Hij heeft elke toegangsweg naar deze berg van boobytraps voorzien, zoals die bom waardoor die twee agenten werden gedood. Hij heeft zijn zinnen gezet op zijn titanenstrijd, Peg. Rechtstreeks op tv, terwijl alle ogen ter wereld aan hem vastgekluisterd zitten.'

'Waarom?'

'Zodat we eindelijk met ons allen aandacht aan hem besteden.' Ik tuurde naar de hut, op zoek naar enige beweging. 'Hoe was de toestand van Robbie toen je hem zag?'

'Hij was bang.'

'Oké, ik ga naar binnen. Spaar die twaalf kogels op tot je gericht kunt schieten.'

'Vergeet het maar. Ik ga met je mee.'

'Een van ons moet klaarstaan om het staakt-het-vuren af te kondigen.' Ik gaf de walkietalkie aan haar. 'De code voor de commandopost is *First Corinthians* 13:12. Ik hou van je.'

'Mike.'

Ik rende op mijn hurken van de ene uitgebrande hut naar de andere, terwijl ik de revolver schietklaar hield. Zelfs als ik het geluk had het als eerste te ontdekken, zou ik nog niet één seconde de tijd krijgen om te richten. En in elk geval zou hij Robbie bij zich hebben.

HIER INSCHRIJVEN VOOR ACTIVITEITEN. Het bord was opzijgeschoven, waardoor naast de stenen schoorsteenmantel een openstaand valluik zichtbaar was, en een korte houten ladder naar beneden.

Ik spitste mijn oren, maar het enige wat ik hoorde was mijn eigen snelle ademhaling.

Het volgende moment sprong ik het open gat in.

De bodem bestond uit cement, precies zoals Pete had gezegd. Ik drukte me met mijn rug in een hoek en scheen met mijn zaklantaarn in het rond.

Geen brandstoftanks en geen andere uitgang. Het vertrek was helemaal kaal. Toch hoorde ik gedempte stemmen, van een man en een huilend kind. Eerst kon ik niet bepalen waar die vandaan kwamen. Toen keek ik naar de ladder achter me.

Je kunt er niet zomaar naar beneden, had Cassie tijdens het vraaggesprek gezegd. *Je moet terug en dan omhoog, en dan kun je naar beneden, steeds lager.* Halverwege op weg naar het valluik ontbrak er een sport in de ladder. Daarachter zat een dranger, keurig weggewerkt in de ijzeren stangen waar hij op rustte. Toen ik erop drukte, kwam de helft van het bovenste deel van de ladder tevoorschijn, waardoor een gat in de muur vrijkwam.

Toen hoorde ik de stem van Robbie door de duisternis weergalmen. 'Alsjeblieft, ik wil het niet meer,' zei hij. 'Ik wil geen gemene dingen meer met haar doen.'

Iets in zijn simpele bewoordingen deed mijn bloed stollen. Ik wrong me door het gat heen. De verborgen deur gaf toegang tot een gecementeerde tunnel, waar ik gedwongen werd om doorheen te kruipen. Ik was er zo'n anderhalve meter in, toen de tunnel doodliep. Wat had Cassie ook alweer over de tunnels gezegd? Als je de verkeerde kant opgaat, ga je dood.

Ik hoorde de stemmen nu duidelijker, alsof ze nog geen meter van me vandaan waren. Connor sprak tegen Robbie op een toon die me hoogst onbekend voorkwam. Het was niet zijn therapeutenstem en het was ook niet het robotachtige timbre uit het nachtelijke telefoontje dat ik had ontvangen. Het was het hoge, kregelige gedrein van een kind.

'Bla-bla-bla... wat ben je toch een vervloekte baby,' zei hij. 'Hou één moment je bek, kleine flikker die je bent, en laat me nadenk– Wat was dat?'

Ik verroerde me niet. Stilte.

Hij ging vrolijk verder. 'Het is een beetje laat om erachter te komen dat je geen ballen hebt, Robbie.'

Er klonk een schraapgeluid van schurend metaal. Het volgende moment kwam de vloer van de tunnel naar beneden en tuimelde ik de duisternis in.

TWEEËNZEVENTIG

Het leek een eeuwigheid te duren voor ik op de grond terechtkwam. Ik landde ongelukkig op mijn enkel, terwijl ik ook nog mijn zaklantaarn kwijtraakte. De revolver ging af, waardoor een fractie van een seconde licht door de hoge ruimte flitste. De ondergrond was zacht, mosachtig. Er hing een bedompte geur van aceton en kool. Of van de dood. Boven me applaudisseerde iemand.

'Dat is nog een wat anders, hè, om iemand anders in de grond te zien zinken?' Connors stem klonk ongeveer acht meter boven mijn hoofd: toonloos en eigenaardig kalm. 'Het is héél andere koek om zelf in dat donkere gat te verdwijnen.'

Hij stond in de deuropening: een donker silhouet tegen een grijze rechthoek. Spiegelogen gloeiden schemerig op.

Ik hees me overeind, terwijl ik mijn best deed niet te verraden dat ik mank was. 'Waarom kom je ook niet naar beneden om het zelf te ervaren?' Hij geeuwde. 'Ik ben daar wel eens geweest. Ik vond het maar niks. Doe je moeder de groeten van me.'

Hij verdween; er klonk een luide klik. Felle, gele schijnwerpers floepten aan, verblindend tegen de witte tegelmuren. In het plafond was een rij blootliggende stalen pijpen aangebracht, waar douchekoppen aan vastzaten. Daaruit klonk opeens een plopgeluid, waarna koud, roestbruin water naar beneden spoot. Het water werd lauw en daarna heet. Daarna kokend heet. Ik trok mijn jack over mijn hoofd.

Ik keek om me heen op de cementvloer. Dik slijm en badspeeltjes spoelden naar de metalen afvoer. De zaklantaarn had zich tegen een rubberen eendje aan genesteld. Kokend water striemde op mijn wang toen ik de richel boven mijn hoofd aan een onderzoek onderwierp. Er hing een ketting aan het plafond, en daaraan hing een leren harnas, zo'n tweeënhalve meter boven mijn hoofd. Ik nam een sprong, waarna ik teruggleed en op de vloer tuimelde. Ik dacht dat ik Connor hoorde lachen.

Ik nam opnieuw een aanloop, sprong en ditmaal kregen mijn vingers de onderkant van het harnas te pakken. Vervolgens, centimeter voor centimeter, trok ik me op naar de uitgang en ging er toen met een zwaai doorheen. Ogenblikkelijk werd het water afgesloten.

'Dat was nog maar voor de lol.' Connors stem was nu versterkt en weergalmde tegen het beton. 'Je rook alsof je wel een bad kon gebruiken.'

Ik bevond me nu in een andere tunnel. Ik kroop verder: links, toen naar rechts, daarna weer naar links, terwijl ik met de blaren op mijn handen mijn revolver vasthield.

'Ooo, Mikey, je wilt niet spéúlen?' Zijn stem zakte een paar octaven. 'Mike, je vader en ik bevelen je om aan mijn pik te zuigen.' De laatste woorden gingen over in een hilarisch gelach.

De ruimte voor me was donker. Maar vanwege het zigzaggen van de tunnel wist ik vrij zeker waar ik me nu bevond: in Theo's doka.

'Dat is nou wat je niet snapt.' Het leek wel of zijn stem door mijn hele hoofd dreunde. 'Jij begrijpt die kinderen niet. Ik wel. Ik heb mijn hele leven een studie van ze gemaakt. Ik hóéf geen medelijden met ze te hebben, want daar sta ik boven. En ik heb géén hersenbeschadiging, sukkel.'

Praat maar door, dacht ik. Vertel me hoe ver ik van de muren af ben. Mijn voeten vertrapten snoepwikkels en colablikjes.

'Ik wil dat je weet dat ik alles heb gehoord,' zei Connor. 'Ik zag wat je die kut bij je liet doen. Ik weet waarom je haar niet kon naaien, ook al weet je dat zelf misschien niet. Elk geheimpje in je hart behoort me toe.' Hij lachte. 'Ik kén je. Ik heb je bezig gezien. En ik weet dat je ook niet kunt helpen wat je zo meteen gaat doen.'

Ik voelde koel cement onder mijn vingers. Ik hoefde nu alleen nog maar in beweging te blijven tot ik de uitgang had gevonden.

'Maar maak je geen zorgen, Mike. Ik zal je niet laten doodgaan als een stom beest.'

Grijswitte rechthoeken flakkerden boven mijn hoofd: tv-schermen.

'Kijk maar. Daar is iedereen...'

Op de schermen waren in de verte de zwaailichten van politieauto's te zien en de satellietschotels op bussen van de omroep, die allemaal keurig in het gelid aan de voet van de bergen stonden te wachten.

'En daar ben jij...'

Nu veranderde het beeld, en in een waas van groen licht en schaduwen zag ik mezelf met mijn hand tegen de muur geleund staan. Infraroodcamera's. Ik kon nog net de stijl van een deurpost onderscheiden, anderhalve meter links van mij.

'En daar ben je nog eens... En zij. Stout, stout.'

Op de schermen waren nu via een raam twee naakte gestalten te zien die tegen elkaar aan bewogen. Ik herkende het donkere haar van Dorothy, de aanzet van haar borst.

'En hier is ze nog eens.'

Het bleke, naakte lichaam van een vrouw hing ondersteboven, terwijl haar vingers nog net de grond raakten. Donkere vegen bloed sijpelden als verf naar beneden. Terwijl het touw langzaam stil kwam te hangen, keerde haar gezicht zich naar me toe.

'O, tussen haakjes: had ik al gezegd dat dit allemaal *live* wordt uitgezonden?'

'Dorothy,' zei ik. 'O, meisje.'

'Waag het niet om te gaan grienen,' zei hij, nu weer de zogenaamde vader. 'Dit komt allemaal door jou.'

'Dat is genoeg. O, jezus, genoeg.' Ik wierp me tegen de deur naast me. Die schoot sidderend open. Ik bevond me nu in een lage houten ruimte, waar het sterk naar benzine rook.

Connor Blackwell, van top tot teen in het zwart, stond voor me. De helft van zijn make-up was weggeveegd, waardoor de onregelmatige, lijkwitte huid zichtbaar was. Gespiegelde contactlenzen. Zonder zijn valse haar en baard leek hij eerder een oud kind dan op een man. Hij had Robbie als een kapot speelgoedje onder zijn arm geklemd. Zijn andere hand had hij om een zestig centimeter lange trocart geklemd.

'Nu snap je het dus,' zei hij. 'En nu weet je het. Het zal je niet lukken om me tegen te houden zonder ook haar te doden.' Hij grijnsde. 'Maar je mag toekijken.'

'Robbie,' zei ik.

Maar Robbie meed mijn blik. Connor glimlachte en rende weg. Ik ging achter hem aan naar het eind van een brede tunnel. De afvoerpijp die in het meer uitkwam.

'Peggy, niet schieten!' riep ik. 'Hij gebruikt Robbie als schild!'

Er werd een motorfiets aan getrapt, die vervolgens ronkend wegreed. Op het moment dat ik erachteraan wilde gaan, hoestte er iemand in de ruimte achter me.

'Hallo,' klonk een ijl stemmetje terwijl ik me omdraaide.

'Hallo, Cassandra,' zei ik. Het kind zat met haar rug tegen een oude boiler, met haar handen op haar rug. 'Alles goed? Kun je lopen?'

'Ik kan niet opstaan.' Ze keek me met doordringende groene ogen aan. Ik bukte me. 'Zal ik je optillen?'

'Ik kan niet opstaan. Ik kán niet.' En toen zag ik waarom.

Ze was aan de muur vastgebonden met een eind pianosnaar die om haar polsen was gewikkeld en boven een katrol verdween. Ik kon nog net het uiteinde van de schoenveter zien, de in elkaar geknutselde lont die naar een stuk metallic lint liep. Bij de minste ademhaling van Cassie kwam de draad in beweging, waarbij die dreigde de lont tegen een prop gedroogd wit papier aan te schuren. Frictiekoppeling.

Hij zal ze niet doden, had Gavin gezegd. *Maar jij wel.* Ik zou haar bijna zonder erbij na te denken hebben vastgegrepen.

'Oké, lieve meid. Niet bewegen.' Ik keek om me heen, op zoek naar iets scherps. 'Peggy!' riep ik door de tunnel heen. 'Kom maar.'

'Ik heb gekeken toen hij het vastmaakte,' liet Cassie zich ontvallen.

'Cassie, weet je nog welke kleur de lont had? Zwart of wit?'

'Zwart.' Ze zei het zonder enige aarzeling. 'Mister?'

'Wat is er?'

'Hij neemt Robbie mee om haar te vermoorden.'

'Om wie te vermoorden?'

'Miss Corvis,' zei Cassandra. 'Hij gaat Robbie dwingen om haar te vermoorden.'

Enkele angstige seconden later verscheen Peggy in de tunnel.

'Mike,' zei ze. 'Ze zijn weg.'

'Peg, we zitten hier met een korte lont. Buskruit. Voor zover ik kan beoordelen zit het zo in elkaar dat de boel afgaat als we de kabel doorknippen of hem eruit rukken.'

'Goed, dan wachten we.'

'Het kan niet wachten,' zei ik. 'Het slaghoedje bevat jodiumhoudende ammonia. Die explodeert bij aanraking, of door de geringste tik.'

'Hij zei dat ik tot stront zou worden geblazen,' zei Cassie.

'Dat gaat niet gebeuren, meisje. Weet jij nog hoe lang de zwarte draad was? Dertig centimeter, of...'

'Dat weet ik niet,' zei ze.

Ik hield mijn handen vijfentwintig centimeter van elkaar af. 'Was het zo ver uit elkaar?'

'De helft daarvan.'

'Ongeveer negentig seconden per centimeter,' zei ik. 'Dat is met een lont van de zwarte kop van een lucifer nog geen vier minuten.' Ik keek Peggy aan. 'Zeg het maar.'

Ze gaf me haar zakmes. 'Snij haar los.'

'Oké, Cassie. Agent Weaver zal zorgen dat er spanning op de draad blijft. Jij ademt straks diep in, zodat ik wat speling krijg. Dan ga ik de draad doorsnijden en jou naar buiten brengen. Daarna rennen we alle drie als gekken weg. Eén-twee-drie. Begrepen?'

Cassie knikte met een ernstig gezicht. Peggy zette zich schrap tegen de draad.

'Klaar,' zei ik. 'Eén... twee... dr–'

'Mike, de lont!'

Ik keek omhoog. Uit de prop papier schoten allemaal vonkende kristallen. Ik sneed de draad door en trok Cassie in mijn armen. We renden naar het eind van de tunnel, de avondlucht in. Toen legde ik Cassie in Peggy's armen.

'Achter die grote rotsen boven op die oever is een loopgraaf,' zei ik. 'Breng haar zo snel mogelijk zo ver weg als je kunt.'

'Mike, waar ga jij in godsnaam naartoe?'

'Achter hem aan,' zei ik. 'Zodra je haar in veiligheid hebt gebracht, ga dan op zoek naar de generators. Zet ze allemaal uit. Geen enkele uitgezonderd.'

'De wat?'

'Sluit de energie af,' zei ik. 'En ook zijn camera's.'

Ze wilde iets antwoorden. Toen keek ze over mijn schouder. 'Hij is nu halverwege.'

Ik rende de bedding over, waar ik de sporen van de motorfiets volgde. Op het geluid af van de motor, dat steeds verder weg klonk. Hoge booglampen beschenen een uitgestrekte zee van wit.

Lost Lake.

DRIEËNZEVENTIG

Hij was al helemaal bij de zeilboot: een zwart stipje op de witte bedding van het meer. Ik sprong hem achterna en klauterde over rulle aarde naar beneden. Toen voelde ik de explosie.

Het was niet één enkele, maar een hele reeks harde knallen, als vuilnisemmers die de trap af denderden. Gevolgd door de grote explosie, waarna een stoot hete lucht om me heen wervelde. In een stortregen van zand werd ik tegen de bodem van het meer gesmakt. Vlammen klauwden naar de hemel. Toen ik voor me uit keek, zag ik dat de explosie ook Connor niet onberoerd had gelaten. Zijn motor knalde vijftig meter verderop uit elkaar: een zwarte veeg op wit en een smal lint van staal.

'Geen stap dichterbij,' beval de ijzige stem. Connor had zich van de op de grond belande motor opgericht en klemde Robbie tegen zijn borst. De spitse punt van de trocart rustte tegen de oorlel van het jongetje.

Ik richtte het vuurwapen.

'Je kunt me niet doden,' zei hij. 'En mocht je het toch proberen...' Hij priemde met de punt in Robbies vel, waarop een rood stipje verscheen.

'Als je hem doodt,' zei ik, 'is er niemand over om jou te worden als je sterft.'

'Ik zal nooit sterven.' Connor lachte. 'Toe dan, schiet maar. Iedereen zal inzien dat je geen greintje gevoel voor rechtvaardigheid hebt. Dat zullen ze allemaal inzien.'

'Vanwege de camera's, bedoel je?'

Hij glimlachte.

'Ze krijgen geen bal te zien, Connor. Niet van wat jij wilt dat ze zien, in elk geval. De camera's zijn op non-actief gesteld.'

Hij wilde iets zeggen, maar de schijnwerpers doofden abrupt, eerst op de ene oever, vervolgens op de andere. Nu was er alleen nog licht van de maan en de sterren aan de hemel.

'Sorry dat ik je speelgoed heb moeten afpakken,' zei ik.

Hij bracht de trocart in de aanslag, klaar om toe te slaan.

Robbie keek naar me.

'Robbie, liggen!' schreeuwde ik.

Connor liet de trocart met een zwaai neerkomen. Ik haalde de trekker over, waarna er bloed uit zijn hand spoot. De stalen staaf kletterde op de grond toen Connor Blackwell op zijn knieën neerzeeg, terwijl hij de stomp vlees bij zijn pols vastgreep. Hij staarde me aan met gewonde spiegeltjesogen.

Het volgende moment nam hij een sprong.

Met vechten tegen een menselijk wezen had het niets te maken. We hielden elkaar in een ijzeren greep, rollend over het zand. Met zijn goede hand klauwde hij als een uitgehongerd beest. Zijn tanden sloten zich met kracht om mijn duim, terwijl zijn hoofd rukkende bewegingen maakte. De pijn schoot als een withete naald door mijn arm. Ik zette mijn linkerhand tegen zijn strot en drukte. Daarna rolde ik me boven op hem om hem te wurgen. Nog steeds liet hij niet los.

'Niemand kijkt meer naar je.' Mijn hand bonkte, loodzwaar in mijn borstkas. 'Niemand... ziet ons.'

Plotseling was hij als een marionet waarvan de touwtjes ineens zijn doorgeknipt. Hij viel jammerend in het zand.

'Het was niet mijn schuld,' zei hij. 'Hij dwong me. Ik... moest het van hem doen.'

'Het was nooit "hem", Connor. Jij was het, al die tijd.'

Ik ging op mijn hielen zitten, terwijl ik mijn gewonde hand vastklemde.

'Mister Yeager?'

Ik voelde de punt van de naald in mijn nek.

'Je zou mensen geen pijn moeten doen,' zei hij.

Ik keerde me naar hem toe. Hij zat op zijn knieën, terwijl hij me aanstaarde met Connors levenloze ogen. De trocart was nu dodelijk dichtbij, mocht hij besluiten het ding door mijn oog te jagen.

'Robbie...'

Hij verroerde zich niet.

'Laatst vroeg je me iets,' zei ik. 'Als iemand een kind kwaad deed, of ik dan net zo lang op hem zou schieten tot hij doodging.'

'Ik weet het nog,' zei hij.

Ik stak mijn handen omhoog. 'Vind je niet dat het tijd wordt om op te houden jezelf te kwellen?'

Robbie keek naar Connor. En vervolgens naar mij. Toen liet hij de punt van het steekwapen zakken.

VIERENZEVENTIG

Peggy was als eerste de helikopter uit.

Ik droeg Robbie aan haar over. 'Frizelle?'

'Hij haalt het wel,' zei ze. 'Goed geschoten, agent Yeager.'

'Ik heb alleen maar zijn wapen afgepakt.' zei ik. 'Zijn ware kracht zat in die camera's.'

Connor lag op dat moment in een halve foetushouding, terwijl het bloed op het zand gutste.

'Hij is in shock,' zei ik. 'Ik vraag me af of jij hem zijn rechten zou willen voorlezen.'

'Waar ga jij naartoe?'

'Naar de overkant van het meer,' zei ik.

Er stond nog één bouwsel overeind. Een oude stal: kaal en met stro op de grond. Over een plafondbalk was een touw geworpen, waaraan een stalen haak bungelde. Een camera op een statief, waarvan in het donker het rode opnamelampje brandde. Terwijl er niemand aan die haak hing. Loze touwtrossen en een loze blinddoek. Vanaf de deur liep een spoor van bloederige voetafdrukken.

Voor de zoveelste keer had ze een manier gevonden om te overleven.

VIJFENZEVENTIG

Vrijdagmiddag trof ik Peggy Weaver bij de kinderen aan in een besloten afdeling van het ziekenhuis. Cassie en Robbie waren met kleurkrijt op de kale muur aan het tekenen.

'Wat ben je aan het tekenen?' Peggy had van achteren haar armen om Cassie heen geslagen.

'Van toen je de draad doorsneed,' zei Cassie, 'en we bijna doodgingen.' Robbie had een gigantische, surrealistische tekening gemaakt van Dales afgehakte hoofd. Met daarnaast een enorme camera waar een kap overheen was getrokken. Een paar zilverkleurige ogen die in het donker oplichtten. En een enkele man met een pistool.

'En wat doe jij hier?' vroeg Peggy.

'Hier zijn we veilig.' Waarna Cassie opkeek en mij zag. 'Hallo.'

Robbie glimlachte naar me.

'Dat ben jij.' Hij wees. 'Jij houdt Connor tegen, omdat hij me wil vermoorden.'

'Wat voel je als je zulke tekeningen maakt?'

Hij nam wat afstand van de muur, terwijl hij met toegeknepen ogen zijn werk bekeek. Zijn benen, vers in het gips gezet, staken gestrekt uit de rolstoel.

'Het is lastig om er dichtbij te komen,' zei hij. 'Door mijn gips moet ik me opzij draaien.'

'...En dat daar is mijn poes,' zei Cassandra. 'Inky rent weg als je haar wilt oppakken...'

'Ze is een kletskous,' zei Robbie.

'Wat stelt dit gedeelte voor?' Ik wees naar een rij kruizen.

'Daar liggen mijn mama en papa begraven,' zei Cassie. 'Ben je naar hun begrafenis geweest?'

'Jazeker, naar de begrafenis van je vader.'

'Ik ga ze begraven wanneer ik hieruit kom,' zei ze. 'En ook tante Martha.'

'Ik vind dat een goed idee,' zei ik. 'Jongens, mag ik agent Weaver even van jullie lenen?'

'Gaan jullie weg?'

Ik glimlachte. 'Heel even maar. Gaan jullie maar door met tekenen.'

'En dan ga je voor altijd weg?'

'Niet voor altijd,' zei ik. 'Maar voor een poosje. Ik moet met een paar mensen praten en een rapport schrijven.'

'En daarna?' vroeg Robbie.

'Daarna hoef je maar te fluiten, en dan kom ik meteen.'

'Echt waar?' vroeg Cassie.

'Ja. Echt waar.'

Ik trok Peggy mee de gang op. 'Kleurkrijt op de muren?' vroeg ik. 'Jij zult wel erg populair worden bij het ziekenhuispersoneel.'

'Het was een wanhoopsmanoeuvre. Ik kon ze er niet toe bewegen met de zandbakspeeltjes te spelen.'

'En?'

'Het is nog steeds onwerkelijk voor ze. De volgende week kom ik terug met een therapeut uit Alexandria... Dan begint het echte werk pas.' Ze keek me aan. 'Je hebt een enorm risico genomen door jezelf zo aan hem uit te leveren.'

'Ik wist dat Robbie niet echt iemand wilde doden,' zei ik. 'Foto nummer 21 was de sleutel. Dat was de enige foto waarop het slachtoffer als een menselijk wezen te zien was: iemand die wist wat lijden was. Met de ring om van zijn vader. Ik moest ervoor zorgen dat Robbie wist dat ik hem met hetzelfde mededogen kon bekijken.'

'Ik hoorde dat jullie vandaag in Gavins achtertuin hebben gegraven.'

'We hebben de pup van Robbie gevonden,' zei ik. 'Die heeft Connor levend begraven.'

'Hij had tegen Robbie gezegd dat dat ook met Cassie zou gebeuren als hij het zou verklikken,' zei ze. 'Ik vind dat jij degene bent die Robbie moet vertellen dat dat niet waar is.'

'Ik zal het proberen,' zei ik. 'Ik heb net de film van het lab teruggekregen.'

'En?'

'Er zitten een paar oude... zelfportretten tussen die Theo na de brand heeft gemaakt, net als de foto's die Tippet waarschijnlijk bij zijn eigen onderzoek is tegengekomen. Ik heb er ook een paar ontdekt die veel recenter zijn... van Espero, van Dale en van Mary. Connor heeft alles vastgelegd als een soort instructieboek, zodat Robbie zou weten hoe hij in zijn voetsporen moest treden.'

'Maar je hebt Connor niet gedood,' zei ze. 'En nu krijgt Robbie de gelegenheid om iets anders te leren.'

'Laten we hopen dat dat afdoende is,' zei ik. 'O ja, en we hebben Clyde ook gevonden. Wat er van hem over was. Ik kan je de foto's laten zien, maar ik vermoed dat je nog niet hebt gegeten.'

'Je vermoeden is juist,' zei ze. 'Ga je vanavond vroeg eten? Ik moet morgenochtend om zes uur op voor mijn vlucht naar Philadelphia.'
'Wie komt je daar ophalen?'
Ze glimlachte. 'Mijn auto staat bij de vluchthaven.'
'Laten we vanavond láát gaan eten.' Ik aarzelde. 'Peggy, ik weet niet of ik ook naar Philadelphia terugga. Zelfs als het Bureau me terug wil... Ik weet nog bij god niet wat ik met mijn carrière van plan ben. En met ons.'
Peggy keek me aandachtig aan, liefdevol en oprecht.
'Wat je met ons van plan bent?' vroeg ze. 'Of wat je met haar van plan bent?'
Ik zei niets. Ik had geen antwoord.

Dokter Lund kwam me tegemoet.
'Frizelle laat je de groeten doen,' zei hij. 'Hij zei dat hij zich erop verheugde om met Cassandra op te trekken. En op die kalkoensandwich die je hem had beloofd.'
'Vind je echt dat hij zo ver is dat hij een kind kan opvoeden?'
Hij haalde zijn schouders op. 'Al doende leert men.'
'Nu je dat zo zegt: ben je van plan om mijn raad op te volgen en die sheriffster te houden?'
'Voorlopig.' Lund wapperde verlegen met zijn hand. 'Ik denk dat de tijd is aangebroken dat we hier wat vers bloed binnenhalen, vind je ook niet? Bovendien zal ik mijn handen vol hebben, als tijdelijke beschermengel van die twee kinderen.'
'Binnen de opties die je hebt, lijkt me dat je de juiste keuze hebt gemaakt.'
We schudden elkaar de hand en gingen ieder ons weegs. Ik liep in mijn eentje naar de intensive care. Sheriff Archer lag plat op zijn bed: futloos en uitgeteerd. Maar hij lag met open ogen te wachten.
'De kinderen zijn in veiligheid,' zei ik.
Hij staarde naar het plafond, zwijgend en roerloos. Toen draaide hij heel langzaam zijn gezicht naar me toe. 'In veiligheid?' vroeg hij met een stem als vergruizeld glas.
Ik knikte. Vervolgens legde ik mijn riem met de holster en de Colt af. Die legde ik op het voeteneinde van het bed neer. 'Als je mij naar mijn mening zou vragen: de filosofie van de Buntline is aan vernieuwing toe. Je hoeft niet altijd te schieten om te doden.'
'En gerechtigheid... boven pijn?'
Ik wilde reageren. Toen besefte ik dat hij me niet meer kon horen – niemand meer – nooit meer.

ZESENZEVENTIG

Zonsondergang in Dyer County.

Toen ik het parkeerterrein van het ziekenhuis op liep, verwachtte ik het onvermijdelijke. Al twee dagen lang had Peggy hints laten vallen dat ze me opnieuw wilde binnenhalen, mocht ik dat nog steeds willen. Ik had beloofd dat ik zou luisteren. Onder het eten zou ik gezellig zijn.

Ik vulde mijn longen met de schone lucht van Nevada. Voor het eerst in dagen hoefde ik geen telefoontjes te beantwoorden en hoefde ik nergens heen. Ik was weer mezelf – niet speciaal agent Yeager, maar mijn eigenste ik. Overdekt met littekens en vol herinneringen die niet snel zouden vervagen.

'Waarom kijk je zo gedeprimeerd?' vroeg een vrouwenstem achter me.

Ik keek om.

Dorothy.

Ze stond op krukken, met vers verband om haar beide enkels. Ze glimlachte bleekjes. 'Verwacht je misschien een geest?'

Ik trok haar in mijn armen. Ik voelde haar lippen tegen me aan, warm en zacht. Ik snoof het parfum van haar haar op. De kruidenshampoo, waardoor ze geurde als een tuin. Mijn hand lag om haar middel. En ik voelde haar tegen me aan.

'Waar kom je vandaan?'

Ze keek me vragend aan. 'Van de kinderen,' zei ze. 'En je fbi-vriendin. Ze is... erg aardig. Ze zeiden dat je daar net was geweest en op weg was naar buiten. En... daar ben je dan.'

'Ik kwam voor jou,' zei ik.

'Dat weet ik,' zei ze. 'En nu heb je me gevonden.' Ze keek naar beneden. 'Zo, je hebt mijn scooter in de prak gereden, hoorde ik. Dus... oké. Misschien bij jou thuis, de volgende keer.'

Ik lachte, om tranen te verdringen. 'Ik weet niet zo goed waar mijn thuis is.'

'Wil je het gaan zoeken?' Ze wachtte.

'Dorothy. Ik...' Ik zocht naar woorden, maar vond er niet één.

'Kom,' zei ze. 'Laten we gaan zitten.'

We gingen op een bank naast de ingang van het ziekenhuis zitten.

'Ik had eerlijker tegen je moeten zijn.' Ze sloeg haar ogen neer. 'Ik heb overhoopgelegen met mensen die in dezelfde branche werken als jij. Je leek heel anders dan de smerissen met wie ik vroeger in aanraking was gekomen. Je leek aardig, integer. En zacht. En dat ben je ook.' 'Dat zijn een heleboel van ons. Meer dan je misschien zou denken.' 'Dat hoop ik maar.' Ze zweeg even. 'Hoe dan ook, ik dacht dat het goed zou zijn om je te helpen. En dat er misschien een kans bestond dat, als alles achter de rug was, je het allemaal achter je zou kunnen laten.' Toen keek ze me aan. 'Maar dat ben je niet van plan, hè?' Ik ademde langzaam uit. 'Het is mijn wereld, Dorothy. De enige wereld die ik ken.'

Ze legde haar hand op de mijne.

'Bel me op wanneer je aan een nieuwe toe bent,' zei ze.

Toen kuste ze me zachtjes, en even later kwam de zuster om haar weer naar binnen te helpen. Ik was bijna achter haar aan gelopen. Maar uiteindelijk ben ik op de bank blijven zitten. Pas toen voelde ik hoe uitgeput ik was. En hoe alleen. En hoe vol leven.

En per slot van rekening wás het mijn wereld.

Ik keek omhoog naar de Sangre de los Niños, met nog de littekens van de vlammen, maar oeroud en sterk, bestaande uit rode steen en vol legenden over offers. Zij zouden alles overleven wat zich daar ooit had afgespeeld. Ik zou leven en sterven... Robbie en Cassie zouden hun eigen kinderen oud zien worden... Dyer County zelf zou in stof opgaan. Maar desondanks zouden die oude bergen blijven, buiten het bereik van menselijk begrip. En ze zouden hun geheimen goed bewaren.

Ik had me nooit gerealiseerd hoe prachtig ze wel waren.

Dankbetuiging

Ik ben rechercheur Steve Greene van het Jefferson County Sheriff's Department enorm veel dank verschuldigd, evenals Dr. Lois Wims van de faculteit Strafrecht aan de University of South Alabama, en Volney Hayes, undercoveragent in ruste van de FBI. Bijzondere dank aan dr. Eliana Gil, die als mijn gids optrad en mij door de fascinerende wereld van de kinderpsychologie en speltherapie leidde. Het hoeft geen betoog dat alle feitelijke onjuistheden in het verhaal alleen van mij afkomstig zijn en geen neerslag van de wijsheid van deze intelligente lieden.

Ik ben iedereen enorm dankbaar die, ondanks talrijke herzieningen, nog steeds wegwijs konden worden uit het manuscript: Victoria Lakeman, bij wie het lezen van het verhaal een vonk van herkenning oversprong (ook al is het verhaal gaandeweg onherkenbaar veranderd); Carolyn Haines en de Deep South Writers Salon – Aleta Boudreaux, Susan Tanner, Stephanie Chisholm en Renee Paul; en mijn vrienden en lezers Nancy Boykin, John Gale, Bill Bly, Mark Kines, Leah Lowe, Randy Davis, Marta Anderson en – voor diepgaande gesprekken bij heerlijke koppen Engelse thee – Keira Mallinger.

U zou dit boek niet lezen zonder de inzet van Marian Young, een geweldige agent, en Kelley Ragland, een briljante redacteur. Zoals ik hier niet geweest zou zijn om deze woorden te schrijven zonder mijn ouders, de eerwaarde Ed Lakeman, en dr. Patricia Burchfield, die altijd in mij en mijn werk hebben geloofd. Aan allen mijn hartelijke dank.